CEDU쎄듀는 A **C**omprehensive **E**nglish e**DU**cation(종합적 영어교육)의 약자입니다.

펴낸이	김기훈 ㅣ 김진희
펴낸곳	(주)쎄듀 ㅣ 서울특별시 강남구 논현로 305 (역삼동)
발행일	2020년 10월 12일 초판 1쇄
내용문의	www.cedubook.com
구입문의	콘텐츠 마케팅 사업본부
	Tel. 02-6241-2007
	Fax. 02-2058-0209
등록번호	제 22-2472호
ISBN	978-89-6806-205-6

파워업
독해유형편

POWER

저자

김기훈 現 ㈜쎄듀 대표이사

現 메가스터디 영어영역 대표강사

前 서울특별시 교육청 외국어 교육정책자문위원회 위원

저서 천일문 〈입문편·기본편·핵심편·완성편〉 / 천일문 GRAMMAR

첫단추 BASIC / Grammar Q / ALL씀 서술형 / Reading Relay

어휘끝 / 어법끝 / 쎄듀 본영어 / 절대평가 PLAN A

The 리딩플레이어 / 빈칸백서 / 오답백서 /

첫단추 시리즈 / 파워업 시리즈 / Sense Up! 모의고사

절대유형 시리즈 / 수능실감 시리즈 등

쎄듀 영어교육연구센터

쎄듀 영어교육센터는 영어 콘텐츠에 대한 전문지식과 경험을 바탕으로

최고의 교육 콘텐츠를 만들고자 최선의 노력을 다하는 전문가 집단입니다.

한예회 책임연구원

Project Managing 사태숙

개발에 도움을 주신 분 장정근 선생님(대성고) · 최대호 선생님(전북과학고)

마케팅 콘텐츠 마케팅 사업본부

제작 정승호

영업 문병구

인디자인 편집 올댓에디팅

디자인 윤혜영

영문교열 Eric Scheusner · Janna Christie

Preface 이 책을 펴내며

이 책은 2016년 발간된 <유형즉답>을 토대로 한 교재로, 수능 독해 유형 학습의 필요를 느끼는 학생들이 수능에 출제되는 다양한 유형의 해결을 위한 스킬을 익히도록 기획되었습니다. 실제 기출문제에는 공통적인 유형이 반복 출제되고 저마다 특징과 접근 방법이 다르므로 각 유형에 맞는 해결 방법이 있기 마련입니다. 무엇보다도 학습한 전략을 실제 독해에 바로 적용할 수 있도록 체득하는 것이 중요합니다. 이러한 사항에 초점을 맞춰 이 책을 학습하고 나면 어떤 유형이든 해결해낼 수 있다는 자신감이 부쩍 늘어 있을 것입니다.

본 교재의 특징은 다음과 같습니다.

첫째, 학습 효율성을 높이는 구성

각 유형마다 효과적인 풀이 전략을 익히는 것이 매우 중요합니다. 유형별로 어떤 풀이 방식이 유효하며 어떻게 접근해야 하는지를 한 눈에 파악할 수 있는 도식으로 정리하였습니다. 교재 구성과 문제의 품질에 최선을 다하였으므로 누구나 쉽고 빠르게 유형별로 꼭 필요한 학습 사항들을 익힐 수 있습니다.

둘째, 유형별 해결전략을 습득하는 단계적 구성

1단계: 유형 해결 전략 제시 → 2단계: 전략 확인용 간단한 문제 → 3단계: 전략을 적용해 볼 수 있는 연습문제 → 4단계: 미니 모의고사를 통한 실전 문제 풀이로 이어지는 학습을 통해 유형에 대한 해결전략부터 문제 풀이에 대한 실전 감각까지 자연스럽게 습득할 수 있습니다. 이 책의 정답 및 해설에는 전략을 도입한 정답 풀이와 오답 분석을 제공하여 유형 학습의 효과를 배가시킵니다.

셋째, 빈출 어법포인트 정리로 고난도 어법 유형 정복

많은 학생이 어려워하는 어법 유형도 함께 정리할 수 있도록, 20개년 수능에 출제된 어법포인트를 빈도순으로 제시하였고 기출 예문과 연습 문제를 통하여 고난도 어법 유형에 대한 감각도 충분히 키울 수 있도록 하였습니다.

본 교재는 해결 방법을 몰라 어렵게만 느껴졌던 **영어 유형별 학습에 즉각적인 답을 제시**해드리겠습니다. 수능 독해 유형에 대해 이해하고 나면, <파워업 독해실전편> 모의고사를 통해 실제 독해 풀이 훈련까지 진행하실 것을 추천해드립니다. 여러분의 든든한 영어 독해 지원군이 되어드리겠습니다.

저자

Preview 미리보기

Unit

❶ 유형별 핵심적인 해결전략을 도식으로 제시하여
문제풀이의 올바른 접근 방향을 제시합니다.

❷ Warm Up: 간단한 연습문제를 통해 전략을
얼마나 잘 이해하고 있는지 점검해볼 수 있습니다.

❸ 대표적인 유형 문제를 통해 전략을 적용하는 훈련을
합니다. 주어진 질문에 답하면서 전략을 적절하게
적용했는지를 확인할 수 있습니다.

❹ 주의해야 할 오답을 구별해내는 팁도 세심하게
정리하였습니다.

Make it Yours

유형별 해결전략을 적용해볼 수 있는 독해 문제가
수록되어 있습니다. 다양한 소재의 문제를 통해
독해력을 상승시킬 수 있습니다.

빈출순 어법포인트

빈출 어법의 핵심 포인트를 알려주고 기출 문제와
연습문제에 적용해볼 수 있도록 구성하였습니다.

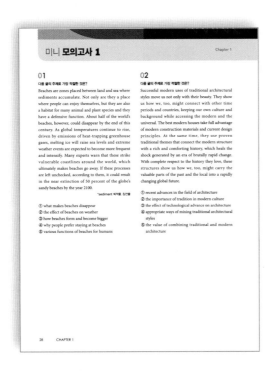

미니 모의고사

챕터별로 독해 유형을 모아 구성된 총 4회분의
미니 모의고사를 통하여 실전 감각을 다질 수 있습니다.

정답 및 해설

해결전략을 적용해 정답을 분석하고 풀이 전략을
보여줍니다. 이외에도 매력적인 오답들을
분석하여 정리하고 해당 지문별로 짚고 넘어가야 할
구문 분석을 담았습니다.

이 책에 쓰인 기호

/, // 끊어 읽기	**( )** 수식어구	**[ ]** 수식어절	**(that)** 생략 가능 어구	**「 」** 구문
└ = ┘ 동격	**S** 주어	**V** 동사	**O** 목적어	**C** 보어
S' 진주어 또는 종속절의 주어		**O'** 진목적어 또는 종속절의 목적어		
v-ing 동명사 또는 현재분사		**to-v** to부정사		

Contents 목차

Study Plan 학습 플랜

✳ 10주 동안 주 2회 학습할 경우 학습 플랜의 예시입니다.
　평일 중 이틀은 학습을 하고 주말 동안 복습 또는 평일에 학습하지 못한 부분을 진행하세요.
　(/) 안에는 학습한 날짜를 기입하고, 학습을 완료한 후에는 ✔ 표시하세요.

1주	**Unit 01** (/) 완료 ☐	**Unit 02** (/) 완료 ☐	**복습** (/) 완료 ☐
2주	**Unit 03** (/) 완료 ☐	**미니 모의고사 1** (/) 완료 ☐	**복습** (/) 완료 ☐
3주	**Unit 04** (/) 완료 ☐	**Unit 05** (/) 완료 ☐	**복습** (/) 완료 ☐
4주	**Unit 06** (/) 완료 ☐	**Unit 07** (/) 완료 ☐	**복습** (/) 완료 ☐
5주	**Unit 08** (/) 완료 ☐	**미니 모의고사 2** (/) 완료 ☐	**복습** (/) 완료 ☐
6주	**Unit 09** (/) 완료 ☐	**Unit 10** (/) 완료 ☐	**복습** (/) 완료 ☐
7주	**Unit 11** (/) 완료 ☐	**미니 모의고사 3** (/) 완료 ☐	**복습** (/) 완료 ☐
8주	**Unit 12** (/) 완료 ☐	**Unit 13** (/) 완료 ☐	**복습** (/) 완료 ☐
9주	**Unit 14** (/) 완료 ☐	**Unit 15** (/) 완료 ☐	**복습** (/) 완료 ☐
10주	**Unit 16** (/) 완료 ☐	**미니 모의고사 4** (/) 완료 ☐	**복습** (/) 완료 ☐

글의 핵심 파악하기

Unit 01 주제

해결전략 1

글의 핵심 내용인 주제문 찾기

글의 주제를 뒷받침하는 **세부 사항**을 통해 주제문 찾기	→	**주제문의 특징**	**주제문이 없는 경우**
		• **글의 핵심 내용** 압축 → 포괄적임 • '**~해야 한다**'의 표현(must, should, need to 등) 사용 • '**중요하다**'의 표현(important, necessary, essential 등) 사용 • **명령문**의 표현(Do ~, Don't ~ 등) 사용	반복어구, 구체적 진술, 제시된 예시·일화 등을 일반화하여 핵심 내용을 찾고 주제를 추론함

❋ **Warm Up**   다음 중 다른 나머지 문장들의 내용을 포괄하는 한 문장을 고르시오.

① Online ads have various functions.
② Online ads give information about jobs.
③ Some online ads help people choose what to buy and sell.

전략적용 1

다음 글의 주제로 가장 적절한 것은?

What happens in your brain when you are under test stress? At first, you think more clearly and respond more quickly. But after you've reached your stress limit, your brain begins to make mistakes. You can't concentrate. You lose your willpower. A small amount of stress causes your brain to produce chemicals that help you react quickly and think sharply. But as the stress increases, these chemicals overwhelm the brain, preventing you from thinking clearly. At first, what you memorized was coming to you without difficulty. However, three hours into the test, you can barely remember which end of the pencil you are supposed to use to fill in those endless little circles. To keep your brain working at its best for tests, don't allow stress to overwhelm you!

① effective ways to avoid stress
② factors that increase test stress
③ stress and related chemical issues
④ the importance of managing test stress
⑤ the relationship between stress and memory

Q1
주제문을 찾아 밑줄을 긋고, 위의 주제문의 특징에 해당하는 표현을 찾아 쓰시오.

→ _____

★ **정오답 가리기 Tip!**
반복적으로 등장하는 단어를 포함하거나, 상식적으로 그럴듯한 선택지를 섣불리 고르지 않도록 한다.

해결전략 2

보충설명 문장의 단서로 주제문 쉽게 찾기

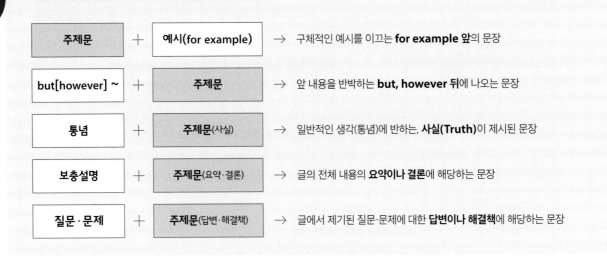

주제문 + 예시(for example)	→	구체적인 예시를 이끄는 **for example** 앞의 문장
but[however] ~ + 주제문	→	앞 내용을 반박하는 **but, however** 뒤에 나오는 문장
통념 + 주제문(사실)	→	일반적인 생각(통념)에 반하는, **사실(Truth)**이 제시된 문장
보충설명 + 주제문(요약·결론)	→	글의 전체 내용의 **요약이나 결론**에 해당하는 문장
질문·문제 + 주제문(답변·해결책)	→	글에서 제기된 질문·문제에 대한 **답변이나 해결책**에 해당하는 문장

※ **Warm Up** leisure activities에 관한 다음 두 문장 중, 주제문에 해당하는 것을 고르시오.
① The office worker, for example, may seek exercise in the fresh air.
② A person's recreation should be something different from his work.

전략적용 2

다음 글의 주제로 가장 적절한 것은?

Like an early impression, a reputation is often built on little things, including your appearance and manners. Believe it or not, this is good news, because it means you can take consistent action over time to develop your reputation. However, a word of caution: Once your reputation is formed, it's formed. It tends to last for a long time and is difficult to change, so create a reputation you'll be proud of at an early stage. Think about the millions of dollars McDonald's has spent trying to fix its image and reputation now that so many Americans are overweight. Consider the millions more it spent on creating "healthy" new products like salads to make this new image stick in your mind. Did it work? I don't know about you, but if I'm going to McDonald's, I'm not going to even pretend I'm eating something healthy.

① various factors that form your reputation
② how reputations are used to control others
③ the importance of building a good reputation early
④ effective strategies for maintaining a good reputation
⑤ the complexity of creating a reputation in the business world

Q1
주제문을 찾아 해당하는 문장의 첫 두 단어를 쓰시오.
→ _____

Q2
위의 다섯 가지 단서를 참고하여 주제문을 찾는 핵심 단서가 되는 한 단어를 쓰시오.
→ _____

> ★ **정오답 가리기 Tip!**
> ✔ 첫 문장 또는 글의 초반에 언급된 내용만 담은 선택지를 주제로 고르지 않는다.
> ✔ 주제와 거의 유사하나 한 단어 차이로 오답 선택지가 되는 경우를 주의한다.

Make it **Yours**

1 다음 글의 주제로 가장 적절한 것은?

Natural grass is an important component of urban and rural gardens and landscapes, and so many homeowners appreciate the beauty of natural grass growing on their gardens. However, few recognize that natural grass has environmental merit other than its beautiful appearance. Indeed, natural grass is sustainable and can deliver multiple advantages artificial grass can't match. Most of all, it is responsible for trapping 12 million tons of dust each year that would otherwise contaminate the air. Less dust blowing around means easier breathing. The dense root system of natural grass, in addition, plays a key role in the soil, providing stability for it. Thanks to this root system, natural grass helps reduce erosion caused by wind and rain. It also contributes to removing pollutants from water as it moves through the soil.

① benefits of natural grass on the environment
② how to decorate a garden with natural grass
③ ways of recovering a contaminated environment
④ reasons people are reluctant to grow natural grass
⑤ similarities between natural grass and artificial grass

2 다음 글의 주제로 가장 적절한 것은?

In making the decision to live a simple life, you typically run the risk of going against the generally accepted standard of success. Friends and associates who look to the media to define what success is may well find your desires absurd. They might think you don't have what it takes to succeed in the "real" world. Sometimes — though they wouldn't admit it — they see your new lifestyle as a threat to their own. To many, the idea of living a simple life is unthinkable. The question often is, "Why would you want to have only a little when you can have a lot?" You can try explaining to friends your plan to create a life that pursues a different kind of success, but don't be surprised if they don't immediately join you on your journey.

① factors affecting one's choice of lifestyle
② things that one needs to succeed in the real world
③ reasons for accepting the risks of living a simple life
④ a predictable negative reaction to choosing a simple life
⑤ the importance of explaining your lifestyle to friends and family

3

다음 글의 주제로 가장 적절한 것은?

Role playing is a characteristic of winning teams. It's not always about playing the best players, but the ones who play together best as a team. Most players compete for the major roles of a leading scorer, a home-run hitter, etc. But when none of your players are willing to play the sometimes less-exciting roles, your team is headed for trouble. There have been some extremely talented teams that never truly succeeded because every player wanted to be the star. Most of the players were concerned with their personal statistics so that the scouts would notice them. They were always looking to get attention at every opportunity. No one wanted to do the boring work that needed to be done to create a championship team. Championship teams have players who willingly do the tough, boring, and unnoticed jobs, and actually take pride in doing them.

① tips for team-based training
② benefits of cooperative problem solving
③ effective ways to monitor one's own play
④ the significance of supporting roles to teams
⑤ the pros and cons of role playing in teamwork

4

다음 글의 주제로 가장 적절한 것은?

Our state of mind is determined by the questions we ask ourselves more than by the ones from people around us. We don't do it consciously, but when something goes wrong, we start to ask "What went wrong?" or "What did I do?" and the brain then answers those questions in such a way that may make things worse and lead to more negative thinking. Eventually, this can break you. This is why positive thinking is essential. Rather than letting your brain randomly choose the questions and answers it gives you, start to choose them yourself. Work out half a dozen positive questions, and put them on the wall. On my office wall I have "What are six things that I am happy about right now?" and "What reward am I going to give myself in the future?" I go through those questions every morning. It's simple but worth trying.

① the benefit of positive feedback
② why and how to think positively
③ the necessity of rewarding oneself
④ the consequences of negative thinking
⑤ the brain's mechanism for questioning

5

다음 글의 주제로 가장 적절한 것은?

Some people have brains that are process-oriented, so they enjoy indirect conversation, which hints at what is desired while lacking a clear or obvious purpose. Others find this lack of structure and purpose very confusing and struggle to understand such conversations. In business, this can be disastrous, as many can't follow an indirect conversation and end up turning down indirect proposals, requests, or bids for advancement. Indirect speech may be excellent for building relationships, but that benefit may pale in significance if cars or planes end up crashing when the driver or pilot is unsure of what is being said. When an indirect speaker uses indirect speech with another indirect speaker, there is never a problem — both are sensitive to picking up the real meaning. It can, however, be disastrous when communicating with someone who takes words literally.

① different styles of communication
② problems caused by indirect speech
③ the importance of speech in business
④ ways of avoiding communication problems
⑤ how to understand an indirect conversation

정동사 vs. 준동사

❶ 한 문장에 접속사나 관계사의 연결이 없으면 한 개의 동사만 있어야 한다.

❷ 문장의 동사가 이미 있으면 나머지 동사는 준동사(to부정사, 동명사, 분사 등)이다.

In most wilderness, the majority of groups | visit / visiting | the area are small, usually between two and four people. (기출 응용)

> **풀이** 문장의 동사(are)가 있으므로 주어인 the majority of groups를 수식하는 준동사 형태인 visiting이 적절하다.

Quiz

1 An island | locates / located | in the Indian Ocean near Africa is a dream destination for nature and outdoor lovers.

2 That 60-story building recently built by the construction company | turned out / turning out | to have a serious problem.

▌ Practice

(A), (B), (C)의 각 네모 안에서 어법에 맞는 표현으로 가장 적절한 것은?

An experiment with patients shows how touching can have different effects on men and women. A nurse whose job was to tell patients about their upcoming surgery (A) | touching / touched | the patients three times: once briefly on the arm when she introduced herself, for a full minute on the arm while she was speaking, and then she shook the patient's hand before leaving. The women and men responded differently. The touching lowered blood pressure and eased anxiety in the women, but it upset the men, (B) | raising / raised | their blood pressure and increasing their anxiety. The experiment suggested that men find it harder than women to acknowledge feelings of fear and weakness. Therefore, instead of a comfort, the nurse's touch was a threatening sign to the men of (C) | their / its | weakness.

	(A)	(B)	(C)
①	touching	raised	its
②	touching	raising	their
③	touched	raised	its
④	touched	raising	their
⑤	touched	raising	its

Unit 02 요지, 주장

주제문이 있는 글의 요지 및 주장 찾기

> 필자의 주장이 담긴 **주제문 찾기** (*주장 = 필자의 개인적인 견해)
> ↓

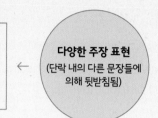

	다양한 주장 표현	
• should, must, 명령문 등의 강한 주장 • can, will, may 등의 조동사를 이용한 완곡한 주장 • It's time to ~ (~할 때이다 = ~해야 한다)	(단락 내의 다른 문장들에 의해 뒷받침됨)	• It seems that ~ (~인 것 같다) • It is desirable ~ (~하는 것이 바람직하다) • It's a shame ~ (~은 유감스럽다 = ~하지 말아야 한다)

※ **Warm Up**   필자의 주장으로서 나머지 문장들에 의해 뒷받침되고 있는 문장을 고르시오.

① Pets keep us company and make us feel happy.
② Pets can do positive things for people.
③ Pets are also known to make seniors feel less lonely.

다음 글의 요지로 가장 적절한 것은?

Your parents welcomed you into this world, nursed you, bathed you, fed and clothed you, comforted you, and spent countless days and dollars on you. And yet you don't understand why they want to know what's going on in your life? Don't you think they deserve, at the very least, for you to talk to them politely and be open with them? This may already be true for you. Your parents may be the first people you go to when you have good news to share or problems to sort out. If so, good for you! You're probably enjoying the great rewards of a loving, supportive relationship. On the other hand, if you rarely speak, it's likely that your parents feel hurt and ignored.

① 화목한 가정은 행복의 필수조건이다.
② 자녀에게 친구 같은 부모가 되어야 한다.
③ 부모의 희생에 감사하는 마음을 가져야 한다.
④ 갈등을 풀 수 있는 가장 좋은 방법은 대화다.
⑤ 자녀는 부모님께 마음을 열고 이야기를 해야 한다.

Q1
필자의 주장이 담긴 2개의 주제문을 찾아 해당하는 문장의 첫 세 단어를 각각 쓰시오.

→ _____
_____

★ 정오답 가리기 Tip!
지엽적인 내용이나 보충 설명 문장을 전체의 요지로 착각하지 않는다.

주제문이 없는 글의 요지 및 주장 찾기

주제문이 없는 경우	→	글의 내용을 종합적으로 이해하기	글의 종류가 이야기나 일화, 수필 등일 경우
		각 문장이 다루는 공통 내용 파악하기	결론이 의미하는 교훈이나 시사점에 집중 (이 경우, 속담이나 격언 등의 선택지가 제시될 수 있음)

❊ **Warm Up**   다음 문장들을 종합한 핵심 내용에 해당하는 것의 □에 체크하시오.

① You have to sit down before the food is served.

② Unfold the napkin beside your place at the table.

③ You can start eating when the host does.

☐ eating habit   ☐ table manners

다음 글의 주제로 가장 적절한 것은?

Whereas experts in a field usually love what they do, this emotion is generally not available to students or those starting out in the field. Especially in the sciences, beginners see only the boring parts of the job. Teachers rarely spend time trying to reveal the beauty and the fun of doing math or science; students learn that these subjects lack freedom and adventure. Not surprisingly, it is difficult to motivate young people to master such subjects. As a result, knowledge in these areas is in danger of becoming lost and creativity is becoming increasingly rare. This is a shame because it is a great joy to build culture — to be a scientist, or a mathematician. All too often, however, the joy of discovery fails to be communicated to young people, who turn instead to passive entertainment. If this trend continues, it will threaten the future of the math and science fields.

① 소비 중심적인 문화는 젊은이들을 수동적으로 만든다.

② 수학과 과학을 학습할 때에는 교사의 유무가 중요하다.

③ 한 분야의 전문가가 되려면 그 분야의 학습을 즐겨야 한다.

④ 수학과 과학은 흥미를 느끼지 못하는 학생들로 전망이 어둡다.

⑤ 수학과 과학 분야의 전문가 양성을 위한 교육 제도를 개발해야 한다.

Q1

글의 내용을 종합적으로 이해할 수 있도록 빈칸에 알맞은 말을 넣어 흐름에 따른 글의 내용을 완성하시오.

① 도입부: 학생들(초보자들)은 수학과 과학 분야에 _____를 찾기 어려움

② 중반부: 수학과 과학 분야의 지식과 창의성이 _____에 처함

③ 후반부: 수동적인 오락에 의지하는 학생들로 수학과 과학 분야의 _____를 위협함

Make it **Yours**

1 다음 글의 요지로 가장 적절한 것은?

In a 2004 study, a team of German researchers taught people how to solve a particular type of math problem using a complicated procedure. They asked the participants to practice the problem about 100 times. The participants were then sent away and told to return 12 hours later. Then they were instructed to try it another 200 times. What the researchers did not tell participants was that there was a much simpler way to solve the problem. Many of the people in the study discovered the shortcut over time. The critical difference, in terms of those who figured it out, was sleep. Participants who slept between sessions were two and a half times more likely to figure it out compared to those who stayed awake between sessions, even though the person did not know there was a problem to solve. The study suggests that the knowledge we gain one day is processed and reorganized as we sleep, which makes us more creative and better problem solvers the following day.

① 수면은 지식 습득량을 증가시켜 준다.
② 부단한 연습이 문제 해결력을 길러준다.
③ 수면이 창의적 문제 해결에 도움이 된다.
④ 수면 부족은 우리의 기억력을 감소시킨다.
⑤ 짧더라도 숙면을 취하는 것이 건강에 좋다.

2 다음 글의 요지로 가장 적절한 것은?

Most people have no idea of the power of their own thoughts. They do not realize that as they continue to find things to complain about, they prevent their own well-being. Many do not realize that before they were complaining about an aching body or disease, they were complaining about many other things. It does not matter if the object of your complaint is someone you are angry with, someone who has betrayed you, behavior in others that you believe is wrong, or something wrong with your own physical body — complaining is complaining, and it produces only negativity. So whether you are feeling good and are looking for a way to maintain that good feeling or your physical body is in need of recovery, the process is the same: learn to guide your thoughts in the direction of things that make you feel good.

① 불평은 또 다른 불평을 낳는다.
② 불평은 신체적 괴로움에서 비롯한다.
③ 불평이 생기는 원인을 파악해야 한다.
④ 생각의 방향을 조종할 수 있어야 한다.
⑤ 긍정적 사고가 신체 회복에 도움이 된다.

3 다음 글에서 필자가 주장하는 바로 가장 적절한 것은?

Keeping good relationships with others leads to a rich life, but we're often mistaken in the ways we try to do it. A healthy ego often convinces us that our way of thinking about things is right, but trying to make someone follow our way of living usually brings about an unwanted result, says psychologist Paul Coleman. Such behavior implies that we're coming from a superior place and that we have a deeper knowledge of what's best. This kind of attitude makes other people angry. Instead, you must fight your self-centered nature. For example, if your friend hates large gatherings, don't push him to come along with you to parties, so he doesn't have to make forced conversation. "Forcing your way of doing things on others is almost a form of violence," Coleman says.

① 자신의 방식을 남에게 강요하지 마라.
② 관계 유지를 위해 타인의 방식을 따르라.
③ 건강한 자아의 확립을 가장 우선시하라.
④ 행복한 삶을 위해서 좋은 인간관계를 유지하라.
⑤ 상대방을 설득할 때는 그 사람의 기분을 먼저 헤아려라.

4 다음 글의 요지로 가장 적절한 것은?

The life cycle hypothesis says that people try to keep their spending fairly constant over time, smoothing their consumption by borrowing and saving. When young, people save some of their income for when they are old. When they are old, they use these savings to finance their consumption. When an individual experiences good luck, he realizes that this is a temporary rather than a permanent boost to income and so does not increase his spending; instead he saves the extra income. Similarly, people may spend money as usual by using their savings although their income falls temporarily. In this theory, the only thing that causes people to increase or decrease their consumption is when their permanent, long-run income changes.

① 저축을 많이 하는 사람이 노후를 보장받는다.
② 소비는 일시적인 수입의 변화에 영향을 받지 않는다.
③ 기술이 뛰어난 사람의 수입이 많은 것은 당연하다.
④ 소비 수준이 높은 사람일수록 저축을 하지 않는다.
⑤ 수입의 변동이 심한 사람이 충동적 소비를 많이 한다.

5

고난도

다음 글에서 필자가 주장하는 바로 가장 적절한 것은?

Networking is a bit like peeling an onion. Each "layer" is really just a group of people in your world who share something in common — for instance, your "marketing coworkers" form a layer. Your "classmates from college" might be another layer. You start by peeling back the familiar layers and moving closer to the center — in other words, as you "work your layers," you'll start meeting more and more new people along the way. Don't let this stop you. Far too many people shy away from networking because they just aren't comfortable with reaching out to people they don't know. But I urge you: Don't skip this step. A stranger today might be a wealth of contacts or knowledge for you tomorrow, so don't stop peeling back your onion at the first or second layer.

① 기존의 인간관계를 소홀히 하지 마라.
② 새로운 사람들과의 관계 형성에 매진하라.
③ 친밀하지 않은 사람들과의 관계 개선에 집중하라.
④ 주변 사람들을 대할 때 차별하는 태도를 버려라.
⑤ 인간관계에서 오는 어려움은 주변의 도움을 청하라.

어법편 어법 POINT

병렬구조

❶ 등위접속사(and, but, or 등)와 상관접속사(not only A but (also) B, either A or B 등)는 문법적으로 대등한 형태를 연결하므로 문맥상 연결되는 부분의 문법적 특성이 대등한지 확인한다.

Language not only facilitates the cultural spread of innovations, but it also helps to shape the way we think about, perceive, and name / names our environment. (기출 응용)

풀이 주어 we에 이어지는 동사 think about, perceive와 and로 연결된 병렬구조이므로 동사 name이 적절하다.

Quiz

1 If you run out of time trying to do absolutely everything, then sometimes you end up doing the stupid stuff and missing / miss out on what really matters.

2 The author of this fairy tale has many talents. He not only wrote the text but also to draw / drew the illustrations.

 **Practice**

다음 글의 밑줄 친 부분 중, 어법상 틀린 것은?

Even when eggs appear to be both nutritious and ① safe when eaten raw, hunter-gatherers prefer to cook them. For example, the Yahgan hunter-gatherers of Tierra del Fuego in South America ② would never eat half-cooked, much less raw, eggs. The Yahgan drilled holes in eggshells to prevent them from bursting, buried the eggs on the edge of a fire, and ③ turn them until they were quite hard inside. When not drinking eggs to satisfy their thirst, Australian natives would make similar efforts, ④ which involved throwing emu eggs in the air to scramble them while still in the shell. They would then put them into hot sand or ashes and ⑤ flip them regularly to cook them completely, which takes about twenty minutes. Such care suggests that the hunter-gatherers knew plenty about the proper way to eat an egg.

*emu 에뮤(날지 못하는 호주산 큰 새)

Unit 03 제목

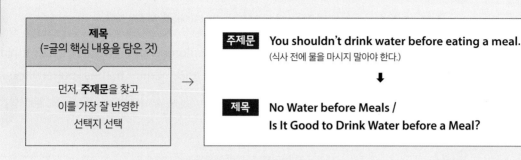

解決戰略 1

제목
(=글의 핵심 내용을 담은 것)

먼저, **주제문**을 찾고
이를 가장 잘 반영한
선택지 선택

→

주제문 You shouldn't drink water before eating a meal.
(식사 전에 물을 마시지 말아야 한다.)

↓

제목 No Water before Meals /
Is It Good to Drink Water before a Meal?

※ **Warm Up** 다음 주제문을 읽고, 그 내용을 가장 잘 반영한 제목을 고르시오.

Dolphins have often been seen protecting swimmers from sharks. But the idea that dolphins are lifesavers goes beyond their interactions with humans — they have been seen working together to save an injured member of their own group.

① Dolphins as Lifesavers ② Dolphins' Friendship

전략적용 1

다음 글의 제목으로 가장 적절한 것은?

The *Mona Lisa* is considered to be one of the most enigmatic portraits ever created. It is most likely to be of Lisa Gherardini, the wife of a Florentine silk merchant. In the painting, Leonardo da Vinci demonstrated his mastery of two particular techniques. First, he created a soft, smooth effect through the use of closely related colors — a technique called *sfumato*. Then he used small changes of light in order to establish contrast — a technique called *chiaroscuro*. These techniques contributed to the interesting nature of the subject's one-sided smile. In any case, the reasons for that particular expression are unknown. There is a theory that it was simply the fashion of the time for women to smile in that manner. Others have even proposed that it was evidence that she suffered from the habit of grinding her teeth together while asleep. Maybe she was just tense and bored with the wait!

*enigmatic 불가사의한

① Techniques Used in the *Mona Lisa*
② The *Mona Lisa* — Why So Famous?
③ The Mystery of *Mona Lisa*'s Smile
④ Why Did Leonardo Paint the *Mona Lisa*?
⑤ Some Secrets of the *Mona Lisa* Revealed

Q1
제목을 유추해 낼 수 있는 주제문을 모두 찾아 밑줄을 그으시오.

해결전략 2

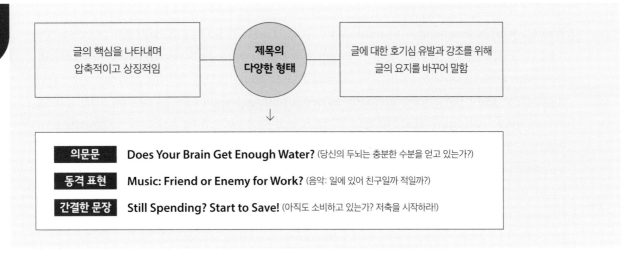

| 글의 핵심을 나타내며 압축적이고 상징적임 | 제목의 다양한 형태 | 글에 대한 호기심 유발과 강조를 위해 글의 요지를 바꾸어 말함 |

↓

의문문 **Does Your Brain Get Enough Water?** (당신의 두뇌는 충분한 수분을 얻고 있는가?)

동격 표현 **Music: Friend or Enemy for Work?** (음악: 일에 있어 친구일까 적일까?)

간결한 문장 **Still Spending? Start to Save!** (아직도 소비하고 있는가? 저축을 시작하라!)

❋ **Warm Up** 다음 글을 읽고, 내용을 가장 잘 반영한 제목을 고르시오.

Although I had experienced three days of stressful anticipation, having that time allowed me to acquire knowledge regarding skydiving. My fear was reduced by the information I had gathered, which let me enjoy the experience more. (기출 응용)

① Information: A Way to Avoid Fear ② Height and the Fear of Skydiving

전략적용 2

다음 글의 제목으로 가장 적절한 것은?

The practice of bathing babies shortly after they are born often exposes them to heat loss and cold, especially when the coating developed during the last phase of pregnancy is removed. This coating, called the *vernix caseosa*, comes from the baby's own skin. Before birth, the *vernix caseosa* serves as a blanket which protects the baby's skin. Following birth, it protects against loss of heat and blocks out the cold. For this reason the practice of washing away this substance is considered undesirable by some authorities. This is especially true where the surrounding temperature is less than 26 degrees. But even when surrounding temperatures are higher, it might still be a good idea to leave this substance untouched, and instead place the baby with the mother while she prepares to care for it.

*vernix caseosa 태지(태아의 몸을 덮고 있는 지방 성분으로 된 얇은 막)

① The Myth of the First Bath
② Easing Your Baby's Early Days
③ Is Bathing Painful for the Baby?
④ The Importance of Temperature for Baths
⑤ Hurry to Bathe Newborns? Take Your Time

Q1
글의 중심 소재를 우리말로 쓰시오.
→ _____

Q2
글의 요지를 나타내는 문장을 찾아 첫 세 단어를 쓰시오.
→ _____

★ **정오답 가리기 Tip!**
✔ 선택지의 제목으로 전개될 글의 방향을 유추해봤을 때, 해당 지문과 다른 방향의 글이 전개된다면 오답이다.

Make it **Yours**

1 다음 글의 제목으로 가장 적절한 것은?

When a patient in a mental hospital says to you, "I want to go home," you don't necessarily take it seriously or try to help him get the paperwork and permission completed. However, when a college student is talking about "going home" for the holidays, you feel supportive and offer encouragement. When a manager wants to "go home" after a long day of work, you know that the trip is short and that he will be back the following day. When a psychologist talks to you about "going home" mentally to heal the childhood wounds, you may begin a new thought process that lasts for years. Meaning doesn't come from words, and the same words convey different meanings under different circumstances. Meaning depends on who says the words to whom, when, and for what purpose. The more common the word, the more meanings it probably has.

① Words vs. Purposes: Which Makes You Act?
② Remember That Meaning Comes from Context
③ Speak Specifically, and You'll Get More Support
④ Focus on the Content of Words, Not the Messenger
⑤ Everyone Likes Speaking More Than Being Spoken to

2 다음 글의 제목으로 가장 적절한 것은?

Today our knowledge is increasing at breakneck speed, and theoretically we should understand the world better and better. But the very opposite is happening. Our new-found knowledge leads to faster economic, social and political changes; in an attempt to understand what is happening, we expand the amount of knowledge, which leads only to faster and greater upheavals. Consequently we are less and less able to forecast the future. In 1016 it was relatively easy to predict how Europe would look in 1050. Sure, dynasties might fall, people might rely on agriculture; yet it was clear that in 1050 Europe would still be ruled by kings, and that it would be an agricultural society. In contrast, now we have no idea, due to plenty of knowledge, how Europe will look in 2050. We cannot say what kind of political system it will have or how its job market will be structured.

① Don't forget: Knowledge First, Prediction Second
② Knowledge Makes It Possible to Have a Happy Life
③ Past Europe vs. Future Europe: Similar but Different
④ The More Knowledge, the Harder It Is to Predict the Future
⑤ The Hidden Booster of Innovative Knowledge Development

3

다음 글의 제목으로 가장 적절한 것은?

Some people worry constantly about outcomes. But it is their fear of failure that motivates them. Still, do they actually benefit from focusing on negative thoughts? To figure this out, one team of investigators told a group of such people that they would soon be tested on a series of math problems. Half the participants were told to reflect on their thoughts and feelings about the upcoming test and to list those thoughts for the experimenter. The remaining participants were given a proofreading exercise that took all their attention. In the end, those allowed to worry and be anxious about the upcoming test actually felt better than the participants not allowed to do this. Moreover, they also performed better than the participants who weren't allowed to worry. The results of this experiment suggest that thinking about all that can go wrong before a challenge actually helps some people.

① Effects of Reflecting on Self
② Anxiety Level and Test Scores
③ Where Negative Thoughts Come from
④ Negative Thinking: Not Everyone's Enemy
⑤ Tips to Turn Your Negative Thoughts Positive

4

다음 글의 제목으로 가장 적절한 것은?

According to a recent poll, close to 65 percent of Americans spend the majority of their so-called leisure time doing things they'd rather not do. I think there are two reasons for this. First, many of us don't know what we want, and it can seem impossible to take the time to figure it out. Secondly, what we want to do can often be difficult to do. For example, if your hidden desire is to write a great novel, it would seemingly require a major change in your life to arrange things so you could even get started on it. So our lives get spent on a social engagement here, a luncheon there, or an evening of television that we don't have all that much interest in. Meanwhile, the things we really want to do keep getting put off until another day.

① How to Do What You Want in Life
② Enjoy Leisure, Recharge Your Batteries
③ Reasons Why You Need Leisure Time
④ A Balance Between Work and Relaxation
⑤ Why We Don't Do What We Want to Do

5

다음 글의 제목으로 가장 적절한 것은?

People feel loyal to you only when you're willing to let them get to know you. They can't like someone they don't know. If you consider the closest, most meaningful relationships you have in the workplace, they're often based on self-disclosure. Those initial conversations and invitations are often overt: "Let's spend some time together after work. I'd like to get to know you better," or, "Well, I've told you my life story. Tell me about yourself." Practice disclosure by sharing facts about yourself — where you work, hobbies you enjoy, trips you've taken, sales you've lost. The subject doesn't matter as much as the fact that you're willing to share the information. Over time and with practice, you'll gradually feel at ease when sharing your values, opinions, and goals. The relationship will develop accordingly.

*overt 명백한

① Why Practice Makes Us Able People
② Is Your Relationship as Precious as Mine?
③ Facts vs. Rumors: Which Do You Rely on?
④ Self-Disclosure: It's Not for Me but for You
⑤ Talk About Yourself, and Your Relationship Benefits

능동의 v-ing vs. 수동의 p.p.

① '수식받는 명사'와 '분사(v-ing/p.p.)'의 관계를 '주어'와 '동사'의 관계로 생각해 본다. 문맥상 '명사가 ~하다'로 능동의 의미이면 v-ing로, '명사가 ~당하다, 되다'로 수동의 의미이면 p.p.로 명사를 수식한다.

② 분사구문의 '의미상 주어'와 '분사'의 관계도 '주어'와 '동사'의 관계로 생각하여 능동이면 v-ing, 수동이면 p.p.가 온다.

③ 감정동사의 분사형이 사용될 때, 의미상 주어가 '~한 감정을 유발하다'의 의미이면 v-ing, '~한 감정을 느끼다'의 의미이면 p.p.를 쓴다.

Indian kings sponsored great debating contests, offered / offering prizes for the winners. (기출)

> **풀이** 콤마(,) 이하는 분사구문으로서 의미상 주어인 Indian kings와 offer는 문맥상 능동 관계이므로 offering이 적절하다.

Quiz

1 Scientists have attempted to examine the issues surrounded / surrounding global warming more thoroughly.

2 Only after taking / taken to the hospital did Jake regain his consciousness and begin to recover.

Practice

다음 글의 밑줄 친 부분 중, 어법상 틀린 것은?

We are usually unaware of the way our senses interact with our day-to-day experiences. Across from a popular beach near where I live is a row of stores ① selling summertime equipment: umbrellas, sun creams, sodas, and so on. On a cold winter's day, when a rough wind was blowing, a friend ② who needed to buy a birthday present popped into one of these stores to scan the jewelry section. Not ③ knowing why, she suddenly found herself browsing the swimsuits. ④ Surprised by her own behavior, she slowly became aware that the surrounding air seemed like that of summer even though swimming season was at least five months away. Later, ⑤ joked around with the sales staff, she asked them to reveal their secrets. A clerk led her to a corner of the store, and pointed to a machine that was pumping out a subtle smell of coconuts. In the end, she didn't buy a swimsuit, but a week later she booked a trip to Fiji.

01

다음 글의 주제로 가장 적절한 것은?

Beaches are zones placed between land and sea where sediments accumulate. Not only are they a place where people can enjoy themselves, but they are also a habitat for many animal and plant species and they have a defensive function. About half of the world's beaches, however, could disappear by the end of this century. As global temperatures continue to rise, driven by emissions of heat-trapping greenhouse gases, melting ice will raise sea levels and extreme weather events are expected to become more frequent and intensify. Many experts warn that these strike vulnerable coastlines around the world, which ultimately makes beaches go away. If these processes are left unchecked, according to them, it could result in the near extinction of 50 percent of the globe's sandy beaches by the year 2100.

*sediment 퇴적물, 침전물

① what makes beaches disappear
② the effect of beaches on weather
③ how beaches form and become bigger
④ why people prefer staying at beaches
⑤ various functions of beaches for humans

02

다음 글의 주제로 가장 적절한 것은?

Successful modern uses of traditional architectural styles move us not only with their beauty. They show us how we, too, might connect with other time periods and countries, keeping our own culture and background while accessing the modern and the universal. The best modern houses take full advantage of modern construction materials and current design principles. At the same time, they use proven traditional themes that connect the modern structure with a rich and comforting history, which heals the shock generated by an era of brutally rapid change. With complete respect for the history they love, these structures show us how we, too, might carry the valuable parts of the past and the local into a rapidly changing global future.

① recent advances in the field of architecture
② the importance of tradition in modern culture
③ the effect of technological advance on architecture
④ appropriate ways of mixing traditional architectural styles
⑤ the value of combining traditional and modern architecture

03

다음 글에서 필자가 주장하는 바로 가장 적절한 것은?

When we're young, it's not uncommon to think that anything is possible (being an astronaut and a star baseball player at the same time, for example) and that we can accomplish everything if we work hard enough. It's true that big dreams often do come true for people who have ambition, but as we get older, we need to consider how our goals fit together to create one complete life. In other words, goals must not only be harmonious with our own desires and dreams; the accomplishment of one goal on your life list should be made easier by the accomplishment of another. For example, if your wish is to become a yoga teacher and open your own studio, this goal will benefit from other goals such as "Go to an annual yoga camp with my best friend," "Visit India," and "Practice two new yoga poses every week." These types of goals create happiness and energy, and improve your chances of reaching your biggest goals.

① 성취 가능한 목표를 설정하라.
② 한 가지 목표를 꾸준히 추구하라.
③ 큰 야망을 품음으로써 큰 목표를 가져라.
④ 목표와 희망 사항이 조화를 이루게 하라.
⑤ 목표들 간에 서로 돕는 상호작용이 있게 하라.

04

다음 글의 요지로 가장 적절한 것은?

There's a claim that art can be good art even when most people don't understand it. It is the same as saying of some kind of food that it is very good but people cannot eat it. Bread and fruit are only good when people like them, and it is the same with art. For instance, suppose there is some art that few people understand but some describe as good. It is not the case that lovers of such art are in possession of some special knowledge or insight. There is no explanation for these works. Then there are those that say one must first read, look at, or listen to art until one becomes accustomed. However, one can get accustomed to anything, no matter how terrible it is. As it is possible to get people accustomed to all kinds of unhealthy or harmful things, so it is possible to get them accustomed to bad art.

① 훌륭한 예술은 쉽게 이해될 수 없는 측면이 있다.
② 예술 작품에는 이해를 돕기 위한 설명이 따라야 한다.
③ 이해되지 않는 예술은 훌륭한 예술이라고 할 수 없다.
④ 난해한 예술을 이해하기 위해서는 특별한 지식이 필요하다.
⑤ 예술을 이해하려면 익숙해질 때까지 접하는 과정이 필요하다.

05

다음 글의 제목으로 가장 적절한 것은?

When promoting a product, it's often natural to start by identifying the problem which it needs to eliminate. However, if only the problem is highlighted, customers may be lost. I once worked with a company that had developed a special sugar coating for cereals that could actually help keep the cereal fresh longer in milk. We emphasized this idea with a picture of a kid frowning, holding up a spoon with a soft, wet flake hanging off it. However, this image was so unattractive that it aroused pity at best and forever connected that sad cereal experience with our brand. Had we made it clear that the wet cereal was from another company, and emphasized a positive image of a happy kid crunching along, maybe this would have worked. Positive messages and imagery always bring in better results.

① Focus on Problem Areas
② Start a Positive Campaign Early
③ Positive Marketing Is Always the Best
④ Separating the Positive from the Negative
⑤ Marketing Success Through Differentiation

06

다음 글의 제목으로 가장 적절한 것은?

European inventions recognized no boundaries. The printing press was no more a German invention than the telescope was a Dutch one or the knitting machine an English one, because they were all by-products of interaction and communication between regions. European shipbuilders frequently traveled on ships to see the types of ships produced elsewhere. From the fourteenth century on, sons of northern European merchants journeyed to Italy to study commercial arithmetic. In spite of the high cost of long-distance communication, technological "news" traveled well and fast in Europe. Technologically creative societies in Europe began as learners and typically soon turned into the producers and then the exporters of technology.

*arithmetic 산술, 연산

① The Role of Invention in Society
② Inventions that Changed European Countries
③ How Did Europeans Communicate with Each Other?
④ Factors That Encouraged Europeans to Pursue Invention
⑤ What Produced European Technological Advancement?

07

(A), (B), (C)의 각 네모 안에서 어법에 맞는 표현으로 가장 적절한 것은?

Although it is widely believed Mozart was a gifted child, he produced his best work only after a long period of study. It was not until he had been trained in music for 16 years that he first produced an acknowledged masterpiece. The appearance of unusual skills typically (A) follow / follows rather than comes before a period during which unusual opportunities are provided. And it is often combined with strong expectations (B) expressed / expressing by influential adults that a child will do well. The myth that high levels of performance can be achieved without effort (C) owes / owing much to the reality of practice itself: it is uninteresting, usually done in private, and therefore easy to imagine it doesn't happen at all.

	(A)		(B)		(C)
①	follow	......	expressing	......	owes
②	follow	......	expressed	......	owes
③	follows	......	expressed	......	owes
④	follows	......	expressed	......	owing
⑤	follows	......	expressing	......	owing

08

(A), (B), (C)의 각 네모 안에서 어법에 맞는 표현으로 가장 적절한 것은?

The most important thing that you should remember if there's a crocodile following you (A) is / are to get distance between you and it. The fastest and easiest way to do this is by running straight ahead. Crocodiles can reach speeds of almost 50 kilometers per hour, but they have no ability to maintain this speed. If there's some distance between you and the crocodile at the start, you will almost certainly be able to get away — as long as you don't do anything stupid, like zigzagging as you run. The good news is (B) what / that you'll probably never be chased by a crocodile. They employ "surprise attack" methods to get their food rather than chasing their food to catch it. When a crocodile moves fast, it's usually trying to get away from something, (C) make / making a straight line for safety underwater.

	(A)		(B)		(C)
①	is	......	what	......	make
②	are	......	that	......	making
③	is	......	that	......	making
④	is	......	that	......	make
⑤	are	......	what	......	making

DON'T SPEND TIME BEATING ON A WALL,
HOPING TO TRANSFORM IT
INTO A DOOR.

가로막힌 벽이 문으로 바뀌길 기대하면서 그 벽을 두드리느라 시간을 낭비하지 마라.

✖

COCO CHANEL
코코 샤넬

추론 및 완성하기

Unit 04 빈칸 추론(1)

빈칸이 포함된 문장 읽기		빈칸의 단서를 찾아 글 전체 읽기		빈칸에 들어갈 내용 추론
빈칸 문장을 통해 글에서 무엇을 파악해야 하는지 확인하기	→	① 글의 소재 및 전체 내용 확인 ② 글의 전개 방향 파악	→	

❋ **Warm Up**　**1.** 다음 문장을 읽고, 빈칸을 추론하려면 나머지 글에서 어떤 내용을 찾아야 하는지 고르시오.

In a study of 500 marriages, one researcher determined that successful marriages are more closely linked to _____ than to any other factor. (기출)

① 성공적인 결혼 생활과 가장 밀접한 요인　　　　② 결혼 생활에서 가장 중요한 시기

2. 다음 글의 빈칸에 알맞은 말을 고르시오.

One outcome of motivation is behavior that takes considerable _____. For example, if you are motivated to lose weight, you will buy low-fat foods, eat smaller portions, and exercise.

(기출 응용)

① effort　　　　　　　　　　　　② experience

전략적용 1

다음 빈칸에 들어갈 말로 가장 적절한 것은?

According to a recent survey, the average person spends nearly five hours a day watching television — more time than they spend on any other waking activity, except work. In a more relationship-oriented world those five hours would be spent on family, friends, exercise, or other human-related activities. The TV brings us our information, fills up our time, and watches our children. But by "killing" time with TV, we prevent those occurrences that contribute to _____. If we are glued to the television set, we don't get the idea of going out for a friendly walk. We don't notice that our companion seems to be worried about something or ask what it is. We don't cope with other people's feelings or have interesting arguments. The social and personal costs are unimaginable, as this destroys our ability to build meaningful relationships.

① health　　　　② society　　　　③ friendship
④ intelligence　　　⑤ self-development

Q1

빈칸 문장을 통해 글에서 무엇을 파악해야 하는지 우리말로 쓰시오.

→ _____
_____

Q2

빈칸의 단서가 되는 내용이 시작되는 첫 문장의 첫 세 단어를 쓰시오.

→ _____

★ **정오답 가리기 Tip!**

상식적으로만 판단해 빈칸에 넣었을 때 그럴듯한 것으로 정답을 유추하지 않는다.

해결전략 2

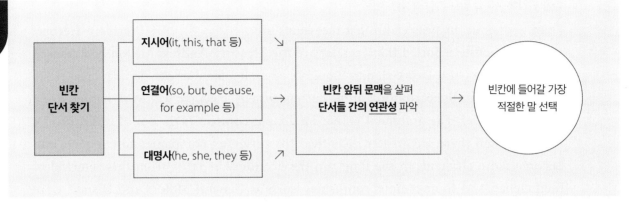

❋ **Warm Up** 다음 글의 빈칸에 알맞은 말을 고르시오.

The drug company profits if the experiment shows that its product is effective. Therefore, the experimenters aren't _____. They might ensure the conclusion is positive and benefits the drug company. (기출 응용)

① subjective   ② objective

전략적용 2

다음 빈칸에 들어갈 말로 가장 적절한 것은?

Why do some children develop a talent for mathematics while others do not? For starters, the learning of a language for numbers is crucial, and it is at that stage that cultural and educational differences appear. For instance, Chinese children have an advantage in learning to count, because _____. Whereas English speakers say "seventeen, eighteen, nineteen, twenty, twenty-one, etc.," they only need to say: "ten-seven, ten-eight, ten-nine, two-ten, two-ten-one, etc." Hence, they have fewer words to learn and less grammar to master. Evidence indicates that the greater simplicity of their number words speeds up learning to count by about one year!

① they have various counting systems

② their number system is rather irregular

③ their attitude toward math is very positive

④ their vocabulary for numbers is so much simpler

⑤ they regularly encounter number words in daily life

Q1
위의 빈칸 단서 찾기를 참고하여 빈칸 문장에서 빈칸의 단서가 되는 단어를 찾아 쓰시오.

→ _____

Make it **Yours**

1 다음 빈칸에 들어갈 말로 가장 적절한 것은?

Some economic analysts claim that recessions are _____. US President Herbert Hoover famously reported that Secretary of the Treasury Andrew Mellon had advised him during the Great Depression to "liquidate labor, liquidate stocks, liquidate real estate ... it will root out the corruption in the current system ... people will work harder, live a more moral life." The argument is that inefficient companies go out of business in a recession, and there are greater incentives for surviving companies to cut costs and become more efficient. In the long run the economy benefits from this removal of inefficiency, and some famous companies, such as General Motors and Disney, were founded during a deep recession.

*liquidate 청산하다

① beneficial   ② disastrous   ③ irreversible
④ unpredictable   ⑤ psychological

2 다음 빈칸에 들어갈 말로 가장 적절한 것은?

Opinion polls and surveys are particularly vulnerable to statistical mistakes and deliberate trickery. In particular, the outcome of a survey can be influenced by selection bias. It takes a considerable amount of work to conduct a survey to get responses from a reasonably random group of people. For example, surveys conducted outside a shopping mall, concert, or sports arena may not be balanced in terms of people's income levels, race, or gender. Also, people who feel strongly about the topic of the survey are more likely to complete it than people who do not. So stakeholders who want to bias their survey can cleverly select who answers it, and even the most well-meaning pollster may accidentally bias a survey by _____.

*stakeholder 이해관계자

① failing to get a representative sample
② conducting it as frequently as possible
③ revealing the outcome of different surveys
④ manipulating the answers of every respondent
⑤ refusing to accept the answers they don't like

3 다음 빈칸에 들어갈 말로 가장 적절한 것은?

Nine out of ten people who _____ have strong feelings of competence. James Black worked in a department store, where he helped choose which clothes the store would sell. But he was convinced he could do better on his own. His co-workers warned him it was a long shot. Far from letting this drag him down, James trusted in himself and launched Jimmy Wear in 1995. He has worked long hours, and his clothes have steadily made their way to more and more stores across the country. James has one strategy for succeeding in such an intense and competitive environment: "No matter what you are trying for, don't doubt your ability to achieve your dream."

① feel fulfillment from the job they do
② try not to be a "yes man" to everyone
③ have prepared themselves for a long time
④ believe they will one day realize their goals
⑤ have gone through and overcome many failures

4 다음 빈칸에 들어갈 말로 가장 적절한 것은?

It is thought to be a general rule that the weaker the government, _____. Although there have been exceptions, strong rulers have tended to be unfriendly or indifferent to technological change. For instance, both the Ming dynasty in China and the Tokugawa in Japan closely managed every aspect of their societies and were unfriendly to new technologies. Only when strong governments needed technology to stay in power, as in the case of Napoleon's France, did they decide to promote innovation. But when rulers are weak, they are typically unable to keep technological progress from happening, however hard they may try. For example, the weakening of central power in Europe after the fall of the Roman Empire may help to explain the great technological progress afterward.

① the easier it is to reform society
② the longer it takes to establish power
③ the stronger the need for social change
④ the slower the technological advancement
⑤ the better it is for technological innovation

5

다음 빈칸에 들어갈 말로 가장 적절한 것은?

With their emphasis on ecology, environmentalists are often accused of denying developing nations access to the same wealth and sophistication enjoyed by industrial nations. Many argue that developing nations should be free to pursue the same economic paths as others have taken previously. Environmentalists, however, argue that environment and development are tightly linked and cannot be treated separately. In the words of the 1987 Brundtland Report, "Failures to manage the environment and to sustain development threaten to overwhelm all countries. Development cannot subsist upon a worsening environmental base." All growth must therefore take into account _____. To this extent, environmentalists have promoted small-scale agricultural projects, the support of fair-trade and an end to the Western world's dumping of dirty industries onto the developing world, helping developing countries grow economically and socially.

① the necessity of rapid development
② the costs of environmental destruction
③ the new way of facilitating development
④ the correct distribution of economic benefit
⑤ the unique situation of developing countries

that[which] vs. what

❶ 관계대명사 that[which]은 선행사가 앞에 위치하지만, 관계대명사 what은 선행사(the thing(s))를 포함하므로 앞에 수식하는 선행사가 없다.

❷ 접속사 that과 관계대명사 what을 구별하는 문제가 출제되기도 한다. 불완전한 절을 이끄는 관계대명사 what과 다르게, 접속사 that은 완전한 구조의 명사절을 이끌며 문장의 주어, 목적어, 보어가 되고 동격절로도 사용된다.

As technology and the Internet are a familiar resource for young people, it is logical that / what they would seek assistance from this source. (기출 응용)

풀이 뒤에 「주어(they)+동사(would seek)+목적어(assistance)」의 완전한 구조가 이어지므로 접속사 that이 올 자리이다. 여기서 that은 가주어 it을 대신하는 진주어를 이끄는 접속사이다.

Quiz

1 The birds that / what eat insects can see them from far away.

2 Some people think getting that / what they want is more important than being honest.

Practice

(A), (B), (C)의 각 네모 안에서 어법에 맞는 표현으로 가장 적절한 것은?

In a famous experiment, babies were given a rake, and a toy was placed far away. The babies quickly learned to use the rake to get the toy. Then the researchers observed some (A) interesting / interested behavior. After a few successful attempts, the babies lost interest in the toy but not the experiment. They would take the toy, move it to different places, and (B) use / using the rake to grab it. They even placed the toy out of reach to see (C) that / what the rake could do. The toy didn't seem to matter to them at all. What mattered was the fact that the rake could move it closer. They were experimenting with the relationship between two objects, and specifically with how one object could influence the other.

*rake 갈퀴

	(A)		(B)		(C)
①	interesting	......	using	......	that
②	interested	......	using	......	that
③	interested	......	use	......	what
④	interesting	......	use	......	what
⑤	interesting	......	use	......	that

Unit 05 빈칸 추론(2)

빈칸 문장이 주제문인 경우

빈칸 내용	빈칸 단서 찾기
빈칸이 포함된 문장 = 글의 **핵심** 문장	① 빈칸 문장과 앞뒤 문장 간의 의미 관계 파악 ② 글의 요지 파악

→ 글의 흐름을 논리적이고 자연스럽게 만드는 선택지 선택

❋ **Warm Up** 다음 글의 빈칸에 알맞은 말을 고르시오.

Remember you can be the _____ of the happiness of your friends. You can spread happiness by wearing a bright smile on your face. (기출)

① output   ② source

전략적용 1

다음 빈칸에 들어갈 말로 가장 적절한 것은?

Imagine if you wanted to do studies on the effects of walking through doorways on a person's memory. Naturally, you would need to get your subjects walking and you would need several different rooms with doors. You could do this in the "real world," but why not make use of computer technology and have your subjects do their walking virtually? Using a virtual world has one advantage over real worlds: you _____. For example, if you used the real world and had your subjects walk from one end of a building to another, you might not be able to manage who your subjects ran into, who started a conversation with them, or what events they might see along the way. All of these unexpected events can affect their ability to remember. On the other hand, if you created a virtual world on a computer and had your subjects "walk" around these rooms using a mouse, you would completely take care of what happens as they do their walking.

① avoid spending money to borrow a building
② have control over the environment
③ have your subjects walk repeatedly
④ gather as many subjects as you want
⑤ remove results inconsistent with your prediction

Q1
주제문을 찾아 해당하는 문장의 첫 단어를 쓰시오.

→ _____

Q2
빈칸의 단서가 되는 핵심 문장을 찾아 밑줄을 그으시오.

해결전략 2

빈칸 문장이 세부사항인 경우

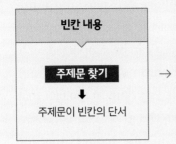

빈칸 내용
주제문 찾기
↓
주제문이 빈칸의 단서

→

빈칸 단서 찾기
- 핵심어구와 반복어구에 주목
- 빈칸 앞뒤에서 글의 요지나 주제를 암시하는 문장 찾기
- 문장 간의 논리 관계 및 글의 전개 방식 추측
  → 연결어 단서: for example, in other words, therefore 등

→

정답 선택지를 넣어
문맥상 적절한지 확인

❈ **Warm Up** 다음 글의 빈칸에 알맞은 말을 고르시오.

When a company comes out with a new product, it often raises the prices of its existing products. This might be designed to make the new product look _____ and thus more attractive by comparison. (기출 응용)

① cheaper   ② more expensive

전략적용 2

다음 빈칸에 들어갈 말로 가장 적절한 것은?

If you want to improve your ability as an athlete, one highly effective method of doing it is interval training. Interval training combines repeating short, difficult sections of exercise with longer periods of rest for high intensity exercise. This method of training is more effective than simply training at a lower level. Why does this work? According to Tim Noakes, what may be happening is this: In order to improve maximum performance, you need to persuade your brain to let you go beyond your limits, when otherwise fatigue would break in and warn you, "No more." One way to motivate yourself is to teach your brain that your body can handle the stress. Through interval training, you can teach your own brain that your body won't be harmed by _____.

① resting longer than usual
② shortening your training time
③ pushing yourself a little further
④ using different methods of training
⑤ taking some time to learn what works

Q1
빈칸의 단서가 되는 문장을 모두 찾아 해당하는 문장의 첫 세 단어를 각각 쓰시오.

→ _____

_____

Make it **Yours**

1 다음 빈칸에 들어갈 말로 가장 적절한 것은?

Picture a traditional village in which people make a living from the sale of wool, grazing their sheep on a collectively owned common pasture. The village prospers and more sheep are put out to graze. But soon there are so many sheep that the grass is eaten faster than it can grow back. Eventually, the ground is bare and no sheep can be supported on it — the villagers' livelihood disappears. This 'tragedy of the commons' comes about because when individual owners graze their sheep, they don't take account of the fact that this reduces the grass available to other villagers' sheep. Here the grass is a common resource: no one can be excluded from using it, but one person's use reduces that for others. The combined effect of the villagers' actions is _____ — if they could agree to limit the number of sheep, perhaps using taxes or quotas, their livelihood could be protected. This is what lies behind governments' attempt to regulate common resources such as water, roads and fish.

*quota 할당(량)

① self-defeating ② profit-friendly ③ group-centered
④ economy-driven ⑤ regulation-oriented

2 다음 빈칸에 들어갈 말로 가장 적절한 것은?

There has always been conflict between nations and, despite an almost universal condemnation of the use of force, international conflicts frequently result in war. But _____? This was a question first addressed by medieval Islamic and Christian philosophers, who came to the conclusion that if war satisfies three main criteria — it must have authority (declared by a state or ruler), cause (to recover something that has been taken), and intention (the goal of restoring the peace) — there is such a thing as a 'just war'. The idea — the right to go to war — later became a matter for international agreement rather than moral philosophy, and more detailed criteria for justifiable use of force were established. These included the ideas of proper authority, just cause and right intention, but also added principles of probability of success and last resort. The rules regulating war were internationally agreed by a succession of Geneva Conventions.

① why do people hate war
② can war ever be justified
③ should we stop war permanently
④ what is the hidden intention of war
⑤ is war really worse than anything else

3 다음 빈칸에 들어갈 말로 가장 적절한 것은?

The first real evidence that _____ came from examination of patients in hospitals. A famous case was Phineas P. Gage, a railroad worker who in 1848 survived an accident that destroyed much of his left front part of his brain. Although he continued to lead a normal life, his personality changed dramatically. Later, physiologist Paul Broca examined patients with severe speech disorders who passed away, and discovered damage to a specific part of their brains. Carl Wernicke similarly discovered the area associated with understanding language. More recently, while treating epilepsy sufferers, Roger Sperry recognized that the two halves of the brain have different functions. Each part processes sensory information from the opposite side of the body; the left part is linked to logical analysis, while the right deals in creative thinking.

*epilepsy 간질

① brains constantly remain activated
② functions are localized in the brain
③ a broken brain can be cured properly
④ each brain has different levels of thinking
⑤ personal life changes with the brain's health

4 다음 빈칸에 들어갈 말로 가장 적절한 것은?

Philosophy examines the assumptions of an argument. The twentieth-century philosopher Karl Popper, in studying how science makes progress, laid stress on the fact that a theory, if it is truly scientific, must be capable of being proved false. Science is advanced, not by continually producing examples of where a theory works, but by finding examples of where it fails. The failure of one theory gives birth to the next, and the same has been true of philosophy. Each generation of philosophers has worked to develop new ideas by _____. For those who want final answers, philosophy is likely to be a source of frustration. For those who ask questions and are prepared to test and modify their own views, it is a source of fascination and a means of improving the mind.

① performing research with a simple theory
② showing the limitations of existing theories
③ following the assumptions of former theories
④ making theories that are testable and realistic
⑤ denying every accepted theory of that time period

5

고난도

다음 빈칸에 들어갈 말로 가장 적절한 것은?

Reality exists independent of the observer, of course, but our perceptions of reality are influenced by various things framing our examination of it. That _____ _____, above all, is true not only for quantum physics but also for all observations of the world. When Columbus arrived in the New World, he had a theory that he was in Asia and proceeded to perceive the New World, America, as such. Cinnamon was a valuable Asian spice, and the first New World shrub that smelled like cinnamon was declared to be it. When he encountered the aromatic gumbo-limbo tree of the West Indies, Columbus concluded it was an Asian species similar to the mastic tree of the Mediterranean. He was also certain that a New World nut was matched with Marco Polo's description of a coconut. Columbus's surgeon even declared, based on some Caribbean roots his men uncovered, that he had found unique Chinese plants. A theory of Asia produced observations of Asia, even though Columbus was half a world away from it. Such is the power of theory.

*gumbo-limbo tree 감람과(科)의 나무   **mastic tree 유향나무

① theory shapes perceptions of reality
② the eye of the observer is based on reality
③ awareness of ignorance leads to exploration
④ a careful observation founds a powerful reality
⑤ hypothesis is independent of theory and science

관계대명사 (= 접속사 + 대명사)

❶ 관계대명사는 앞에 나온 명사(선행사)를 대신하는 대명사이면서 절과 절을 이어주는 접속사의 역할도 한다. 즉 대명사는 절과 절을 연결할 수 없고 관계대명사와 중복해서 쓸 수도 없다.

❷ 선행사의 종류(사람·사물)와 격(주격·목적격 등)에 따라 알맞은 관계대명사를 사용한다. that은 선행사 구분 없이 주격, 목적격 관계대명사로 사용되며, 소유격도 선행사 종류에 상관없이 whose를 사용한다.

❸ 콤마(,)로 이어지는 보충 설명하는 관계대명사절이나 전치사의 목적어 역할을 하는 관계대명사절에는 that이 쓰일 수 없다.

Most professors see themselves in a position of professional authority over their students whom / which they earned by many years of study. (기출)

풀이 선행사(a position ~ their students)가 사물이고 뒤에 동사 earned의 목적어가 빠져 있으므로 목적격 관계대명사 which가 적절하다. 바로 앞의 their students를 선행사로 착각하지 않도록 문맥에 주의한다.

Quiz

1 Before I came here, I didn't have the opportunity to speak to people who / whose native language was English.

2 Many stores play music with a rhythm that's much slower than the average heartbeat, that / which makes you spend more time and money on shopping.

Practice

다음 글의 밑줄 친 부분 중, 어법상 틀린 것은?

Participation in sports involves a complex interaction of physical, psychological, and social factors. Some children cope naturally with the stress of competition, and their participation in sports ① leads to enhanced self-esteem and personal growth; others cope poorly, and not only are they likely to suffer psychologically, but they are more likely to become injured. Clearly, intervention of adults may be necessary in those cases ② who cause a child emotional stress. But it is we adults who determine the all-important social context ③ which surrounds sports. Adults should keep in mind that sports are a learning experience and ④ that winning is not the sole objective. Children should be encouraged to learn the fundamentals of the sport, interact with other youngsters, and above all, ⑤ have fun.

Unit 06 빈칸 추론(3)

빈칸이 전반부 혹은 중반부에 오는 경우

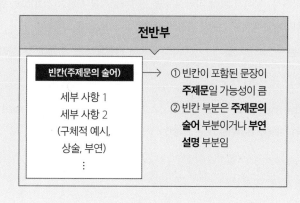

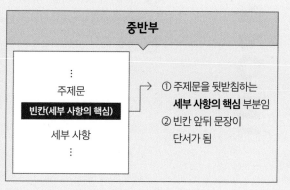

※ **Warm Up** 다음 글의 빈칸에 알맞은 말을 고르시오.

Remember that _____ is always of the essence. When an apology is not accepted, if the person is truly important to you, it is worthwhile to give him or her the time and space needed to heal. Do not expect the person to go right back to acting normally immediately. (기출 응용)

① patience   ② honesty

전략적용 1

다음 빈칸에 들어갈 말로 가장 적절한 것은?

A social change brought about by improvements in transportation is that we _____. As we've already known, early improvements in transportation made trading and labor specialization more possible than ever. However, transportation was still in its early stages of development and so industries would have had to be located in relatively close proximity. The early stages of clustering began, and people began to see the value of living close together in urbanized communities in towns. As people moved to the towns, population distribution became denser there. Towns developed into cities and this trend of moving from rural to urban environments has continued such that in 2007, for the first time ever in human history, more people lived in urban than rural communities.

① became absorbed in our own specialty
② thought a job not permanent but temporary
③ went from dispersed societies to dense ones
④ created a concept to move as freely as possible
⑤ became less dependent on each other than before

Q1
주제문을 찾아 해당하는 문장의 첫 세 단어를 쓰시오.
→ _____

Q2
빈칸의 단서가 되는 핵심 문장을 찾아 밑줄을 그으시오.

해결전략 2

빈칸이 후반부나 마지막 문장에 오는 경우

후반부 →	(주제문) 세부 사항 1 세부 사항 2 ⋮ 빈칸(결론)	→	① 빈칸의 대부분이 **글의 결론이나 요약**에 해당됨 ② 세부 사항을 통해 발전된 주제문을 되풀이하여 비유나 수사적인 표현을 사용하여 요지를 강화함

❋ **Warm Up**　다음 글의 빈칸에 알맞은 말을 고르시오.

Different groups and places have different customs and beliefs. However, the attitudes, interests, and other characteristics of an individual are often quite different from those of the group to which they may belong. Thus, while it's important to know and respect the characteristics of a culture and each gender, you should _____.

① accept the wide variations among cultures
② beware of making assumptions about individuals

전략적용 2

다음 빈칸에 들어갈 말로 가장 적절한 것은?

If you don't want to commit yourself with an oral response, you can use silence to mask your own opinions or emotions. With practice, you can gain attention with silence (by a long pause before you respond — one that builds suspense and adds weight to what follows), or you can avoid attention with silence (as if you've moved on mentally). Silence can also build intimacy. Only when people don't know each other well are they uncomfortable with silence between their exchanges. People who feel intimate with each other understand silence as a communion of thought. Comfortable silence gives you time to reflect on what has been said, to make a decision, to change the subject, to create psychological distance from the past, and to get ready to move on mentally. Silence is a very _____ conversational tool.

① intimate　　② abstract　　③ versatile
④ deceptive　　⑤ spontaneous

Q1
글의 중심 소재를 찾아 한 단어로 쓰시오.
→ _____

Q2
빈칸의 내용을 추론할 수 있도록 글의 내용을 우리말로 요약하시오.
→ _____
_____

Make it **Yours**

1 다음 빈칸에 들어갈 말로 가장 적절한 것은?

As time goes by, it becomes easier and easier to replace humans with computer algorithms, not merely because the algorithms are getting smarter, but also because humans are _____. Ancient hunter-gatherers mastered a very wide variety of skills in order to survive, which is why it would be immensely difficult to design a robotic hunter-gatherer. Such a robot would have to know how to prepare spear points from flint stones, find edible mushrooms in a forest, track down a mammoth, coordinate a charge with a dozen other hunters and use medicinal herbs to bandage any wounds. However, a taxi driver or a cardiologist specializes in a much narrower niche than a hunter-gatherer, which makes it easier to replace them with AI. AI is nowhere near human-like existence, but 99 percent of human qualities and abilities are simply redundant for the performance of most modern jobs. For AI to squeeze humans out of the job market it need only outperform us in the specific abilities a particular profession demands.

*algorithm 《특히 컴퓨터》 알고리즘(문제 해결 절차 및 방법)

① extinct   ② incapable   ③ digitalizing
④ cooperative   ⑤ professionalizing

2 다음 빈칸에 들어갈 말로 가장 적절한 것은?

In competitive markets, firms compete for business and offer low prices. Monopolies, conversely, produce less, charge more and make higher profits. What if competing firms could club together and act like a monopolist to make higher profits? Such an arrangement is called a cartel, and it's illegal in many countries. However, some cartels take on an international dimension, such as the Organization of the Petroleum Exporting Countries (OPEC), a prominent cartel of oil-producing countries. Cartels face a 'collective action' problem. Suppose OPEC countries boost the price of oil by limiting production. Now an individual oil producer, say Venezuela, has incentive to produce more oil to sell at the higher price. If Venezuela faces the incentive, then so do other oil-producing countries. If they all raise production, the price falls and OPEC members undercut their original aim. This is why cartels _____.

*Organization of the Petroleum Exporting Countries (OPEC): 석유 수출국 기구

① are formed frequently
② are prone to instability
③ take on a local dimension
④ make higher profits than ever
⑤ are willing to cooperate together

3 다음 빈칸에 들어갈 말로 가장 적절한 것은?

One of the basic differences between a person with a strong identity and one without one is that the former knows that it is she who has chosen whatever goal she is pursuing. What this person does is not random, nor is it the result of outside determining forces. This fact results in two seemingly opposite outcomes. On the one hand, having a feeling of ownership of decisions, this person sticks strongly to his or her goals. Actions become reliable and internally controlled. On the other hand, knowing them to be her own, this person can more easily modify her goals whenever the reasons for preserving them no longer make sense. In this way, a self-determined person's behavior is _____ _____.

① focused on his or her goals
② always in harmony with others
③ both more consistent and more flexible
④ neither predictable nor easily influenced
⑤ sensitive to circumstances and surroundings

4 다음 빈칸에 들어갈 말로 가장 적절한 것은?

Given the rapid rate of advances in artificial intelligence (AI), some futurists predicted that this might even trigger the moment when _____. Predictions were not necessarily reliable, however. For example, Alan Turing, an English mathematician and computer scientist, developed a test which was named the Turing Test later. It was a deceptively simple method of determining whether a machine can exceed human intelligence: If a machine can engage in a conversation with a human questioner without being detected as a machine, it means that the machine passes the test and is superior to human intelligence. Alan Turing, in fact, predicted an intelligent machine would be able to pass the test without difficulty and that it could substitute for human beings. However, no computer came close to passing the Turing Test.

① AI is not developed by itself any more
② humans are surpassed by or merge with AI
③ a robot with AI is universal or easily used
④ the rate of advances causes AI to be destroyed
⑤ scientists give up studying AI for human beings

5

고난도

다음 빈칸에 들어갈 말로 가장 적절한 것은?

Classical conditioning was based on Pavlov's discovery that a repeated combination of a stimulus and neutral signal would eventually produce a conditioned response. Although subsequent behaviorist psychologists refined and extended the idea, it was widely accepted that repetition was essential to boost the association. But not all behaviorists agreed. After a lot of experiments with rats, Edwin Guthrie pointed out that a rat would return to a source of food it had found after only one visit. In another puzzle-box experiment, he noticed that cats made an immediate association between activating a mechanism and escape — a 'one-trial learning' that they repeat. Guthrie explained this as learning 'a movement': a combination of related movements becomes an act and, together, acts constitute behavior. So he concluded that association between an action and its outcome could _____. Indeed, repetition is not necessary to reinforce association of movement with outcome.

① be manipulated by repetitive training

② be established the first time it is made

③ lead to difficult movements to conduct

④ be beneficial to the performer's learning skills

⑤ cause meaningless movement to happen repeatedly

어법 **POINT**

형용사 vs. 부사

❶ 형용사는 명사를 수식하고, 부사는 동사, 형용사, 부사, 문장 전체를 수식한다.

❷ 형용사는 보어로 쓰일 수 있지만, 부사는 보어로 쓰일 수 없다.

We know that artists usually limit themselves quite forceful / forcefully by choice of material and form of expression. (기출 응용)

풀이 문맥상 동사 limit을 수식하는 부사가 필요한 자리이므로 forcefully가 적절하다.

Quiz

1 For a food advertisement to be true / truly effective, it has to appeal to both men and women.

2 It was a nice day. School was over, and there was nothing in particular that I had to do. I felt as free / freely as a bird.

Practice

(A), (B), (C)의 각 네모 안에서 어법에 맞는 표현으로 가장 적절한 것은?

Advertising constantly promotes the core belief of our culture: that we can recreate ourselves and transform ourselves. For generations we believed this could be achieved if we worked hard enough. Today the promise of advertising is that we can change our lives (A) effortless / effortlessly — by winning the lottery, taking medicine, buying a car or soft drink. It is this belief that such transformation is possible (B) that / what drives us to buy more stuff and to read fashion magazines that give us the same information over and over again. On one level, we know it's wrong. But on another level, we continue to try; continue to believe that this time it will be different. This belief that we can transform ourselves makes advertising images much more (C) powerful / powerfully than they otherwise would be.

	(A)		(B)		(C)
①	effortless	......	that	......	powerful
②	effortlessly	......	that	......	powerful
③	effortlessly	......	that	......	powerfully
④	effortlessly	......	what	......	powerfully
⑤	effortless	......	what	......	powerful

Unit 07 요약문 완성

해결전략 1

요약문과 선택지 읽기

요약문은 글의 내용을 한 문장으로 종합한 것으로 주로 **주제문**과 관련됨 → 요약문에서 파악한 것을 토대로 글의 내용을 짐작하기 → 글을 읽으며 요지 파악하기

※ **Warm Up** 다음 요약문과 선택지를 읽고 ⓐ, ⓑ 중 글의 내용으로 짐작할 수 있는 것을 고르시오.

→ The ____(A)____ of the same kind of accident ____(B)____ the surprise of watching it. (기출)

(A)	(B)		(A)	(B)
① repetition	······ reduced		② repetition	······ increased
③ prevention	······ revealed		④ prevention	······ reduced

ⓐ 같은 종류의 사고를 보면 놀라움의 정도가 어떻게 되는가
ⓑ 같은 종류의 사고를 막으려면 어떻게 해야 하는가

전략적용 1

다음 글의 내용을 한 문장으로 요약하고자 한다. 빈칸 (A), (B)에 들어갈 말로 가장 적절한 것은?

How can we prove the existence of things we can't observe with our own senses? This is a common problem in the field of science, where, for example, you certainly don't see individual atoms. However, it's reasonable to believe in them because atomic theory explains things. When you accept the existence of atoms with certain structures and certain ways of interacting and combining, suddenly you can explain all sorts of things about the physical world. This is a kind of reasoning that we use all the time when we deal with things which don't have a definite form. Likewise, we believe in X-rays even though we don't see them, because doing that allows us to explain how there can be photographic images of the insides of objects — for example, the bones in your hand.

↓

We are willing to believe in ____(A)____ things to understand otherwise ____(B)____ things.

(A)	(B)	(A)	(B)
① impossible	······ unexplainable	② impossible	······ ambiguous
③ invisible	······ unexplainable	④ invisible	······ identified
⑤ unexpected	······ identified		

Q1
밑줄 친 doing that의 의미를 우리말로 쓰시오.
→ _____
_____

Q2
요약문의 내용을 추론할 수 있는 핵심 문장을 모두 찾아 첫 세 단어를 각각 쓰시오.
→ _____
_____

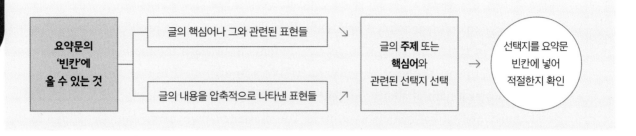

해결전략 2

※ Warm Up   다음 글에서 반복되는 단어에 모두 밑줄을 긋고, 아래 요약문에 들어갈 말로 이와 유사한 표현을 고르시오.

We must be careful when looking at proverbs as expressing common aspects of a people. But the frequent use of certain proverbs could be used together with other cultural indicators to form some common concepts. (기출 응용)

→ Commonly used proverbs can be a starting point for _____ ideas about a culture.

① general   ② specific

전략적용 2

다음 글의 내용을 한 문장으로 요약하고자 한다. 빈칸 (A), (B)에 들어갈 말로 가장 적절한 것은?

Most people have heard of or read the famous children's book *Green Eggs and Ham* (if you haven't then go get it — it's an extremely quick read). What you may not know is that the author wrote the book under serious pressure after his publisher dared him to write a children's book using the same fifty words or less. It's a fun, creative little book that has been wildly successful. We usually think that creativity bursts out of nowhere and only when writers, composers, or artists are allowed as much time as they need to let their minds run free. Actually, that doesn't appear to be the case. Many famous musical works were written when the composers were told that the song or symphony had to be completed in very little time. It was the feeling of burden that made them do their job. It's true, indeed, that many people have been really frustrated at not being able to do something because they didn't have the "right" tools and then they surprised themselves by coming up with a really creative solution.

↓

> We can be most _____(A)_____ not when we let our minds run free, but when we have the most _____(B)_____ placed on us.

(A)	(B)	(A)	(B)
① industrious	······ expectations	② creative	······ choices
③ pressured	······ expectations	④ creative	······ constraints
⑤ pressured	······ choices		

Q1
요약문의 빈칸 (A), (B)에 들어갈 말과 관련된 표현들을 모두 찾아 각각 쓰시오.

(A): _____

(B): _____

Make it **Yours**

1 다음 글의 내용을 한 문장으로 요약하고자 한다. 빈칸 (A), (B)에 들어갈 말로 가장 적절한 것은?

At Berkeley, a professor named Schoenfeld teaches a course on problem solving, the entire point of which, he says, is to get his students to unlearn the mathematical habits they picked up on the way to university. We sometimes think of being good at mathematics as a natural ability. You either have "it" or you don't. But to Schoenfeld, it's not so much ability that matters as attitude. You master mathematics if you are willing to try. Success is a function of effort and determination and the willingness to keep working hard when most people have already given up. Put a bunch of students with the right mindset in a classroom, and give them the space and time to explore mathematics for themselves, and you will be surprised by the results.

↓

It's tempting to focus on inborn ____(A)____, but the key to progress in mathematics is ____(B)____.

	(A)		(B)
①	talent	......	effort
②	tendency	......	exposure
③	talent	......	support
④	tendency	......	effort
⑤	attitude	......	exposure

2

다음 글의 내용을 한 문장으로 요약하고자 한다. 빈칸 (A), (B)에 들어갈 말로 가장 적절한 것은?

The more dependably our parents focused on us and cared about our emotions, the more we gained the ability to trust ourselves and the world around us. Stable caring relationships provide us with a safe environment in which we can feel secure and can trust those who love us. Our trust grows not only from being held when we needed it but also from being let go of when we needed that. The opposite of this is indifference or abandonment. If that happened to us, it becomes difficult later to trust others. If we felt that we needed to fill a certain role to receive love, we may not trust ourselves. The love that is conditional does not seem to us like love at all but like a reward for meeting expectations. We may doubt whether we are lovable just as we are. That unanswered question in our minds is what kills self-esteem and, with it, self-trust.

↓

Children who receive love ____(A)____ are better able to trust others, while those who don't, end up ____(B)____ their relationships and themselves.

	(A)		(B)
①	exceptionally	······	doubting
②	conditionally	······	trusting
③	exceptionally	······	misunderstanding
④	consistently	······	doubting
⑤	consistently	······	trusting

3 다음 글의 내용을 한 문장으로 요약하고자 한다. 빈칸 (A), (B)에 들어갈 말로 가장 적절한 것은?

There exists the idea of "embodied cognition," in which your body can strongly influence your thinking. Jostmann, Lakens, and Schubert conducted a rather straightforward study. They came up with some questions and asked students to rate how important the issue was. For example, students were asked how important it was that the student body have a voice in the college decision-making process. Student participants were stopped as they walked across campus and asked to hold a clipboard while they filled out the questionnaire. The researchers expected that if you were holding a heavy clipboard you would think the issue was more important (on a 1-7 scale) than if you were holding a light clipboard. And that's what they found — an average of 5.27 on the heavy clipboard versus a 4.21 on the light clipboard. They found similar results with other questions, such as how satisfied students were with the city, the quality of life in the city, and their satisfaction with the mayor.

↓

> The _____(A)_____ of the clipboard that students were holding turned out to _____(B)_____ their opinions in a series of surveys.

	(A)		(B)
①	material	......	unify
②	shape	......	unify
③	weight	......	sway
④	material	......	sway
⑤	weight	......	unify

4 다음 글의 내용을 한 문장으로 요약하고자 한다. 빈칸 (A), (B)에 들어갈 말로 가장 적절한 것은?

However the brain manages to physically learn a language, it is now known that a child who hears no language learns no language, and that a child learns only the language spoken in her surroundings. A child does not learn language, however, simply by hearing it spoken. A boy with normal hearing but with deaf parents who communicated by American Sign Language was exposed to television every day so that he would learn English. Because the child was ill and couldn't leave his home, he interacted only with people at home, where his family and all their visitors communicated in sign language. By the age of three he was fluent in sign language but neither understood nor spoke English. It appears that in order to learn a language a child must also be able to interact with real people in that language. A television set cannot function as the only medium for language learning because, even though it can ask questions, it cannot respond to a child's answers.

⬇

A child can develop language only if there is language in his _____(A)_____ and if he can employ that language to _____(B)_____ with others.

	(A)		(B)
①	brain	......	interact
②	environment	......	communicate
③	studies	......	inquire
④	brain	......	learn
⑤	environment	......	compete

5

다음 글의 내용을 한 문장으로 요약하고자 한다. 빈칸 (A), (B)에 들어갈 말로 가장 적절한 것은?

The myth that learning must be systematic, logical, and planned is learned in school, where our classes always have a curriculum or syllabus — a complete plan for learning a subject. This course of action is established before we start the learning process, and we simply follow the given plan. Since every course has its own plan, we naturally come to assume that whenever something is to be learned, the first thing to do is to plan out the learning in advance, in detail. But research has now revealed that this is not the way learning takes place outside of a classroom. In the everyday world, and in the lives of the best learners, such as writers, artists, teachers, and higher-level business people, learning progresses freely. In short, any subject has a variety of places to start and a number of ways you can work your way through it. Each adult learner's learning process is a unique one, based on which directions and topics are most appealing and useful to the individual.

⬇

> In school, learning follows a ____(A)____ plan, but the best learning is ____(B)____ with regard to your own interests and the usefulness of the material.

	(A)		(B)
①	complicated	⋯⋯	systematic
②	unique	⋯⋯	reasonable
③	predetermined	⋯⋯	systematic
④	unique	⋯⋯	flexible
⑤	predetermined	⋯⋯	flexible

대명사의 성, 수, 격 일치

❶ 대명사는 대신하는 명사의 인칭(1·2·3인칭), 성(남성·여성·중성), 수(단수·복수), 격(주격·목적격·소유격 등)과 일치해야 한다.

❷ 주어와 목적어가 같은 대상일 경우, 목적어는 재귀대명사를 쓴다.

❸ it은 진주어·진목적어를 대신해 가주어·가목적어 역할을 하기도 한다.

The ability to think about why things happen is one of the key abilities that separates human abilities from │ that / those │ of almost every other animal on the planet. (기출 응용)

풀이 대명사가 지칭하는 대상은 앞의 abilities이므로 복수대명사인 those가 적절하다.

Quiz

1 Total commitment is the common thing among successful people. │ Its / Their │ importance is huge.

2 Johann Wolfgang von Goethe made │ his / him │ famous statement "Whatever you can do or dream you can, begin it; boldness has genius, power, and magic in it," to inspire others to take action.

 Practice

다음 글의 밑줄 친 부분 중, 어법상 틀린 것은?

Undoubtedly, you've heard that we use only 10% of our brains, but it's just not true — we use it all. While the origin of the myth isn't known, there are several lines of evidence that ① expose it as false. Maybe ② what people mean is that only 10% of our neurons are essential or are used at a given time, but that's not true either. Brain imaging techniques clearly show that the brain doesn't just sit there ③ while we engage in many activities. Think about it from an evolutionary perspective: the brain comprises only about 5% of total body mass but ④ consumes 20% of the body's oxygen and glucose. It makes little survival sense for a species to develop a large, energy-hungry organ to use only 10% of ⑤ their capacity.

*glucose 포도당

Unit 08 밑줄 함의 추론

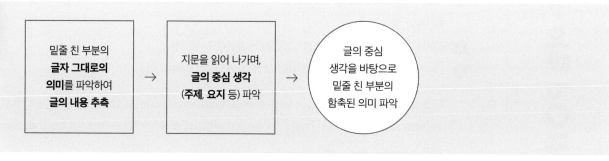

밑줄 친 부분의 **글자 그대로의 의미**를 파악하여 **글의 내용 추측** → 지문을 읽어 나가며, **글의 중심 생각 (주제, 요지 등)** 파악 → 글의 중심 생각을 바탕으로 밑줄 친 부분의 함축된 의미 파악

※ **Warm Up** 다음 글에서 밑줄 친 **at the "sweet spot"**의 의미를 추론할 수 있는 단어를 고르시오.

It is best to avoid both deficiency and excess. The best way is to live at the "sweet spot" that maximizes well-being. Aristotle's suggestion is that virtue is the midpoint, where someone is neither too generous nor too stingy, neither too afraid nor recklessly brave. (기출 응용)

*deficiency 부족 **excess 과잉

① well-being   ② virtue   ③ midpoint

밑줄 친 a ghost in the machine이 다음 글에서 의미하는 바로 가장 적절한 것은?

In many cultures around the world, there is the belief that humans have a soul (often immortal) that exists independently of the body. For Greek philosophers, the soul, or psyche, was also seen as the seat of our ability to reason — what we would call the mind today. While Aristotle and his followers saw body and soul as inseparable, Plato believed that the psyche belonged in the eternal world of ideas, separate from the material world our bodies inhabit. Later the Islamic scholar Avicenna proposed that the immaterial mind and material body are completely separate entities. It was challenged by Gilbert Ryle in 1949, who dismissed the idea and made public a new concept called a ghost in the machine. Recently, computer technology has presented a more useful analogy, backing Gilbert: body and mind can be seen in terms of hardware and software, which are distinct but interdependent.

① The soul has something to do with the body.
② Both the soul and body are virtual beings.
③ It's impossible to understand the soul completely.
④ Every human being has a different soul and body.
⑤ The body works more like a machine than the soul.

Q1
밑줄 친 a ghost in the machine의 글자 그대로의 우리말 뜻을 쓰시오.

→ _____

Q2
밑줄 친 a ghost in the machine의 함축적 의미를 추론할 수 있는 핵심 부분을 찾아 첫 세 단어를 쓰시오.

→ _____

해결전략 2

| 글의 중심 생각 파악 | → | 글의 흐름을 따라가며 글의 중심 생각을 뒷받침하는 **세부 사항** 파악 | → | 글의 중심 생각과 관련해서 밑줄 친 부분의 **함축적인 의미** 파악 | → | 파악한 함축적 의미를 잘 나타내는 선택지 선택 |

❋ Warm Up 밑줄 친 **creating a buffer**가 다음 글에서 의미하는 바를 고르시오.

The only way to keep from crashing was to put extra space between our car and the car in front of us. This space acts as a buffer. It gives us time to respond and adapt to any sudden moves by other cars. Similarly, we can reduce the friction of doing the essential in our work and lives simply by underline creating a buffer. (기출 응용)

*buffer 완충 지대 **friction 마찰

① always being prepared for unexpected events
② having enough time to learn something new

전략적용 2

밑줄 친 <u>incubates the intended result</u>가 다음 글에서 의미하는 바로 가장 적절한 것은?

Governments collect enough tax to perform their job efficiently, so some of them try to keep tax rates as high as possible. Do you think it's a good direction? American economist Arthur Laffer proposed a relationship between the tax rate and government revenue that came to be known as the Laffer curve. One might expect a cut in tax rates to reduce government revenue, but in fact the Laffer curve suggests this might not always be the case. When taxes are very high, people have less incentive to work and so economic output is restricted, which leads to governments earning lower tax revenue unlike their wish. Now it's time they changed their position from a high tax rate to a low tax rate for themselves. A reduction in the tax rate is outweighed by the increase in output that is stimulated, so it <u>incubates the intended result</u>.

① makes people refuse to pay tax
② performs what governments do poorly
③ spends less tax on boosting the economy
④ restricts the workers' productivity gradually
⑤ increases overall tax revenue for governments

Q1
글의 중심 생각을 나타내는 문장을 모두 찾아 첫 세 단어를 각각 쓰시오.
→ _____
_____

Q2
글의 중심 생각을 뒷받침하는 세부 사항 Laffer 곡선에 대한 빈칸을 내용에 맞게 완성하시오.
세금이 매우 높아지면,
① 노동 의욕 감소로 생산량이
_____.
② 정부의 세입이 _____.

Make it **Yours**

1   밑줄 친 the wolf actually comes가 다음 글에서 의미하는 바로 가장 적절한 것은?

Even if we overcome cancer now, it would only mean that everyone will get to live to be ninety — but it will not be enough to reach 150, let alone 500. For that, medicine will need to reengineer the processes of the human body and discover how to regenerate organs and tissues. It is by no means clear that we can do that by 2100. Nevertheless, every failed attempt to overcome death will get us a step closer to the target, and that will inspire greater hopes and encourage people to make even greater efforts. Though modern medicine won't solve death in time to make Google co-founder Sergey Brin immortal, it will probably make significant discoveries about cell biology and genetic medicines. The next generation of medicine could therefore start the attack on death from new and better positions. The scientists who cry "immortality" are like the boy who cried wolf: sooner or later, the wolf actually comes.

① human beings will defeat death
② we will become slaves to immortality
③ people are not social but independent
④ medicine will lead humans into destruction
⑤ the future generation will be less powerful than us

2   밑줄 친 a Neanderthal hunter on Wall Street가 다음 글에서 의미하는 바로 가장 적절한 것은?

People are happy to follow the advice of their smartphones or to take whatever drug the doctor prescribes, but when they hear of superhumans in the future, they say: "I hope I will be dead before that happens." A friend once told me that what she fears most about facing the future is becoming irrelevant: turning into a nostalgic old woman who cannot understand the world around her or contribute much to it. This is what we fear collectively, as a species, when we hear of superhumans. We sense that in such a world, our identity, our dreams and even our fears will be irrelevant, and we will have nothing more to contribute to the world. Whatever you are today — be it a religious pro-baseball player or an ambitious journalist — in the future world full of superhumans, you will feel like a Neanderthal hunter on Wall Street. You won't belong.

① a powerless person who cannot do anything
② a stock broker who focuses on only money
③ a fearless scholar who will predict the future
④ a brave hunter facing the future with courage
⑤ a pessimist regarding the future as a dark society

3 밑줄 친 "the one mission"이 다음 글에서 의미하는 바로 가장 적절한 것은?

Novelists know that even their worst characters have to have at least one good trait to be believable. Otherwise, the book reviewers call them unrealistic characters. The bank robber helps little old ladies across the street, the violent husband sometimes works for his family, and the thief gives his last fifty dollars to an orphan. Nobody can be all bad and still be believable. Your challenge is to probe for that one positive thing in a person you don't like. Does he meet deadlines? Does he pay attention to detail? Does he have a soft voice with customers and is able to calm them when they're upset? Find that skill, attitude, or trait and focus on it. Seek the person's opinions relating to it. Think about how those opinions or that skill benefits you, your team, or your organization in the long run. To get along, keep your communication and attention on "the one mission."

① mastering only one skill at a time
② reforming unrealistic characters into realistic ones
③ sticking to your current position for future benefits
④ having coworkers in a team become friendly with you
⑤ uncovering a positive feature that each person is equipped with

4 밑줄 친 "common biases"가 다음 글에서 의미하는 바로 가장 적절한 것은?

When students receive exam marks, those who do well think it was the result of their hard work. But those who do poorly complain about the instructor or test questions. When researchers have articles accepted for publication, they attribute it to themselves; when articles are rejected, they blame the editors and reviewers, not themselves. When gamblers win a bet, they marvel at their skillfulness; when they lose, they blame fluke events that transformed a near victory into defeat. Whether people have high or low self-esteem, explain their own outcomes publicly or in private, or try to be honest or to make a good impression, they like to use "common biases" when it comes to talking about failure.

*fluke event 요행수, 우연한 사건

① Success is the fruit of countless failures.
② People distance themselves from failure.
③ Failure comes from not laziness but efforts.
④ Those who produce good results won't work hard.
⑤ Honest people are more likely to fail than succeed.

5

밑줄 친 regardless of his or her prefix가 다음 글에서 의미하는 바로 가장 적절한 것은?

In the childcare section of a bookstore, you will find books on how to rear a child with attention deficit disorder, a child with learning disabilities, a gifted child, a difficult child, a strong-willed child, and so on. Parents have been led to believe that in order to rear a child properly, you must first find out what kind of child you have. If you cannot figure it out on your own, you'll pay a professional one hundred dollars an hour to make the determination. Now you have your very own customized child-rearing kit which you then share with your child's professionals. They take the "whole" of childhood and slice it into thinner sections, then hold each section up to the light of psychological analysis. In the process of all of this dissecting and theorizing, both professionals and parents seem to have lost sight of the fact that a child, regardless of his or her prefix, is first and foremost himself or herself.

① no matter how your child is classified
② as long as psychological analysis is reliable
③ despite the fact that every child is hard to rear
④ though parents can't determine their child's type
⑤ unless professionals correct the child's behavior properly

능동태 vs. 수동태

❶ 주어와 동사의 능동, 수동 관계를 파악하여 동사의 태를 결정한다.

❷ 타동사가 능동태로 쓰일 때는 뒤에 목적어를 취한다. 목적어가 없다면 수동태 자리가 아닌지 의심한다.

❸ 4문형과 5문형을 수동태로 바꿀 경우에는 남은 성분이 수동태 뒤에 올 수 있으니 주의한다.

In every history on the subject, the evidence suggests that early human populations [preferred / were preferred] the fat and organ meat of the animal over its muscle meat. (기출)

풀이 주어 early human populations와 동사가 능동 관계이고 뒤에 the fat and organ meat of the animal이라는 목적어가 있으므로 능동태인 preferred가 적절하다.

Quiz

1 Often considered to be the first metal discovered by humans, gold has [occupied / been occupied] a central role in the history of man.

2 Renewable resource industries include cutting down trees, fishing, and agriculture. They are called renewable because the resource can [replace / be replaced].

다음 글의 밑줄 친 부분 중, 어법상 틀린 것은?

There are some serious problems concerning the rain forests that need to be fixed. Rain forests ① are being cut down too quickly. Satellite surveys show an area about the size of West Virginia ② clearing annually. The long-term consequences of such deforestation, the process of removing the trees from an area of land, ③ are unclear, but it is known that plants maintain the balance of carbon dioxide in the atmosphere and carbon dioxide traps heat from the Sun (the so-called greenhouse effect). If the total mass of green plants ④ is reduced, the level of carbon dioxide will rise. The widespread destruction of tropical forests might therefore contribute to a ⑤ warming climate, melting ice, and rising sea levels.

01

다음 빈칸에 들어갈 말로 가장 적절한 것은?

In New York, 37 people witnessed the murder of a young person, but only one later called the police. The incident prompted psychologists Bibb Latane and John Darley to examine why it is that people often do not offer assistance or want to get involved. They discovered the 'bystander effect' — the more bystanders, the lower the chances of help being offered. Similar to Latane's theories of social loafing, it seems people feel less individually responsible when there are more people present. Latane and Darley identified the cognitive and behavioral processes that _____ bystander intervention. Firstly, the situation is noticed, then an emergency recognized, before the degree of responsibility is assessed and a course of action decided on. Bystanders also make a judgement about the nature of the person requiring assistance — someone is more likely to get assistance if they are obviously elderly or disabled than if they are carrying a bottle of wine.

*social loafing 《심리》 사회적 빈둥거림(사람들이 집단 속에서 열심히 일하지 않으려는 경향)

① imitate ② precede ③ evaluate
④ facilitate ⑤ contradict

02

다음 빈칸에 들어갈 말로 가장 적절한 것은?

Lawyers are trained to provide only the conditions of the law. In many situations, they offer an opinion that is correct in that a company's conduct does not violate the law. Whether _____ is a different question. For example, a team of White House lawyers concluded that international law did not ban torture of prisoners in Iraq because they were technically not prisoners of war. However, when pictures of prisoner abuse at prisons in Iraq emerged, the reaction of the public and the world was very different. The moral analysis, which went beyond interpretation of the law, was that the torture and abuse were wrong, regardless of their compliance with treaty standards. Following the abuse scandal, the U.S. government adopted new standards for interrogation of prisoners. Although the lawyers were perfectly correct in their legal system, that legal system did not cover the moral breaches of interpersonal and organizational abuse.

① the law itself is perfect and faultless
② their conduct based on the law is ethical
③ they always apply the same law to everyone
④ powerful politicians have an influence on them
⑤ lawyers' interpretation is manipulated by the public

03

다음 빈칸에 들어갈 말로 가장 적절한 것은?

We do not see the stars in motion, though they travel more than a million miles per day. We tend to ignore motion and are surprised, often uncomfortably, by the constant changes in our world. This is also true in the world of business: It is difficult to shake our notions of unchanging business and markets. This is why so many businesses appear to _____ _____. Many companies stick to the ways they've always known. They often try to become all things to all people, just as they did in the past. Few things are less effective than such companies. To get effective new ideas for your business, you must understand what your business is and what it should be. Only by knowing these things can you adapt to the changing business world.

① know their origin and identity
② belong to a primitive yesterday
③ overlook previously proposed ideas
④ be obsessed with following the trend
⑤ ignore the importance of new investment

04

다음 글의 내용을 한 문장으로 요약하고자 한다. 빈칸 (A), (B)에 들어갈 말로 가장 적절한 것은?

We all know that money is an essential factor in all of our lives, but its impact can be positive or negative. For example, consider how the thought of money might affect a person's behavior. To answer this question, psychologist Kathleen Vohs and her colleagues did a series of nine experiments that exposed certain participants to several images. Some participants worked on computers which, after a few minutes, showed a screen saver that was either fish sparkling underwater or coins sparkling underwater. A bit later when a lab assistant dropped a pencil case and pretended to need some help, far fewer of those exposed to the images of coins picked it up. When asked to choose activities from a list, they were far more likely to elect to work and play alone. And when they were told to set up chairs for an interview, they chose to put greater physical distance between themselves and other people.

*screen saver (컴퓨터) 화면보호기

> According to research by Kathleen Vohs, the thought of ____(A)____ appears to have a negative impact on ____(B)____ behavior.

	(A)		(B)
①	tasks	......	independent
②	money	......	cooperative
③	colleagues	......	independent
④	tasks	......	cooperative
⑤	money	......	independent

05

다음 글의 내용을 한 문장으로 요약하고자 한다. 빈칸 (A), (B)에 들어갈 말로 가장 적절한 것은?

The experiment of researchers claiming to have created the first gene-edited babies will be remembered as a pioneering achievement. But, the field as a whole condemned this use of gene editing as unethical and criminally negligent. Even so, the episode should prompt scientists to take a look in the mirror. The drive to be a pioneer is part of scientific culture. Being first is rewarded with glory, fame, and authority. People listen to you, whether or not you possess good judgment. Deviating from the rules and what must be done ethically can be regarded as an asset in the pursuit of knowledge. Investigative reports showed how conflicts of interest with the desire to be a hero and the first drove the researchers there to rush human trials of gene therapy, even if such an experiment would be remembered as unethical.

*deviate 벗어나다

↓

Although an experiment, such as the first gene-edited babies, is regarded as ____(A)____, it is part of scientific culture to be a ____(B)____.

	(A)		(B)
①	impractical	……	leader
②	impractical	……	guider
③	unethical	……	supporter
④	unethical	……	pioneer
⑤	undesirable	……	performer

06

밑줄 친 this effortless wonderful magic이 다음 글에서 의미하는 바로 가장 적절한 것은?

Positive thinking can help even people who are born with a genetic propensity toward unhappiness to build a better and more optimistic attitude toward life. And it can be more reinforced by simple actions done simultaneously. In a landmark study that put "positive psychology" on the map, a large group of adults, ranging in age from thirty-five to fifty-four, were asked to write down, each night, three things that went well for them that day and to briefly describe why. Over the next three months, their degrees of happiness continued to increase, and their feelings of depression continued to decrease. Many researchers on happiness also suggest that picking up a pencil can have people build up resilience more quickly when they are faced with the countless problems of life. With this effortless wonderful magic, indeed, we can enhance our overall well-being and move toward a more fulfilling life.

① getting over life problems by ourselves instantly
② changing our thoughts from negative to positive
③ believing that we will become happy eventually
④ writing down something positive about ourselves
⑤ sticking to various simple actions in our daily life

07

다음 글의 밑줄 친 부분 중, 어법상 틀린 것은?

When Uri Geller was in his teens and living in Cyprus, one of his favorite pastimes was ① to explore the caves in the hills above his school. One day, Geller went exploring by himself and got lost deep within the caves. He was cold and wet and nothing looked ② familiar. Worse still, the batteries in his flashlight were about to run out. Geller knew ③ that two of his classmates had gotten lost in the caves and starved to death. ④ Terrified, he had all but given up hope when he felt two small feet on his chest. It was his dog, Ada! Geller had no idea how she knew where he would be and that he needed to ⑤ find. But Ada showed him the way out, and that's all that mattered.

08

다음 글의 밑줄 친 부분 중, 어법상 틀린 것은?

If you can predict any approaching change that will affect your job or your field of business, you'll be in a much stronger position when ① it occurs. To stay current, read business journals and attend every convention you can. Within your company, it's never been more important ② to make friends — and not just with the high and mighty. Assistants often know the most important and surprising things — for example, they can let you ③ know about new software programs. Also, start reading job ads to get a sense of the skills your office considers most ④ desirably these days. Keep an eye on your employer's website for important announcements and ⑤ examine your company's competitors' websites, too.

YOU NEVER CHANGE YOUR LIFE
UNTIL YOU STEP OUT OF YOUR COMFORT ZONE;
CHANGE BEGINS
AT THE END OF YOUR COMFORT ZONE.

안전지대에서 벗어나기 전까지는 절대로 당신의 삶을 변화시킬 수 없다. 변화는 당신이 안전지대에서 벗어날 때 비로소 시작된다.

ROY T. BENNETT

로이 T. 베넷

글의 흐름대로 배열하기

Unit 09 무관한 문장 찾기

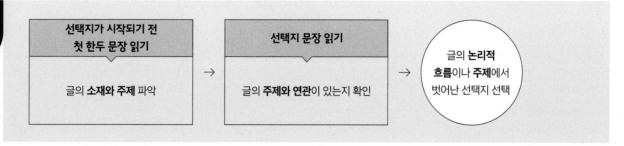

선택지가 시작되기 전
첫 한두 문장 읽기 → 선택지 문장 읽기 → 글의 논리적
흐름이나 주제에서
벗어난 선택지 선택

글의 소재와 주제 파악   글의 주제와 연관이 있는지 확인

※ **Warm Up**

1. 다음은 어떤 글의 첫 문장이다. 읽고 중심 내용을 고르시오.

Unlike previous artists who chose subjects from history or myths, impressionists painted the everyday world around them.

① 그림의 소재가 된 역사와 신화
② 기존 화가들의 소재 선정 방식 화풍의 특징
③ 인상파 화가들의 그림 소재 화풍에 대한 설명

2. 다음 주어진 문장과 관계 없는 문장을 고르시오.

Asians and many Native American cultures view silence as an important and appropriate part of social interaction. (기출 응용)

① Silence is viewed as a time to learn, to think about, and to review what the speaker has said.
② Silence causes division and separation, creating serious problems in relationships.

다음 글에서 전체 흐름과 관계 없는 문장은?

Students need to learn and grow from their various failures. ① If a student does poorly on an assignment, then burying it in the back of a notebook is foolish. ② Students do better on their assignments if they feel more confident about their ability. ③ Mistakes present a great opportunity to learn and improve, but action is required. ④ The wise instructor (or organizational leader) will make it clearly worthwhile for a student (or member of the group) — right then and there — to learn from the mistakes. ⑤ To make failure a positive step toward success, you need to revise your work, try again, try more, and seek help until you've completely understood the defects in your failed efforts.

Q1
주제문을 찾아 해당하는 문장의 첫 세 단어를 쓰시오.

→ _____

Q2
글의 주제를 아래와 같이 나타낼 때 빈칸에 알맞은 말을 쓰시오.

학생들은 _____를 통해서 배우고 성장해야 한다.

해결전략 2

문장 간의 관계 파악		
지시어, 대명사, 연결어 등을 통해 앞뒤 문장과의 관계 파악	→ 주제와 관련된 핵심어구나 표현을 포함하고 있지만 문맥상 **초점이 다른 문장** 찾기	→ 선택한 문장을 생략한 후, 글의 흐름이 자연스러운지 확인

❋ **Warm Up** 주어진 문장과 관계 있는 문장에는 ○, 관계 <u>없는</u> 문장에는 ✕표 하시오.

> Early Native Americans had to make everything they needed. (기출 응용)

① The kinds of things each tribe used to make tools and food depended upon what they found around them. (　　)

② The things they made fit their lifestyle. (　　)

③ Most Native Americans spoke their own language. (　　)

전략적용 2

다음 글에서 전체 흐름과 관계 <u>없는</u> 문장은?

Gone are the days when live plants were the norm, and today artificial plants are making their way into indoor and outdoor spaces. Homeowners can opt for plastic or silk plants that are designed, shaped and painted to seem like the real thing. ① It's because artificial plants are easy to keep; they don't need water, air and sunlight to survive. ② So when you're on vacation or at work, you don't have to worry about watering your plants. ③ As artificial plants don't require sunlight, you can place them anywhere you want, may it be in a dull room or a place that receives minimal sunlight. ④ Some artificial plants cost a lot because they are made of expensive synthetic materials to make them look more like authentic plants. ⑤ You also don't need to worry about insect and pest attacks that will spoil the perfection and growth of the plant in your room.

Q1
글의 주제와 관련된 핵심어를 찾아 두 단어로 쓰시오.

→ _____

Q2
인공 식물의 이점에 대한 빈칸을 글의 내용에 맞게 완성하시오.

① 생존하기 위해 _____

② 햇빛을 필요로 하지 않기 때문에 _____

③ 인공 식물을 망칠 _____

Make it **Yours**

1 다음 글에서 전체 흐름과 관계 <u>없는</u> 문장은?

Can giving be dangerous to your health? The habit of giving too much to others and not enough to ourselves can get in the way of our most essential task in life, which is following our dreams. ① Researchers point out that because the role of women has traditionally been tied to nurturing and fulfilling their duties, women will often put off following their dreams because they fear it will hurt their family or friends. ② Likewise, men may refuse to follow their dreams when they believe that their family needs support and protection. ③ The idea that such sacrifices are helping our loved ones is an illusion. ④ Sacrifice is a beautiful virtue when it comes from the heart. ⑤ By sacrificing our personal journeys or by allowing others to hold us back, we are not helping them but hurting ourselves by giving up our chance for self-discovery.

2 다음 글에서 전체 흐름과 관계 <u>없는</u> 문장은?

If you fail close to 60% of your exams in school, you're an F student. But in certain contexts, that level of performance would make you a superstar. ① For instance, a major league baseball player who failed 60% of the time — that is, who had a batting average of .400 — would be very extraordinary. ② No living player is that good, so in baseball, every player fails far more than half the time. ③ It takes a couple of years to develop a sound, quick, and efficient baseball swing. ④ For scientists and mathematicians it is even worse, as they will be rightly regarded with great esteem if they answer even one truly significant question in their lifetime. ⑤ In other words, being successful isn't necessarily about succeeding 100% of the time.

3 다음 글에서 전체 흐름과 관계 <u>없는</u> 문장은?

Since many societies believe that newborns are easily influenced by evil spirits, a baby's name is sometimes kept secret or not given at all so it can't be used against the child in spells. ① In some Haitian and Nigerian cultures, babies are given two names at the time of birth. ② The parents keep one of them a secret, and they do not share it with the child until he is considered old enough to guard the name for himself. ③ Some parents feel that naming their baby before birth and sharing that name with others helps them to feel more bonded and close to the baby. ④ Similarly, in Thailand, a newborn is often referred to by a nickname (usually that of an animal) to escape the attention of evil spirits. ⑤ The newborn is given a two-syllable name that is mainly used later on by teachers, employers, and during formal occasions.

*syllable 음절

4 다음 글에서 전체 흐름과 관계 <u>없는</u> 문장은?

Bonsor, who works at NASA, explains that the weight of a space shuttle at launch is 95 percent fuel. Consider how much lighter it would be if the need for fuel were eliminated. The answer could lie in using sails. ① Using the pressure that sunlight exerts, solar sails can theoretically travel forever since they are not reliant on fuel which is limited in supply. ② Further, the continuous force of sunlight can eventually propel a spacecraft powered with a solar sail five times faster than traditional rockets. ③ Compared to other types of jet engines, rocket engines are the lightest and have the highest momentum, but are said to be less efficient than jet engines. ④ And all that is required to carry out this is a highly-reflective and lightweight material with which to make the sail. ⑤ If produced in bulk, it is expected that such material can be manufactured for about the same cost as household aluminum foil.

*momentum 추진력, 탄력, 가속도

5 다음 글에서 전체 흐름과 관계 <u>없는</u> 문장은?

If you think a person is lying to you, act as if you believe every word, and eventually they'll betray themselves as they become overconfident in their performance. ① First, ask the person who you believe to be a liar to say what they said to you again. ② Good liars have practiced their answers and can reply with an exactly identical response. ③ Next, leave a pause for about 1 or 2 minutes to allow the suspect to think they've gotten away with their lie, and then politely ask them to repeat what they said a third time. ④ They might find that you're quite a rude person to work with unless your way of asking them to do it is considered polite. ⑤ Because they're not expecting a third encore and are in a relaxed state, they usually don't give the same identical response as the previous ones, by which you can make a conclusion that they lied to you.

수식어 어법 POINT

수식받는 주어의 수일치

❶ 「주어＋[수식어]＋동사」의 문장 구조로, 수식어는 전명구, 형용사구, 분사구, to부정사구, 관계사절 등이다.

❷ 수식어구 내의 명사와 주어의 수를 다르게 제시하여 오답을 유도하는 경우를 주의한다.

❸ 강조를 위해 부사(구), 부정어(구), there 등이 문두에 나오면 동사와 자리가 바뀐 주어를 찾아야 한다.

❹ each와 every는 언제나 단수로, both와 「the＋형용사(~한 사람들)」는 복수로 취급한다.

❺ 분수 등 부분을 표현하는 주어인 경우, of 뒤의 명사에 수일치를 한다.

Pets have no memories about what the aged once ｜was / were｜ and greet them as if they were children. (기출 응용)

풀이 「the＋형용사」는 '~한 사람들'이라는 뜻으로 복수 취급하므로, 주어 the aged(= aged people)에 일치하는 술어동사는 were이다.

Quiz

1 The reason why students did not score high on the tests ｜is / are｜ that they expected them to be easy.

2 The villagers who live on this island ｜have / has｜ provided services for tourists for decades.

Practice

(A), (B), (C)의 각 네모 안에서 어법에 맞는 표현으로 가장 적절한 것은?

The interesting thing about the tools we use for writing (A) ｜is / are｜ that while they can be used to form pictures, symbols, and letters in many different systems and languages, the tools themselves can be the same. They change over time, not between cultures. Thus, a reed pen might have been used to copy texts in Latin or Old French long ago, and later a quill pen documents in English or Spanish. Among the factors causing writing tools to change over time (B) ｜was / were｜ both the availability of materials (reeds, quills, metal) and manufacturing methods. While very few modern humans use a quill pen on a daily basis, each of these methods still (C) ｜work / works｜ if you want to write something down. The pen may or may not be mightier than the sword, but it's certainly easier to pick up and hold.

*reed 갈대 **quill 깃; 깃펜

	(A)		(B)		(C)
①	is	……	were	……	works
②	is	……	were	……	work
③	is	……	was	……	work
④	are	……	was	……	works
⑤	are	……	were	……	works

Unit 10 문장 삽입

주어진 문장에서 앞이나 뒤에 올 내용을 알려주는 단서 찾기

| 정관사 | → | 「the + 명사」는 대개 그 명사가 앞에서 이미 언급된 것임을 알 수 있음 |

| 대명사 | → | 앞에 나온 어구를 대신하며 비교적 그 어구 가까이에 위치함
예 I bought a book. **It** was about animals.
(나는 책 한 권을 샀다. **그것**은 동물들에 대한 것이었다.) |

| 연결어 | → | 인과 관계나 역접·대조 등의 논리적 선후 관계를 파악함
예 I woke up late this morning. **So** I was late for school.
<원인> <결과>
(나는 오늘 아침 늦게 일어났다. **그래서** 나는 학교에 지각했다.)
She went to bed very late. **But** she woke up early this morning.
<역접·대조>
(그녀는 아주 늦게 자러 갔다. **하지만** 그녀는 오늘 아침 일찍 일어났다.) |

※ **Warm Up**   다음 (A), (B) 중, 연결어 Thus가 들어가기에 적절한 곳을 고르시오

A study shows that in the US the average number of hospital-related cases of illness each year is as high as 1.7 million! (A   ) This is simply a shocking number. (B   ) It is very important for medical centers to fight this growing health issue. (기출 응용)

글의 흐름으로 보아, 주어진 문장이 들어가기에 가장 적절한 곳은?

> However, recent research suggests that robins are actually choosing to sing at night because cities and towns are just too noisy during the day.

Robins are literally the early birds that catch the worms; they are the first to wake up because earthworms are nearest the soil surface early in the morning. But what could motivate them to sing in the middle of the night? (①) Well, sometimes birds are woken up by a loud noise, but that doesn't explain such a widespread phenomenon. (②) Many reports come from towns or areas with street lamps. (③) At first it was assumed that the birds singing at night had been 'tricked' into singing by the artificial light. (④) At 2 or 3 a.m., most humans are finally asleep and have stopped making noise. (⑤) By singing at night, robins take advantage of the quiet streets to make themselves heard, when only the night owls are still awake to appreciate their song.

*robin 울새(몸집이 작은 새의 한 종류)

Q1
주어진 문장에서 앞뒤에 올 내용의 단서가 되는 한 단어를 찾아 쓰시오.

→

Q2
글의 흐름이 어색해지는 부분의 첫 문장을 찾아 첫 두 단어를 쓰시오.

→

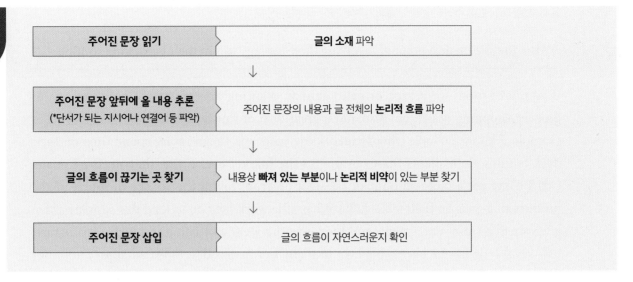

해결전략 2

| 주어진 문장 읽기 | 글의 소재 파악 |

↓

| 주어진 문장 앞뒤에 올 내용 추론 (*단서가 되는 지시어나 연결어 등 파악) | 주어진 문장의 내용과 글 전체의 **논리적 흐름** 파악 |

↓

| 글의 흐름이 끊기는 곳 찾기 | 내용상 **빠져 있는 부분**이나 **논리적 비약**이 있는 부분 찾기 |

↓

| 주어진 문장 삽입 | 글의 흐름이 자연스러운지 확인 |

※ **Warm Up** 다음 글을 읽고 물음에 답하시오.

A study found that women are better able to remain calm, and their blood pressure rises less than men's in response to stress. (A) Researchers found that women feel stress more often because they generally take a wider view of life. (B) For example, women may worry about many things at a time, while many men organize their problems and focus on only one problem before moving on to the next one. (기출 응용)

1. 위의 (A), (B) 중 글의 흐름이 끊기는 부분을 고르시오.
2. 윗글의 논리적 단절을 없애기 위해 1의 답에 들어갈 내용을 고르시오.
   ① 남녀는 같은 일에 서로 다르게 반응하는 경우가 있다.
   ② 하지만 이를 뒷받침하지 않는 연구도 볼 수 있다.

전략적용 2

글의 흐름으로 보아, 주어진 문장이 들어가기에 가장 적절한 곳은?

The Internet, it turns out, may be able to help us in this regard.

It is sometimes argued that the health of a society can be viewed in terms of energy: when energy consumption is greater than energy supply, the society falls apart. (①) To see how, consider the significant benefit of switching from traditional mail to e-mail. (②) As recently as a few decades ago, information was stored not in computers but on endless sheets of paper. (③) Beyond convenience, it may be that the technological shift from paper to computers is critical to the future. (④) Of course, there are energy costs to the thousands of computers that run the Internet. (⑤) But these costs are far less than the forests of trees and lakes of oil that would be sacrificed for the same quantity of information achieved with paper storage.

Q1
주어진 문장에서 앞뒤에 올 내용의 단서가 되는 부분을 찾아 쓰시오.

→ _____

Q2
글의 흐름이 끊기는 곳을 찾아 해당하는 문장의 첫 세 단어를 쓰시오.

→ _____

Make it **Yours**

1 글의 흐름으로 보아, 주어진 문장이 들어가기에 가장 적절한 곳은?

> Also, they've made a point of involving their teenage son in their gardening routine.

If you have room for a deck or patio garden, planting one might not only make your grocery shopping easier, but also add a great deal of satisfaction to your life. (①) For example, I know a couple who decided some years ago they'd rather spend time on their deck tending their plants than running to the market every time they need a tomato. (②) They get a large amount of satisfaction from being the source of much of the produce that goes on their table. (③) What little work they do to tend this simple garden gives them a lot of enjoyment, and they love the feeling of being in touch with nature. (④) Not only has he been a big help to them, but he has developed an appreciation for plants and nature he might not otherwise have had. (⑤) They've come to treasure the chance to work together as a family at an activity they all enjoy.

*patio 파티오(보통 집 뒤쪽에 만드는 테라스)

2 글의 흐름으로 보아, 주어진 문장이 들어가기에 가장 적절한 곳은?

> But in the 1970s, Thai gem dealers discovered a heat treatment process that transformed the worthless *gueda* into valuable gems.

It is estimated that ninety percent of the rubies and sapphires on the world market today undergo heat treatment, a permanent process widely accepted by the gem trade. (①) Sapphires are so common in Sri Lanka that the lightest, least valuable ones were once used to decorate rock gardens or buried under the posts of village homes for a blessing. (②) These low-quality sapphires, known as *gueda*, were not suitable for setting into jewelry. (③) By "cooking" the stones at high temperatures, they performed something almost magical. (④) The titanium melted and mixed better with the iron, deepening the blue color of the *gueda*. (⑤) The Thais then experimented on different colored sapphires and rubies, and learned that a valuable sapphire or ruby could be made even more valuable through a similar process.

*titanium (금속 원소) 티타늄

3 글의 흐름으로 보아, 주어진 문장이 들어가기에 가장 적절한 곳은?

> Pizarro, most of all, had his scouts make use of horses for obtaining military information about the war.

In warfare, superior technology often makes the difference between victory and defeat. (①) In the well-documented battle between Francisco Pizarro and Atahuallpa, vastly superior technology enabled 168 Spanish soldiers to kill 80,000 Indian soldiers. (②) In doing so, he had a significant tactical advantage over Atahuallpa because his men swiftly told him everything he needed to know about Atahuallpa's army. (③) Pizarro also provided horses for warriors equipped with armor for fighting in order to ensure their mobility. (④) Further, Atahuallpa's Indian foot soldiers and their primitive clubs were no match for the powerful Spanish soldiers. (⑤) Thus, although the number pointed heavily to an Indian victory, it was ultimately the Spaniards and their technology who were victorious.

*scout 정찰대

4 글의 흐름으로 보아, 주어진 문장이 들어가기에 가장 적절한 곳은?

> The Cold War drove both the Soviet Union and America to put smaller and smaller, stronger and stronger, and cheaper and cheaper satellites into space in order to spy on each other.

Throughout much of the Cold War era, television and radio broadcasting was a narrow field, because the technologies available for broadcasting were limited. (①) Governments either directly ran most television broadcasting or tightly controlled it. (②) This began to change first in the United States with the introduction of cable television, which could carry many more channels than could be broadcast over the air. (③) Then, in the 1980s, other versions of multichannel television began to spread around the world — thanks largely to the falling cost of satellites. (④) There is some irony in this. (⑤) That same technology, though, made it possible for television signals to be broadcast cheaply.

*the Cold War (2차 대전 후 미국과 소련 간의) 냉전

5

글의 흐름으로 보아, 주어진 문장이 들어가기에 가장 적절한 곳은?

> However, now with e-mailing, people depend on it more to give instructions and distribute various difficult tasks.

With the birth of e-mailing and the increased use of it in the workplace, in schools and at home, it has begun to fill a gap that verbal communication and telephone communication could never fill. (①) By nature of the medium electronic mail works in, there is, by default, a natural record of the exchanges between sender and recipient. (②) This has become especially important in our world today, where responsibility has become the more urgent issue when it comes to handling tasks in the workplace. (③) Previously, dependence on verbal agreements or statements made in passing made people liable to innocently being made the accused in any controversial situation. (④) E-mailing is also of great use in making important promises or contracts which guarantee considerable profits. (⑤) All of these can be documented completely, thanks to the people who invented electronic mail, and people can work with fewer concerns.

Unit 10

어법 POINT 관계사

관계부사 (= 접속사 + 부사)

❶ 관계부사(when, where, why, how)는 시간, 장소, 이유, 방법 등의 선행사를 수식하면서 절과 절을 이어 주는 접속사의 역할도 한다. 관계부사 how와 그 선행사 the way는 둘 중 하나가 반드시 생략된다.

❷ 관계부사는 관계대명사와 다르게 뒤에 문장 필수 성분이 빠지지 않은 완전한 구조가 온다.

❸ 관계부사 when, where도 관계대명사처럼 선행사를 보충 설명할 수 있다.

Ancient Chinese scholars participated in a practice known as 'pure talk,' which / where they debated spiritual and philosophical issues before audiences in contests.

(기출 응용)

풀이 뒤에 주어, 동사, 목적어를 갖춘 완전한 구조가 왔고 선행사 'pure talk'가 문맥상 공간적 개념을 나타내므로 관계부사 where가 적절하다. 관계부사 where는 물리적 장소 외에도 case(경우), circumstance(사정), situation(상황) 등의 추상적 공간을 선행사로 받기도 하므로 주의한다.

Quiz

1 I remember my first visit to Busan with my family, who / when I had a really good time.

2 It takes less time to do things right the first time than to explain why / which you did them wrong.

 Practice

다음 글의 밑줄 친 부분 중, 어법상 틀린 것은?

At a critical time in my life, ① when I had lost a job and was going through a period of extreme challenge and trial, I found myself in a cycle of cutting back, letting go, and giving away. I cleaned out my closets and donated bags of clothes to the Salvation Army, ② which soldiers and officers provide aid to the homeless and the poor. I pulled weeds from my garden and lawn, cut my hair shorter, and ③ offered more of my time to work with a nonprofit organization. It was a difficult time for me but a healing one. It signaled the end of one season of my life and the beginning of another. Those physical actions were just the outer signs of ④ what was taking place within me — clearing out the old and getting rid of the mess. Slowly but surely, I created an open space, ⑤ which allowed wonderful opportunities and needed changes to appear in my life.

*Salvation Army 구세군

Unit 11 글의 순서 배열

대명사, 정관사, 연결어 등의 단서가 있는 경우

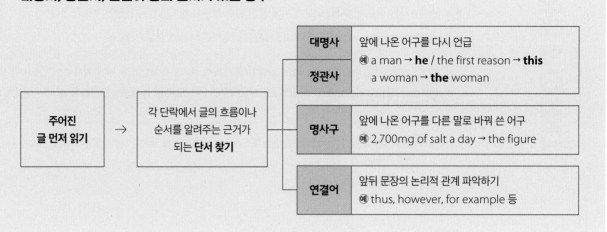

대명사 / 정관사	앞에 나온 어구를 다시 언급 예 a man → **he** / the first reason → **this** a woman → **the** woman
명사구	앞에 나온 어구를 다른 말로 바꿔 쓴 어구 예 2,700mg of salt a day → the figure
연결어	앞뒤 문장의 논리적 관계 파악하기 예 thus, however, for example 등

주어진 글 먼저 읽기 → **각 단락에서 글의 흐름이나 순서를 알려주는 근거가 되는 단서 찾기**

※ Warm Up 다음 주어진 글 다음에 이어질 글로 알맞은 것을 고르시오.

After World War II, the armies gathered up many hungry, homeless children and placed them in large camps. In these camps the children were cared for and fed.

① Thus, they were weak and living in darkness and hunger.
② However, at night they did not sleep well. They seemed afraid.

주어진 글 다음에 이어질 글의 순서로 가장 적절한 것은?

> Confucius's moral philosophy extends into the fields of law and punishment. Previously, the legal system was based on religion.

(A) If people are guided by laws and controlled by punishment, they do not learn a real sense of right and wrong. On the other hand, if they are guided by example and controlled by respect, they feel guilty for wrong actions and learn to become truly good.

(B) But he proposed a system based on fairness, doing the same thing for someone that they have done for you. That is, if you are treated with respect, you will act with respect.

(C) Also, Confucius felt that the best way to deal with crime lay in establishing a sense of shame for bad behavior rather than creating laws and punishments.

*Confucius 공자

① (A) - (C) - (B) ② (B) - (A) - (C) ③ (B) - (C) - (A)
④ (C) - (A) - (B) ⑤ (C) - (B) - (A)

Q1
글을 순서대로 배열할 때 각 단락에서 단서가 되는 말을 찾아 쓰시오.
(A): _____
(B): _____
(C): _____

★ 정오답 가리기 Tip!
앞뒤 문장을 논리적으로 연결해주는 연결어의 쓰임을 잘못 이해하여 글의 순서를 혼동하지 않아야 한다.

해결전략 2

대명사, 정관사, 연결어 등의 단서가 없는 경우

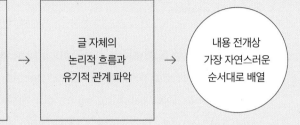

- **시간의 흐름**상 자연스러운 경우 예) 문제 발생 → 해결
- 단락 간 **인과관계**가 성립하는 경우
- 한 단락의 끝부분에 언급한 내용이 다른 단락의 앞부분에 이어지는 경우
- 글의 전개상 **비교** 또는 **대조**되는 대상에 대한 설명이 차례대로 나오는 경우

→ 글 자체의 논리적 흐름과 유기적 관계 파악

→ 내용 전개상 가장 자연스러운 순서대로 배열

※ Warm Up   앞, 뒤 문장과 흐름에 맞도록 (A)~(C)의 적절한 순서를 쓰시오.

The dog barked again.
(A) She made the best barking sound I had ever heard a human make.
(B) But my mother pulled me away and barked back at the dog.
(C) The dog cried and ran away.
My mother turned and said, "You have to show them who's boss!" (기출 응용)

전략적용 2

주어진 글 다음에 이어질 글의 순서로 가장 적절한 것은?

> Bette Graham was an American typist and the inventor of white-out. The story of her invention begins when she found work as a secretary.

(A) Then she had an idea. Graham filled a nail polish bottle with white paint and took it to work. Whenever she made a mistake, she simply painted over it. Before long, coworkers were begging her for her secret, and she started bringing extra to sell.

(B) Recently divorced, she badly needed the job to support herself and her son. The problem was, typing wasn't exactly her strong point, and she became increasingly worried that her frequent errors would get her fired.

(C) In 1962, she was fired for using company time to write letters for her own business, but that turned out to be fortunate. Within six years, her Liquid Paper Company was a million-dollar business.

*white-out 수정액

① (A) – (C) – (B)　　② (B) – (A) – (C)　　③ (B) – (C) – (A)
④ (C) – (A) – (B)　　⑤ (C) – (B) – (A)

Q1
Bette Graham에 관한 글의 내용과 일치하도록 빈칸에 알맞은 말을 쓰시오.
① 미국의 타자기 입력자이자 _____ 발명가였다.
② 잦은 타자 실수를 걱정하여 매니큐어 병에 _____를 넣어 직장에 가져왔다.
③ 1962년 업무 중 자신의 사업에 대한 _____를 써서 해고되었다.

Make it **Yours**

1 주어진 글 다음에 이어질 글의 순서로 가장 적절한 것은?

> For many of us, life is faster than ever, we're busier than ever, and we work longer hours than ever.

(A) The question is, though, how much time does it really take to be happy? I suggest that happiness should require no extra time. In fact, it requires no time at all.

(B) We live our lives catching up on our to-do lists. We're in a race against time. Time is precious, so we "buy time," "steal time," and "make time," but still ... "time flies." No matter what we do, it appears that we're simply too busy to be happy.

(C) In other words, happiness is waiting for your acceptance, not your time. A lack of time is not an authentic obstacle to happiness. "Lack of time" is a smokescreen — it hides the path to happiness.

*smokescreen 연막; 위장

① (A) – (C) – (B)　　② (B) – (A) – (C)　　③ (B) – (C) – (A)
④ (C) – (A) – (B)　　⑤ (C) – (B) – (A)

2 주어진 글 다음에 이어질 글의 순서로 가장 적절한 것은?

> The beautiful shape of the DNA molecule and its clear importance in biology led many scientists to believe it might be the foundation of life itself.

(A) There was one problem, however, with this belief: DNA could not copy itself without the assistance of proteins. Proteins are also needed for many other chemical reactions considered necessary for life.

(B) In 1986, Walter Gilbert proposed that life began in an RNA world — that is, an RNA molecule that could copy itself was formed, by chance, in a pool of its own building blocks.

(C) So, the origin-of-life field became lost in the chicken-or-the-egg question. Which came first: DNA or proteins? An apparent answer emerged when it was found that RNA (a cousin of DNA) could both copy itself and start chemical reactions.

① (A) – (C) – (B)　　② (B) – (A) – (C)　　③ (B) – (C) – (A)
④ (C) – (A) – (B)　　⑤ (C) – (B) – (A)

3 **주어진 글 다음에 이어질 글의 순서로 가장 적절한 것은?**

> Hugh Moore, a Harvard dropout, forever changed the way we drink water with his invention of the Dixie Cup, the first paper cup.

(A) The choice was Dixie. Moore stole the name from the Dixie Doll Company in New York, simply because he liked the sound of the word. And judging from the increase in sales afterward, so did most of America.

(B) It all started in 1909, when Kansas's Board of Health banned drinking from public water wells because they spread disease. Unfortunately, this left Kansans with no way to distribute water.

(C) That's when Moore came to the rescue by inventing an ice-chilled dispenser that served customers water in a paper cup. Moore's paper cups weren't immediately successful, but they sold well enough to keep him in business until 1919, when he thought of a better name.

*ice-chilled 얼음 냉각식의

① (A) – (C) – (B)   ② (B) – (A) – (C)   ③ (B) – (C) – (A)
④ (C) – (A) – (B)   ⑤ (C) – (B) – (A)

4 **주어진 글 다음에 이어질 글의 순서로 가장 적절한 것은?**

> Orville Redenbacher was a funny-looking farmer with a funny-sounding name. He spent time as a high school teacher, but also managed a twelve-thousand-acre farm.

(A) "He came up with the same name my mother did for free," laughed Orville Redenbacher years later. So Red Bow turned into Orville Redenbacher's Gourmet Popcorn and quickly became the most popular popcorn in the land.

(B) They named their new popcorn Red Bow. But real success would wait until the day they consulted with a Chicago marketing executive who charged them $13,000 for the following advice: Name the popcorn after the funny-looking farmer.

(C) Somewhere along the way, he became interested in breeding a new variety of corn. He found a partner named Charlie Bowman, and they worked on more than thirty thousand corn varieties. In 1965, they finally came up with the perfect plant for making popcorn.

① (A) – (C) – (B)   ② (B) – (A) – (C)   ③ (B) – (C) – (A)
④ (C) – (A) – (B)   ⑤ (C) – (B) – (A)

5

고난도

주어진 글 다음에 이어질 글의 순서로 가장 적절한 것은?

> The word "philosopher" comes from the Greek words meaning "love of wisdom." The Western tradition in philosophy spread from Ancient Greece across large parts of the world, influenced by ideas from the East.

(A) Similarly, for Socrates, wisdom was not about knowing facts or possessing skills. He believed wisdom required understanding the true nature of our existence. Philosophers today are doing more or less what Socrates was doing.

(B) They are working to answer some of the most important questions we can ask ourselves about the nature of reality and how we should live. Unlike Socrates, though, modern philosophers have the benefit of nearly two and a half thousand years of past philosophy to guide them.

(C) The kind of wisdom that philosophy values is based on argument, reasoning, and asking questions. Philosophy rejects believing something simply because someone important has claimed it's true.

① (A) – (C) – (B)　　　② (B) – (A) – (C)　　　③ (B) – (C) – (A)

④ (C) – (A) – (B)　　　⑤ (C) – (B) – (A)

미꾸라지 어법 POINT

전치사 vs. 접속사

❶ 전치사 뒤에는 '명사(구)'가, 접속사 뒤에는 「주어+동사」 형태의 절이 오는지 확인한다.

❷ before, after, until, since(~ 이래로 vs. ~ 이래로; ~ 때문에), as(~로서 vs. ~할 때, ~ 때문에 등) 등은 전치사와 접속사로 모두 쓰일 수 있으므로 주의한다.

> ⏹Although / Despite⏹ various state law bans and nationwide campaigns to prevent texting from behind the wheel, the number of people texting while driving is actually on the rise, a new study suggests. (기출)

풀이 뒤에 명사구(various ~ wheel)가 이어지므로 전치사 Despite이 적절하다.

Quiz

1 Many people download files illegally online without giving it a second thought ⏹because of / because⏹ a lack of information about how doing so may harm their computers.

2 Although Europe suffered under constant wars and disease ⏹during / while⏹ the Middle Ages, a new culture was born from those difficult times.

 *Practice*

다음 글의 밑줄 친 부분 중, 어법상 틀린 것은?

① While the *Mona Lisa* is probably pretty well protected today, there used to be a time when you could walk into the Louvre and just take it off the wall. In fact, somebody did. In 1911, an Italian workman named Vincenzo Peruggia walked into the gallery, took the painting off the wall, and ② carried it out. He was not exactly the master thief you might imagine, ③ because of security was practically nonexistent at that time. Of course, it did take police about two years before they located the painting ④ buried in a trunk in Vincenzo's cheap apartment in Florence. So what was the working man's motive? Not money apparently. He claimed that ⑤ since the painting was painted by an Italian, Leonardo da Vinci, it was part of Italy's national cultural heritage, and he was, in true patriotic spirit, simply taking it back to where it belonged: Florence. The painting was returned to the Louvre shortly thereafter.

미니 모의고사 3

01

다음 글에서 전체 흐름과 관계 <u>없는</u> 문장은?

We aren't surprised when a cartoon character hangs in the air for a few seconds before he falls, but in the movies, this type of thing should be impossible. Nevertheless, some movies use special effects to overcome the laws of physics. ① This is necessary because a vehicle will fall even if it's moving at a high speed in reality. ② During the 1989 San Francisco earthquake, a driver saw a gap in a bridge too late and, probably inspired by movies with special effects, accelerated to try to make it across. ③ Unfortunately, the laws of physics were not suspended, and he fell into the hole and crashed on the other side. ④ Directors sometimes break the laws of physics to combine cartoon elements with a realistic environment. ⑤ Movies with special effects should come with a warning: "Laws of physics are violated in this movie. Don't try these stunts at home."

02

다음 글에서 전체 흐름과 관계 <u>없는</u> 문장은?

People are developing new technologies (such as carts that run on electricity and water) that will be cleaner and less polluting. The PRT vehicle falls into this category of innovations. ① Being electrically-operated, it would not have the same harmful emissions typically associated with our current automobiles. ② Admittedly, running on electricity does not equate to zero emissions since power plants do give out carbon dioxide as well. ③ At least there are many cleaner alternatives for generating power like wind, hydro or nuclear power which are already relatively well-developed. ④ However, these alternative energies, according to many environmental experts, are not considered to have been so beneficial to the earth as they were expected. ⑤ By making use of such capabilities, while incorporating PRT and other innovative vehicles using clean energy, we could reduce carbon dioxide emissions and hopefully cause less strain on an already fragile Earth.

*PRT(Personal Rapid Transit) vehicle 무인자동궤도 운행차량

03

글의 흐름으로 보아, 주어진 문장이 들어가기에 가장 적절한 곳은?

> For this reason, numbers require systematically created names that indicate something about their quantity and value.

A spoken numeration is a system of the naming of numbers. (①) *One thousand and one* and *mille et un* are expressions related to spoken numeration, the first belonging to the English language, and the second to the French, while 1,001 is a word in written numeration. (②) Suppose we give a new name to each number, with the only condition that it should be one not already used, and have no connection with the names of other numbers. (③) Such a designation without rules would quickly make any use of numbers impractical. (④) For example, the number represented by the name *eighteen* indicates that it is the sum of the numbers represented by *eight* and *ten*. (⑤) Instead of inventing an entirely new name for each new number, names are based on the names of smaller numbers.

*numeration 명수법(숫자 읽기, 세는 법) **designation 명명, 지명

04

글의 흐름으로 보아, 주어진 문장이 들어가기에 가장 적절한 곳은?

> That's the value of going to school 243 days a year; students have the time to learn everything that needs to be learned — and they have less time to unlearn it.

Asian cultures that believe that the route to success lies in rising before dawn 360 days a year are scarcely going to give their children three straight months off in the summer. (①) Therefore, the South Korean school year is, on average, 220 days long and the Japanese school year is 243 days long, while their counterpart in the United States is 180 days long. (②) We can see a possible effect of this difference by looking at a question asked of test takers from around the world after a recent math test. (③) The question asked about how much of the test covered subject matter that had been previously learned in class. (④) For Japanese twelfth graders, the answer was 92 percent, but for American twelfth graders, the comparable figure was 54 percent. (⑤) For students, American summer vacations are too long and much is forgotten, which is a problem some educators have set out to solve.

05

주어진 글 다음에 이어질 글의 순서로 가장 적절한 것은?

> In the 1960s scientists knew that if they put cells in a dish with the right nutrients and enough room, the cell culture would stay alive and keep dividing indefinitely.

(A) Fortunately, the pair never gave up, and the paper was published in a different scientific journal. The evidence was so compelling that other researchers were persuaded and the field of the study of how cells age was born.

(B) However, Leonard Hayflick and Paul Moor had evidence that cells in culture would divide only a certain number of times (about 50), and then they would die. This limited number of divisions was a major discovery.

(C) To confirm their findings, these young scientists had colleagues working in leading labs repeat their experiments. Good try, but it didn't work. Hayflick's first paper describing the work was rejected because it was contrary to the current line of thinking.

*cell culture 세포 배양

① (A) – (C) – (B)　　② (B) – (A) – (C)
③ (B) – (C) – (A)　　④ (C) – (A) – (B)
⑤ (C) – (B) – (A)

06

주어진 글 다음에 이어질 글의 순서로 가장 적절한 것은?

> How do young songbirds pick out their own species' song from a world full of sounds? Investigating this question with swamp sparrows and song sparrows has produced some clues.

(A) As we had expected, the birds learned almost exclusively from tapes of their own species. Imitation of other species did occur rarely, however, and this fact is important: it shows that the tendency not to learn the song of another species is not from a lack of ability.

(B) The songs naturally sung by the baby songbirds are simpler but do reflect some of these structural differences. We gave hand-reared sparrows of both species a chance to learn from tapes of their own species or tapes of the other species.

(C) Of the two species, swamp sparrows have the simpler song, which consists of a single series of syllables. The song sparrow's song is more complex: it consists of at least four types of syllables.

*swamp sparrow (북미 습지의) 참새의 일종
**song sparrow (북미산) 노래참새

① (A) – (C) – (B)　　② (B) – (A) – (C)
③ (B) – (C) – (A)　　④ (C) – (A) – (B)
⑤ (C) – (B) – (A)

07

(A), (B), (C)의 각 네모 안에서 어법에 맞는 표현으로 가장 적절한 것은?

An important component of effective communication is the ability to assess each situation on (A) its / their merits. Although we can generally say that assertive communication is better than either passive or aggressive communication, there are not really any "right" or "wrong" ways of communicating. Remember that not everyone always (B) agree / agrees about the way things should be done. So rather than saying, "This is how it should be ..." it is usually best to express your needs by using statements such as "I want ..." or "I would like ..." If this is followed by a description of a specific behavior, then the person (C) received / receiving the message should be clear about what your needs are.

	(A)		(B)		(C)
①	its	……	agrees	……	received
②	its	……	agrees	……	receiving
③	its	……	agree	……	received
④	their	……	agree	……	receiving
⑤	their	……	agrees	……	receiving

08

다음 글의 밑줄 친 부분 중, 어법상 틀린 것은?

The few places left on earth ① that have not been touched by humankind are almost all difficult to live in. One such place is the Alaskan Arctic, which is home to only a scattering of Eskimos, Native Americans, and people of European descent. But while the Arctic is indeed a chilly place of snow, ice, and polar bears, it is also a region of great beauty, ② which plants and animals still exist untouched in a state of natural balance. Nearly one third of Alaska ③ consists of wilderness. The Brooks Range cuts across the region like a wall, ④ making access difficult. Even today, in an age of jet travel, the number of people who have been to the Alaskan Arctic ⑤ remains small, and countless valleys and mountains go unnamed.

READING FURNISHES THE MIND ONLY
WITH MATERIALS OF KNOWLEDGE;
IT IS THINKING THAT MAKES
WHAT WE READ OURS.

독서는 다만 머리에 지식의 재료를 줄 뿐이다. 우리가 읽은 것을 자신의 것으로 만드는 것은 사색이다.

✖

JOHN LOCKE
존 로크

세부 사항 이해하기 및 기타 유형

Unit 12 지칭 대상 / 세부 내용 파악

지칭 대상 파악

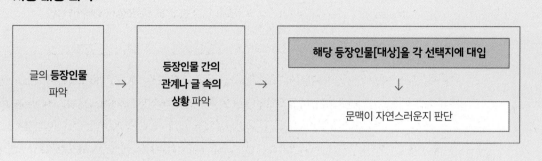

✳ **Warm Up** 다음 글에서 밑줄 친 ①, ②가 가리키는 대상을 쓰시오.

1. Bibiana was the only daughter of Baron Landshort. She had been brought up with great care by her aunt, Katrin. ① She was skilled in all areas of knowledge necessary to the education of a fine lady. Under her care, ② she grew in her abilities. (기출)

   ① _____ ② _____

2. Ellie walked to school in her new shoes. Miss Smith noticed her new shoes. "Those aren't suitable for school. The school uniform requires black or dark blue shoes," ① she said, her voice is cold. Ellie took a deep breath. "The shop didn't have black shoes," ② she said. Her voice came out in a whisper. (기출 응용)

   ① _____ ② _____

밑줄 친 부분이 가리키는 대상이 나머지 넷과 다른 것은?

In August 2001, Colin Bagshaw, 39, and his girlfriend took a taxi across town. In the taxi, Bagshaw's girlfriend happened to look at the driver's identification badge and see that ① his name was Barry Bagshaw. The driver was Colin's father, whom Colin hadn't seen since 1966. Colin's parents' marriage had broken up while his father was serving in the army in Hong Kong; since then Colin had always assumed that ② he was dead. Barry wasn't dead, however. In fact, in recent years, ③ he had been living just a few blocks from his son without realizing it. Barry Bagshaw, now 61 years old, told reporters that he didn't recognize his son when ④ he first said, "I'm your son." But when Colin explained who he was, Barry got the greatest surprise of ⑤ his life. It's a good thing they found each other when they did, because Colin was planning to move away in a few days.

Q1
글의 등장인물을 모두 쓰시오.

→ _____

_____

_____

Q2
Barry Bagshaw와 Colin Bagshaw 두 사람의 관계를 우리말로 쓰시오.

→ _____

★ **정오답 가리기 Tip!**
대개, 동일한 수와 인칭을 사용하는 대상이 본문에 둘 이상 등장하여 혼동을 유발하므로 주의한다.

해결전략
2

세부 내용 파악

지시문 파악		선택지 먼저 읽기		본문의 순서대로 제시된 선택지의 **키워드 중심으로 빠르게 찾아 일치 여부를 판단하기**
내용 '일치' 문제인지 '불일치' 문제인지 파악	→	글의 소재 또는 주제 예측	→	

※ **Warm Up** **Cesaria Evora**에 관한 다음 글의 내용과 일치하는 것은 ○표 하고, 일치하지 <u>않는</u> 부분은 밑줄을 긋고 바르게 고치시오.

Cesaria Evora was born in 1941, grew up in a poor family, and was raised in an orphanage after her father died. She began performing as a teenager at sailors' restaurants and on the ships at the harbor in Mindelo. She gave up music in the 1970s because she was unable to make a living. But in 1985, she came back on the stage, and won the Grammy Award in 2003. (기출)

① 아버지가 돌아가신 후 보육원에서 자랐다. → _____

② 십 대 때 선원들의 식당과 배에서 요리를 했다. → _____

③ 생계를 위해서 1985년에 음악을 그만두었다. → _____

전략적용
2

Molly Ivins에 관한 다음 글의 내용과 일치하지 <u>않는</u> 것은?

Molly Ivins was an American political journalist and author. Her weekly column appeared in almost 400 newspapers, making her the most widely published columnist in the nation. She was famous for her clever use of words, amusing observations, and sharp sense of humor, which reminded people of Mark Twain's. Raised in Houston, she graduated from Smith College in 1966 and then studied journalism at Columbia University. Ivins spent her journalism career working on Texas politics. When former Texas governor George W. Bush became the 43rd U.S. president, Ivins turned her attention to national politics and was a passionate critic of the 2003 Iraq War. She was diagnosed with cancer in 1999 and finally lost her battle with the disease in 2007.

① 주간 칼럼이 400여 개의 신문에 실렸다.

② Mark Twain을 떠올리는 특징을 지녔다.

③ 대학에서 언론학을 공부했다.

④ 정치계에서 일했으며 이라크 전쟁을 찬성했다.

⑤ 2007년에 암으로 사망했다.

Q1

Molly Ivins에 관한 내용과 일치하도록 빈칸에 알맞은 말을 쓰시오.

① 미국의 정치 전문 언론인이자 _____였다.

② 재치 있는 단어 사용, 날카로운 _____으로 유명하다.

③ 텍사스 정계에서 일하며 자신의 _____ 경력을 쌓았다.

★ **정오답 가리기 Tip!**

✔ 일치하지 않는 선택지는 주로 본문과 반대의 내용이거나 일부 단어만 바꾼 것이다.

✔ 잘못 해석할 여지가 있는 복잡한 구문을 살짝 바꿔 제시하기도 한다.

Make it **Yours**

1 밑줄 친 부분이 가리키는 대상이 나머지 넷과 다른 것은?

Jane's five-year-old daughter, Regina, wanted to be a princess. Jane said, "The walls in ① her room are covered with princess posters. There's only one problem. Her room is a complete mess." So, Jane decided to understand Regina by looking at the world through ② her eyes. To do so, Jane asked her daughter to show ③ her how to make sunflowers out of paper plates. "Thank you, Princess!" Jane said to ④ her as she finished. Then she added, "But look at the mess we made. Does this look like a princess's room?" Regina thought about this. "Princesses don't have messy rooms," ⑤ she answered. "So what should we do?" Jane asked. Regina said, "I could clean up the room, throw away all the extra paper, and make it look like a princess's room." Deal!

2 밑줄 친 부분이 가리키는 대상이 나머지 넷과 다른 것은?

In 1807, Napoleon was feeling very good about his recent successful negotiations with Prussia and Russia. To celebrate, ① he suggested that everyone should enjoy a rabbit hunt. It was organized by ② his trusted chief of staff, Alexandre Berthier, who was so eager to impress Napoleon that he bought thousands of rabbits to ensure that there were plenty of animals for everyone to hunt. The hunters arrived, and the servants released the rabbits. But disaster struck. ③ He had bought pet rabbits instead of wild rabbits. Rather than running for their life, they found a tiny little man in a big hat and mistook ④ him for their keeper bringing them food. The hungry rabbits ran toward Napoleon at top speed. Napoleon was left with no other option but to run away. According to modern accounts of the day, the Emperor of France escaped on ⑤ his horse, completely beaten and covered in shame.

3 밑줄 친 부분이 가리키는 대상이 나머지 넷과 다른 것은?

Walter Lin was an emergency room doctor. One night, a patient who did not need emergency care kept insisting on sharing ① his life story with the staff. After some hours, the frustrated staff tried to kick ② him out. Dr. Lin suggested that the staff take a break from this patient and go back to their other duties; Dr. Lin would speak to the man himself. Then he made the effort to truly understand the patient. The doctor discovered that ③ he just wanted a new doctor but couldn't get an appointment for six months. Dr. Lin called a doctor for ④ him and got an appointment in two weeks. The patient left the room within thirty minutes. "He thanked me a lot," Dr. Lin said. He said the staff were not able to solve the problem because they were not even trying to understand his situation. However, by focusing on relationships and working to get a real understanding, ⑤ he was able to find a solution quickly.

4 **Morgan Dollar에 관한 다음 글의 내용과 일치하는 것은?**

George T. Morgan was one of America's greatest coin designers, famous for designing the Morgan Dollar. He designed a beautiful $100 gold coin, but the original design remained hidden for decades, and the coin was never made. Recently, however, Morgan's sketchbook was discovered and the lost masterpiece has finally been made. One side of the coin shows Lady Liberty dressed in a beautiful gown, holding an olive branch, and surrounded by 13 stars to symbolize the original 13 states of America; her name is written in capital letters. The other side shows a powerful American eagle with its wings folded, sitting on a shield; also visible are three arrows made of olive branches. The coin is dated 1876 — the year it was designed by Morgan.

① 원본 디자인은 수백 년 동안 공개되지 않았다.
② 최근에서야 실물이 제작되었다.
③ Morgan의 이름이 새겨져 있다.
④ 날아가는 독수리가 새겨져 있다.
⑤ 동전이 주조된 연도가 기입되어 있다.

5 **Paul Dirac에 관한 다음 글의 내용과 일치하지 <u>않는</u> 것은?**

Paul Dirac was an English theoretical physicist who made a great contribution to the development of science. His main field was quantum mechanics. He was a talented but shy physicist. People joked that his vocabulary consisted of only "Yes," "No," and "I don't know." He once said: "I was taught at school never to start a sentence without knowing the end of it." He made up for what he lacked in speaking in his mathematical ability. His research is famous for being impressively short and powerful, presenting a new mathematical description of quantum mechanics. He partly connected the theory of quantum mechanics with Einstein's theory. When he was awarded the 1933 Nobel Prize, his first thought was to turn it down to avoid attention. But he gave in when told he would get even more attention if he refused to accept it.

*quantum mechanics 양자 역학(원자, 분자 등에 적용되는 역학)

① 과학 발전에 공헌한 영국의 물리학자였다.
② 말수가 적어서 사람들의 놀림을 받았다.
③ 언변이 부족한 대신 수학적 능력을 갖추었다.
④ 양자 역학 이론과 아인슈타인의 이론을 접목했다.
⑤ 주목을 피하고 싶어서 노벨상을 끝내 거절했다.

6 the White-crowned Sparrow에 관한 다음 글의 내용과 일치하지 <u>않는</u> 것은?

The White-crowned Sparrow is important to those who study bird behavior and migratory patterns. Males learn their songs within the first few months of life from their environment, and because they do not move from their territories, unique songs emerge. White-crowned Sparrows weave a grass nest high in a tree and lay 3-5 pale blue eggs with red-brown spots. The female incubates these for approximately two weeks and the young begin to fledge 10-12 days later. They move together with other kinds of birds, usually the White-throated Sparrows. This bird's diet consists mainly of seeds, grains, and insects for which they forage on the ground. Unlike many other wild birds in danger of extinction, the population of White-crowned Sparrows remains stable, and so it's commonly found year-round in western Washington.

① 새의 행동을 연구하는 학자들에게 중요하다.
② 수컷은 자신의 영역에서 이동하지 않으려 한다.
③ 나무 위 높은 곳에 풀로 둥지를 만든다.
④ 땅을 수색해서 씨앗, 곡식, 곤충 등을 먹는다.
⑤ 개체 수가 불안정해서 멸종 위기에 처해 있다.

7 Wilhelm Maximilian Wundt에 관한 다음 글의 내용과 일치하지 <u>않는</u> 것은?

Wilhelm Maximilian Wundt was a physician and philosopher, known today as the founder of modern psychology. Wundt, who distinguished psychology as a science from biology, was the first person ever to call himself a psychologist. His interest in psychology began after majoring in medicine, leading to researching human sensory perception. Later he gave lectures on psychology, published the first psychology textbook, and set up the first formal laboratory for psychological research. Under strict laboratory conditions, he observed and measured responses of his human subjects to various sensations. He focused on the study of the mind through scientific methodology, which for him meant the study of consciousness and perception. His insistence on experiments that could be controlled and replicated exactly set the standard for experimental psychology, firmly establishing its scientific credentials.

① 현대 심리학의 창시자로 알려져 있다.
② 자신을 심리학자로 칭한 최초의 사람이었다.
③ 의학을 전공한 후 심리학에 관심을 가졌다.
④ 심리 연구를 위한 실험실을 최초로 설치했다.
⑤ 의식과는 무관한 정신 연구에 집중하였다.

준동사의 동사적 성질

어법 만점 POINT

❶ to부정사(원형부정사), 동명사, 분사가 준동사에 해당하며, 문장에서 명사, 형용사, 부사의 역할을 한다.

❷ 준동사는 동사에서 변형된 것이므로 동사의 성질을 일부 가지고 있다. 즉, 시제와 태에 따라 형태가 변하며 목적어, 보어, 수식어구를 취하거나 의미상 주어를 가질 수 있다.

❸ to부정사[동명사]의 태는 to부정사[동명사]의 의미상 주어를 찾아 to부정사[동명사]와의 관계가 능동인지, 수동인지를 따져본다.

The island of Deseada is a small island which is said to obtain / have obtained its name from "the desire" Christopher Columbus felt of seeing land on his second voyage in 1493. (기출 응용)

풀이 섬이 이름을 얻은 것은 관계사절의 동사(is said)보다 앞선 때를 나타내므로 have obtained가 적절하다.

Quiz

1 Managers are no longer primarily responsible for gathering information from employees working below them in the organization and then make / making command decisions based on this information.

2 Plenty of people allow themselves to affect / be affected by pessimists. They hear warnings of a terrible future and get frightened.

Practice

(A), (B), (C)의 각 네모 안에서 어법에 맞는 표현으로 가장 적절한 것은?

Research finds that around half of SNS is "me" focused, (A) covering / covered what people are doing now or something that has happened to them. Why do people talk so much about their own attitudes and experiences? Harvard scientists Jason Mitchell and Diana Tamir found that (B) disclosing / disclosure of information about the self is basically rewarding. In one study, Mitchell and Tamir asked subjects to share either their own opinions and attitudes ("I like snowboarding") or the opinions and attitudes of another person ("He likes puppies"). They found that (C) share / sharing personal opinions activated the same brain circuits that respond to rewards like food and money. So talking about what you did this weekend might feel just as good as taking a delicious bite of chocolate cake.

	(A)	(B)	(C)
①	covering	disclosing	share
②	covering	disclosure	sharing
③	covering	disclosure	share
④	covered	disclosure	sharing
⑤	covered	disclosing	sharing

Unit 13 실용 자료 / 도표 자료 파악

해결전략 1

실용 자료 파악

실용문(안내문, 공고문 등)의 **소재** 파악	→	**선택지와 소제목 활용** 필요한 정보를 신속하게 찾기	→	본문의 순서대로 제시된 선택지의 일치/불일치 여부를 판단

• **명시되지 않은 금액, 수치 등을 묻는 경우**: 간단한 계산을 통해 일치/불일치 여부를 판단한다.

※ **Warm Up** 다음 내용을 안내문에 넣고자 할 때, 알맞은 소제목을 고르시오

To apply, you must be able to commit to the November 2020 through May 2021 activity schedule.

① Dates　　　　② Requirements　　　　③ Responsibilities and Benefits

전략적용 1

Day Camp Visits에 관한 다음 안내문의 내용과 일치하지 <u>않는</u> 것은?

> ### Day Camp Visits
> *Bring your day camp group aged 6 to 12*
> *to the Brooklyn Museum this summer to go on an exciting journey*
> *through art!*
>
> **Tours to Choose**
> • How Did They Make That?: Explore an artist's process and how artists use unique materials.
> • Artist Meets Environment: Investigate how artists use the natural world for inspiration.
>
> **Tour Dates**
> • Wednesday–Friday, July–August
> • Morning Tour: 10:30–11:45 a.m.
> • Afternoon Tour: 1:00–2:15 p.m.
>
> **Cost & Payment**
> • $3 per visitor
> • It's best if you pay in advance, but you can also pay on the day of your visit.
>
> For more information, call (718) 501-6221 or e-mail us.

① 6~12세를 대상으로 한다.　　② 화가의 작업 과정을 탐구할 수 있다.
③ 여름에 두 달 동안 열린다.　　④ 견학 소요 시간은 1시간이 넘는다.
⑤ 견학비는 사전에 지불해야 한다.

Q1
안내문의 소재를 우리말로 쓰시오.

→ _____

Q2
안내문의 내용과 일치하지 <u>않는</u> 부분을 찾아 밑줄을 긋고 바르게 고치시오.

① 음악에 관련된 캠프이다.
→ _____

② 견학 날짜는 7~8월, 월~금요일이다.
→ _____

③ 요금은 방문객당 5달러이다.
→ _____

> ★ **정오답 가리기 Tip!**
> 불일치하는 선택지는 주로 본문의 내용과 반대되는 표현을 사용하거나 숫자를 바꿔 만든다.

도표 자료 파악

도표 자료 파악	• 도표의 제목, 각 항목들 확인 • 본문에서 선택지 번호가 붙어있지 않은 첫 한두 문장 → 도표에 대한 요약

↓

선택지의 내용을 도표에서 찾아 확인 (→ 이때, 도표를 설명하는 다양한 표현을 파악해야 함)

▶ 자주 사용되는 표현
• 비교, 배수, 분수 표현: the greatest[lowest], A is three times bigger than B, 1/4 = one-fourth
• 증감 표현: drop slightly, increase steadily
• 수치 비교 표현: surpass, exceed, reverse

※ **Warm Up** 다음 문장을 읽고 아래 도표와 일치하면 ○, 일치하지 않으면 ✕표 하시오.

① In the 20-34 age group, the figure for men with high blood pressure is 5 percentage points higher than the figure for women. (   )

② In the 55-64 age group, high blood pressure was more common in men than women. (   )

다음 도표의 내용과 일치하지 <u>않는</u> 것은?

Percentage of the population with high blood pressure

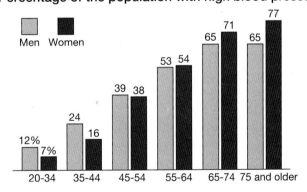

The above graph shows the percentage of the population with high blood pressure, broken down by gender and age group. ① In the three younger age groups, more men suffer from high blood pressure than women, while it is reversed in the older three groups. ② The percentage of men with high blood pressure is twice as large for those 35-44 as for those 20-34. ③ The 45-54 and 55-64 age groups show the smallest gap between men and women, which is 1 percentage point. ④ After the age of 55, more than half of all men and women have high blood pressure. ⑤ In the 75 and older group, the figure for women shows no change compared with the figure in the 65-74 group.

Q1
도표의 소재를 우리말로 쓰시오.
→ _____

Q2
도표에 관한 글의 내용과 일치하지 않는 부분을 찾아 밑줄을 긋고 바르게 고치시오.

① 나이가 더 젊은 세 그룹에서는 고혈압 비율이 여성이 남성보다 더 많다.
→ _____

② 35-44세 그룹은 고혈압이 있는 남성의 비율이 20-34세 그룹보다 3배 많다.
→ _____

③ 55세 이후로는 절반 이상의 여성만이 고혈압을 가지고 있다.
→ _____

Make it **Yours**

1 Teen Night Planning Committee에 대한 다음 안내문의 내용과 일치하는 것은?

Teen Night Planning Committee

As a member of the Teen Night Planning Committee, you'll work on a variety of exciting projects for teens. It's a chance to learn about event planning and work with others to create free events for teens that feature music and dance performances, workshops, art-making, friends, and food!

Dates:
· November 2020 through May 2021
· Thursdays: 3 meetings a month, 4:30–6:30 p.m.
· Fridays: 4 Teen Nights, 3:45–7:30 p.m.

Requirements:
· A high school student
· At least fourteen years old

Responsibilities and Benefits:
· Design and manage events for teens
· Build communication and event-planning skills
· Be able to request a letter of recommendation on completion

Submit your application by October 12, 2020.
Interviews take place the last weekend in October 2020.

---

① 청소년을 위한 유료 행사를 기획하게 된다.
② 목요일 모임은 세 시간 동안 진행된다.
③ 13살도 지원할 수 있다.
④ 지원자는 추후 추천서를 요청할 수 있다.
⑤ 면접은 10월 마지막 평일에 있다.

2 Wilderness Volunteers에 관한 다음 안내문의 내용과 일치하지 <u>않는</u> 것은?

Wilderness Volunteers

Wilderness Volunteers promote volunteer service in wild lands. Volunteers are matched with work projects to investigate the conditions of wildlife through various field studies.

Details:
- The website lists various activities, ranging from moderate car camping to challenging backpacking.
- All trips are led by experienced professionals.
- Trips are one week long and are limited to 12 or fewer participants.

Participants Need:
- their own camping equipment
- a sense of adventure
- a willingness to contribute time and energy to worthwhile projects

For more information and registration, please visit www.volunteers.com.

① 야생 동물을 조사하는 봉사활동이다.
② 자동차 캠핑 등 다양한 활동을 할 수 있다.
③ 참가 인원은 최소 12명 이상이어야 한다.
④ 본인의 캠핑 장비를 준비해야 한다.
⑤ 웹사이트를 통해 등록할 수 있다.

3 Book Club for the Curious에 관한 다음 안내문의 내용과 일치하지 <u>않는</u> 것은?

Book Club for the Curious

The Book Club for the Curious is just the thing for you. Created at the Museum of Science, Boston, this reading group is designed especially for those who are interested in science and technology.

Join Goodreads.org to view what we've read so far.
To learn more about upcoming book discussions, please visit our meet-up page.

- Held on the second Thursday of each month at 5:30 p.m.
- Those who arrive after 5:30 p.m. must call the conference room from the 14th-floor lobby to be let in. Time and location are subject to change.
- Parking nearby costs $10 for those who arrive after 5:00 p.m.

---

① 과학과 기술에 관심 있는 이들을 대상으로 한다.
② 사이트에 가입하면 지금까지 읽은 책을 확인할 수 있다.
③ 모임은 매달 둘째 주 목요일에 열린다.
④ 모임에 늦으면 회의실에서 전화해야 한다.
⑤ 오후 5시 이후에는 주차 요금을 낸다.

4 다음 도표의 내용과 일치하지 <u>않는</u> 것은?

Average hours spent per day in leisure and sports activities, by youngest and oldest populations

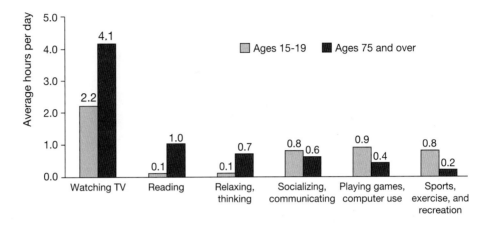

The graph above shows average hours spent per day in leisure and sports activities by those aged 15-19 and those aged 75 and over in the U.S. ① Both age groups spend the most time watching TV, but the older group's figure is almost twice that of the younger group. ② Relaxing, thinking, and reading are the activities that those aged 15-19 spend the least time on. ③ The gap in average hours per day between the two age groups in socializing, communicating is 0.2 hours. ④ For those aged 15-19, playing games and computer use is the second highest activity, while it's the second lowest activity for those aged 75 and over. ⑤ When it comes to sports, exercise, and recreation, those aged 75 and over spend one-third of the time that those aged 15-19 do.

5 다음 도표의 내용과 일치하지 <u>않는</u> 것은?

REASONS FOR MIGRATION TO/FROM ENGLAND LAST YEAR

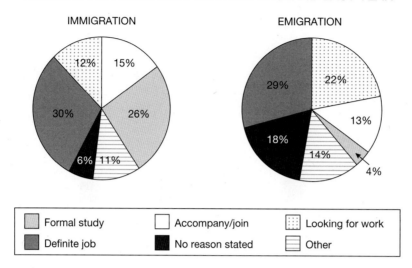

The two pie charts above show the main reasons why people immigrated to England and emigrated from the country last year. ① Of the total respondents, 30 percent immigrated to Britain for Definite job, and a similar percentage of people emigrated from the country for the same reason. ② In case of immigration to England, Formal study is the second biggest reason, which accounts for over 25 percent. ③ Formal study, however, only takes up less than 5 percent among people who emigrated from England. ④ The percentage of people who chose Looking for work in emigration is 10% points lower than that of those who picked the same reason in immigration. ⑤ The percentage of No reason stated in emigration is three times as high as that in immigration.

6 다음 도표의 내용과 일치하지 <u>않는</u> 것은?

How Well Do You Understand Global Warming?

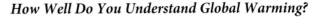

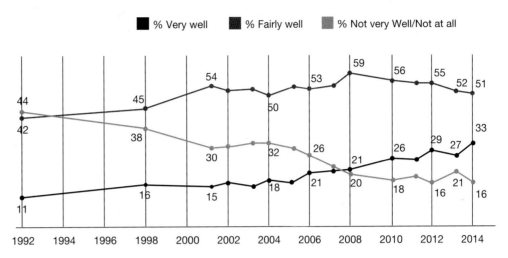

The above graph shows how well Americans have understood global warming since 1992. ① The percentage of Americans who think that they understand global warming very well has generally been on the increase since 1992. ② The percentage in that group in 2014 was three times higher than in 1992. ③ Since 2008, the percentage of people who don't understand very well or at all has remained under half of what it was in 1992. ④ People who understand fairly well have always accounted for more than half of the total population surveyed. ⑤ The year 2008 was also the year that the percentage of Americans who think that they understand global warming fairly well reached its peak.

목적격보어로 쓰이는 준동사의 능·수동

대표기출 POINT

❶ 동사별로 어떤 형태의 목적격보어(to-v / 원형부정사(v) / 현재분사(v-ing) / 과거분사(p.p.))가 목적어를 보충 설명하는지 알아두어야 한다.

❷ 목적어와 목적격보어가 능동 관계일 경우 want, ask, cause 등은 목적격보어로 to-v를, 사역동사(make, have, let)는 원형부정사를, 지각동사(see, hear, feel 등)는 원형부정사와 v-ing를 모두 사용한다.

❸ 목적어와 목적격보어가 수동 관계일 경우에는 p.p.를 사용한다. (단, let은 be p.p.를 쓴다.)

The boys found themselves ⬚ walking / walked ⬚ through jellyfish, starfish, crabs, and other little animals that coated the beach like a blanket. (기출 응용)

풀이 '자신들'이 '걷고 있는' 것이므로 목적어(themselves)와 목적격보어는 능동 관계이다. 따라서 v-ing 형태인 walking이 적절하다.

Quiz

1 In business, keeping people ⬚ informing / informed ⬚ is the first step to ensuring skill development and effective working relationships.

2 I was relieved when I saw the broken machine ⬚ moving / to move ⬚ again after some repairs.

Practice

다음 글의 밑줄 친 부분 중, 어법상 틀린 것은?

One of the best ways to avoid difficult mornings and evenings is to get children ① involved in creating routine charts and to let them follow their charts instead of telling them what to do. Start by having your child ② to make a list of all the things she needs to do before going to bed. The list might include: pick up toys, snack, bath, brush teeth, choose clothes for the next morning, bedtime story, hugs. Copy (or when children are old enough, let them copy) all the items onto a chart. Then hang the chart ③ where she can see it. Let the routine chart ④ be the boss. Instead of telling your child what to do, ask "What is next on your routine chart?" Often, you don't have to ask. Your child will tell you. These bedtime routine tasks, like preparing school lunches the night before and ⑤ setting out the next day's clothes, will also make morning routines smoother.

Unit 14 심경, 분위기 / 글의 목적 파악

해결전략 1

심경, 분위기 파악

주인공의 감정이나 글의 상황과 직·간접적으로 관련된 **어휘 주목**	→	**간접적으로 나타낸 심경**	예 '주인공이 중요한 시험을 앞둔 상황에서 식은땀이 난다.' ➡ nervous 또는 tense
		수식어구로 표현한 분위기	예 laughed with joy, swollen with pleasure ➡ lively and joyful

❋ **Warm Up** 다음 글에서 'I'의 심경을 짐작할 수 있는 부분에 밑줄을 긋고, 알맞은 심경을 고르시오.

I was driving when I saw the flash of a traffic camera. I figured that my picture had been taken for speeding. Just to be sure, I went around the block and passed the same spot, driving more slowly. But again the camera flashed. Two weeks later, I received two tickets in the mail for driving without a seat belt. (기출)

① envious　　　　　② satisfied　　　　　③ embarrassed

전략적용 1

다음 글에 드러난 Anthony의 심경 변화로 가장 적절한 것은?

When Anthony Falzo, a conductor of a freight train, was talking to Rich, an engineer, he suddenly noticed a curious shape lying on the track ahead. It seemed to be a box or some old rags. Yet all of a sudden, he realized it was two kids on the track. Anthony pulled on the emergency brake with all his strength to save the kids from the train. When they realized the imminent danger, they were frozen up with terror. It seemed to Anthony that nothing could save them. However, something miraculous happened when the train was about ten feet away from the kids. Anthony jumped out of the train to grab the kids. The younger child was merely hit under the chin during the miracle. Anthony managed to save them from the danger. Realizing no one was seriously injured, he looked up to the sky and thanked God.

① cheerful → embarrassed
② sorrowful → confident
③ desperate → relieved
④ frightened → regretful
⑤ pleased → disappointed

Q1

Anthony의 최종 심경을 간접적으로 알 수 있는 부분을 찾아 쓰시오.

→ _____

_____

> ★ **정오답 가리기 Tip!**
> ✔ 글의 첫 부분에 나타난 분위기만을 보고 대상의 심경에 대해 성급히 판단하지 않는다.
> ✔ 등장인물이 여러 명일 때, 지시문에서 요구하는 대상과 다른 대상의 심경을 고르지 않는다.

글의 목적 파악

글의 소재와 필자가 처한 상황 파악	→	필자의 의도를 드러내는 표현 찾기

필자의 진정한 의도는 **의례적인 인사말**이나 **상황 설명 다음**에 오는 경우가 많음

- '고맙게 생각한다. 하지만 사양하겠다.' → 감사가 아니라 '**거절**'의 의도이다.
- '기부가 많은 도움이 되었다. 하지만 여전히 필요한 곳이 많다.' → 감사가 아니라 '**요청**'의 의도이다.

❋ **Warm Up**   다음 각 글에서 필자의 의도가 가장 잘 드러난 문장을 고르시오.

1. ① This musical looks at the nature of love and parental relationships. ② It is also full of humor and fantastic music. ③ Don't miss this wonderful show being performed at Kaufman Auditorium on November 15th. (기출 응용)

2. ① Dear Mr. Klein, Hello. I'm Michael's father. Michael was anxious to finish your homework. ② But he came down with the flu, so I made him go to bed. ③ Would it be possible to allow him to hand it in next Monday? ④ We would be very grateful if you could agree to this. (기출 응용)

다음 글의 목적으로 가장 적절한 것은?

Dear Parents,

As some of you already know, each year Pine Grove Pre-School gives parents a chance to get involved with their child's education by being a teacher for a day. Last year, this was especially popular. The children loved the parents who came, and many parents expressed afterward just how much they enjoyed the experience. If you'd like to participate this year, now is the chance to sign up. Simply fill out the attached form and list any topics or activities you would like to cover. We appreciate anyone who donates their time to this special activity, as it wouldn't be possible without your help.

① 유치원의 교육 철학을 설명하려고
② 학부모에게 기부금 지원을 부탁하려고
③ 학생 지도 방법에 대한 조언을 구하려고
④ 작년 프로그램에 참여한 학부모에게 감사하려고
⑤ 자녀 유치원의 일일 교사가 되어 줄 것을 요청하려고

Q1
필자의 의도가 잘 나타나 있는 문장을 모두 찾아 밑줄을 그으시오.

★ **정오답 가리기 Tip!**
본론이 등장하기 전, 글의 초반부 내용에만 의거하여 그와 관련된 선택지를 고르지 않도록 주의한다.

Make it **Yours**

정답 및 해설 p. 52

1 다음 글에 드러난 Brett의 심경 변화로 가장 적절한 것은?

It was sunny and perfect for a picnic. Brett went to Hyde Park with Milk, the dog he had adopted a month ago. Many people were spending their holiday there chatting with each other or watching their kids play together, and Brett and Milk joined them. As noon approached, he became hungry and picked up a banana he had brought for the picnic. Eating the banana, Brett thought everything was perfect, but it was at that very moment that the accident happened. After finishing the banana, he threw its peel on the corner of the road. A moment later, a scream was heard from behind him. A child had fallen down, and the banana peel was under her left foot. She stood up without crying. She picked up the peel and ran toward the dustbin. Brett felt his face turning red because of his careless behavior. He couldn't even look at Milk properly. He thought it was all his fault, and that he shouldn't have done it.

① bored → pleased
② happy → regretful
③ curious → satisfied
④ surprised → sad
⑤ encouraged → embarrassed

2 다음 글에 드러난 'I'의 심경 변화로 가장 적절한 것은?

Staying in the hospital was exhausting. My mom and dad, both of whom stayed by my side the entire time, were tired from worry and lack of sleep as well. "I want to be the best surf photographer in the world," I told my dad at one point. That was my way of saying, "I know my surfing days are over ...." He just nodded and tried to smile. He knew what it meant as well. But on Saturday, my doctor said that I was recovering much more quickly than expected, so I started to think about surfing again. I was feeling better; my mind was clear, and there were so many people coming to see me to cheer me up. Every time I would wake up, there were more balloons, more cards, and more flowers in the room. I remember it smelled great.

① depressed → proud
② gloomy → hopeful
③ worried → regretful
④ encouraged → envious
⑤ annoyed → thankful

3 다음 글에 드러난 'I'의 심경 변화로 가장 적절한 것은?

The bell for the math exam finally rang and the professor came into the classroom. Last week my father had said that he couldn't give me any more money for my education because of the recent recession. So the exam was very important because I planned to work my way through college with the aid of scholarships. When the professor handed me the exam sheets, my palms became so wet with sweat that I couldn't hold them right; what if there were a lot of difficult questions? I closed my eyes for a moment, took a deep breath, and skimmed through the sheets. At first glance, there seemed to be many questions related to calculus, which I was good at. It flattened my anxiety and even made me think I would do well on this exam. I picked up my pencil with a thin smile, ready to fight the exam.

*calculus 미적분

① scared → disappointed
② nervous → confident
③ regretful → satisfied
④ relieved → surprised
⑤ delighted → embarrassed

4 다음 글의 상황에 나타난 분위기로 가장 적절한 것은?

Snow fell gently on the runway as the final pieces of luggage were loaded onto the plane. Most of the passengers had already settled in for a long flight, but a few were saying a last-minute goodbye to friends or family before shutting off their phones. Then, the plane pulled away from the gate. Everything appeared ordinary for the first twenty minutes, and then everything was wrong. No one can be certain, but the crash was probably the result of ice on the wings, which can be very hard to spot. Regardless, the result was difficult to accept. Having fallen into icy waters, survivors grabbed onto pieces of the plane and waited for rescue. Most, however, were lost in the waves, never to be seen again.

① sad and tragic
② calm and peaceful
③ dull and boring
④ thrilling and dynamic
⑤ humorous and exciting

5

다음 글의 목적으로 가장 적절한 것은?

It's that time of the year when it seems that everyone is going on vacation. Of course you want to look your best on your big adventure, and many of you have chosen Rose Beauty Salon. We could not be more thrilled to serve you. However, after five difficult but rewarding years of building up this business from the ground, it's time for a break of our own. Since we are family owned and operated, that means closing our doors for a few days, beginning August 1. We apologize for any inconvenience to our loyal customers and promise to be here to serve you on the 15th.

① 단골 고객들에게 감사하려고
② 미용실 폐업에 대해 사과하려고
③ 사업의 성공 과정을 설명하려고
④ 휴가로 인한 미용실 휴무를 알리려고
⑤ 휴가 기간의 특별 서비스를 홍보하려고

6

다음 글의 목적으로 가장 적절한 것은?

We grow up hearing a lot of messages that tell us to make a difference in some way. We should "help the poor," "save the planet," and "protect endangered animals," among other things. Without a starting point, however, it's easy to feel lost. To put some much-needed meaning into your life, why not join the Green Alliance? As a member, you'll do far more than just recycle. We fight environmentally damaging projects and communicate with government leaders. We get involved in the community and teach others how to have a positive impact as well. It's time to stop wondering how to make a difference and get involved!

① 여러 환경보호 단체를 소개하려고
② 환경 단체 가입을 권유하려고
③ 지역 단체의 협력을 요청하려고
④ 환경 파괴 사업의 중단을 건의하려고
⑤ 환경보호를 위한 실천의 중요성을 설명하려고

7 다음 글의 목적으로 가장 적절한 것은?

Ask any first grader what they want to be when they grow up and you'll be presented with a wide variety of exciting career choices: astronaut, surgeon, race-car driver, soccer player, etc. Sadly, the vast majority of us will eventually have to find work in slightly less exciting fields. How do we make sure we choose the right type? Chandra McHarland walks us through the process step by step in her new book, *Finding Your Calling*. Let her show you how to identify your strengths and find careers that use them. Give this clear and informative guide by an award-winning author a chance to change your life!

① 작가에 대한 독자들의 지원을 촉구하려고
② 진로 선택에 도움이 되는 책을 홍보하려고
③ 흥미로운 직업을 찾는 법에 대해 조언하려고
④ Chandra McHarland의 발표회에 초대하려고
⑤ 적성에 맞는 직업 선택이 중요함을 강조하려고

8 다음 글의 목적으로 가장 적절한 것은?

I want to begin by saying how nice it is to see that everyone is enjoying the new coffee machine in the break room. Unfortunately, we are now using disposable cups at a much greater rate than before. These single-use cups create a mess if not thrown away properly, and when disposed of, they harm the environment. So, I urge everyone to bring a personal cup from home or purchase one nearby. In fact, the market on the corner has some especially nice ones on sale right now. If there are any questions about this issue, please don't hesitate to contact me.

① 상점의 할인 판매를 공지하려고
② 일회용품 남용의 문제점을 지적하려고
③ 휴게실의 깨끗한 사용을 요구하려고
④ 직원 복지용 설비에 대해 감사하려고
⑤ 일회용 컵 대신 개인 컵 사용을 촉구하려고

어법 POINT 빈출 매개

대동사 do

❶ 앞에 등장하는 일반동사(구)의 반복을 피하기 위해서 대동사 do[does/did]가 사용된다.

❷ 주로 비교 구문에서 사용된다.

Cod in Canada's Gulf of St. Lawrence begin to reproduce at around four years old today; forty years ago they had to wait until six or seven to reach maturity. Sole in the North Sea mature at half the body weight that they did / were in 1950. (기출 응용)

*cod 《어류》 대구 **sole 《어류》 가자미

풀이 앞에 나온 동사 mature를 대신하는 자리이므로 대동사 did(= matured)가 적절하다.

Quiz

1 Modern architects use soil as a building material not as often as they were / did in the old times due to the problem of durability.

2 A food journalist said that Greeks make better breads than do / did any other people in the world.

Practice

다음 글의 밑줄 친 부분 중, 어법상 틀린 것은?

Does it matter that we often don't know what goes on in our heads and yet believe that we ① are? Well, for starters, it means that we often can't answer questions ② accurately about what makes us happy and what makes us unhappy. A social psychologist asked Harvard women to keep a daily record for two months of their mood and also ③ to record a number of relevant factors in their lives, including the amount of sleep the night before, the weather, and their general state of health. At the end of the period, subjects were asked to tell the experimenters how much each of these factors influenced their mood. The results? The women's reports of what influenced their moods ④ showed no relation to what they had reported on a daily basis. If a woman thought her sleep patterns had a large effect, her daily reports were just as likely to show that ⑤ they had no effect as to show that they did.

Unit 15 어휘 추론

해결전략 1

문맥상 적절한 것을 고르는 문제

글의 주제와 전반적 흐름 파악	→	문맥상 적절하거나 앞뒤 어휘들과 자연스럽게 이어지는 어휘 선택

반의어, 유의어, 파생어를 익혀두기
→ 제시된 두 어휘 중 적절한 것을 선택할 수 있음

▶ 유사 어휘 중 함께 쓰인 단어와 자연스럽게 연결되는 것을 찾는 예

a **considerate** / considerable decision
(**사려 깊은 결정** / 상당한 결정)

※ **Warm Up** 각 네모 안에서 문맥에 맞는 낱말로 알맞은 것을 고르시오.

1. I had just finished writing a TV script and was rushing to print it when my computer froze / woke up . No cursor. No script.

2. We take our cars to the mechanic for regular checkups. Why do we expect our computers to run normally / abnormally without the same care? (기출)

전략적용 1

(A), (B), (C)의 각 네모 안에서 문맥에 맞는 낱말로 가장 적절한 것은?

Sleep is a biological necessity for every species on earth. But instead of accepting it as a physical need, we humans try to (A) keep / resist it. We think it a sign of weakness to (B) admit / remove fatigue — the weak need to sleep, while the strong carry on. In the end, we may be paying a heavy price for our beliefs about sleep. University of Pennsylvania's Dr. David Dinges did an experiment shortening adults' sleep to six hours a night. After two weeks, subjects reported that they were doing okay. Yet on a variety of tests, they proved to be in a (C) different / similar condition to someone who has stayed awake for 24 hours straight. Dinges did the experiment to demonstrate how sleep loss adds up, and how our judgment suffers when we aren't getting enough.

	(A)		(B)		(C)
①	keep	......	remove	......	similar
②	keep	......	admit	......	similar
③	resist	......	remove	......	different
④	resist	......	admit	......	different
⑤	resist	......	admit	......	similar

Q1
문맥상 (A) 네모 뒤의 it이 의미하는 것을 찾아 쓰시오.
→ _____

Q2
문맥상 (B) 네모 앞의 it이 의미하는 것을 찾아 쓰시오.
→ _____

Q3
문맥상 (C) 네모 앞의 they가 가리키는 것을 우리말로 쓰시오.
→ _____
_____

밑줄 친 어휘의 쓰임을 묻는 문제

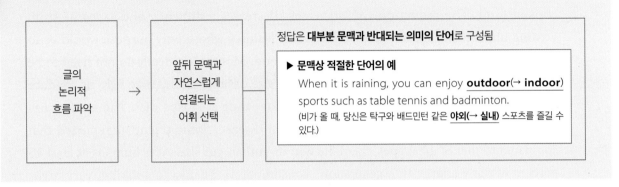

글의
논리적
흐름 파악

→

앞뒤 문맥과
자연스럽게
연결되는
어휘 선택

정답은 **대부분 문맥과 반대되는 의미의 단어**로 구성됨

▶ **문맥상 적절한 단어의 예**

When it is raining, you can enjoy **outdoor**(→ **indoor**) sports such as table tennis and badminton.
(비가 올 때, 당신은 탁구와 배드민턴 같은 **야외**(→ **실내**) 스포츠를 즐길 수 있다.)

❋ **Warm Up** 문맥상 밑줄 친 낱말의 쓰임이 적절한 것에는 ○, 적절하지 않은 것에는 ✕표 하시오.

We tied ourselves together with ropes to ① save our lives if one of us fell. Those ropes ② kept me from taking thousand-foot falls to my death two times. By ③ distrusting in the ropes, we finally reached the top safely. (기출)

① (　　　)　　　　　　② (　　　)　　　　　　③ (　　　)

다음 글의 밑줄 친 부분 중, 문맥상 낱말의 쓰임이 적절하지 <u>않은</u> 것은?

More than 99 percent of the information in male and female genes is exactly the same. Out of the thirty thousand human genes, a less than one percent ① <u>variation</u> between the sexes is small. But that percentage difference influences every single cell in our bodies. To the observing eye, male brains are larger by about 9 percent, even after correcting for body size. In the nineteenth century, scientists took this to mean that women had ② <u>less</u> mental capacity than men. Women and men, however, have the same number of brain cells. The cells are just packed more ③ <u>loosely</u> inside a woman's skull. In fact, for much of the twentieth century, most scientists assumed that women were essentially small men except for their reproductive functions. That assumption has been at the heart of enduring ④ <u>misunderstandings</u> about female psychology and physiology. When you look a little deeper into the brain differences, though, they ⑤ <u>reveal</u> what makes women women and men men.

*physiology 생리(생물체의 생물학적 기능과 작용)

Q1
글의 논리적 흐름을 파악할 수 있게 글의 중심 소재를 우리말로 쓰시오.

→＿＿＿＿＿＿＿＿＿＿

★ **정오답 가리기 Tip!**
문맥의 앞부분만 보고 전체의 흐름을 잘못 파악하여 반의어가 들어가는 자리로 혼동하지 않는다.

Make it **Yours**

1 (A), (B), (C)의 각 네모 안에서 문맥에 맞는 낱말로 가장 적절한 것은?

Our small mouths, teeth, and guts fit well with the softness and low fiber content of cooked food. The reduction (A) increases / decreases efficiency and saves us from wasting unnecessary metabolic costs on bodily features whose only purpose would be to allow us to digest large amounts of high-fiber food. Mouths and teeth do not need to be large to chew soft food, and a reduction in the size of jaw muscles may help us produce the low forces (B) appropriate / inappropriate to eating a cooked diet. The smaller size may also reduce tooth damage and subsequent disease. Some scientists reported that compared to that of great apes, the reduction in human gut size saves humans at least 10 percent of daily energy (C) generation / consumption . Thanks to cooking, very high-fiber food of a type eaten by great apes is no longer a useful part of our diet.

*metabolic 신진대사의 **great ape 유인원

	(A)		(B)		(C)
①	increases	……	appropriate	……	consumption
②	increases	……	inappropriate	……	consumption
③	increases	……	appropriate	……	generation
④	decreases	……	inappropriate	……	generation
⑤	decreases	……	appropriate	……	consumption

2 (A), (B), (C)의 각 네모 안에서 문맥에 맞는 낱말로 가장 적절한 것은?

Practice without purpose is nothing more than exercise. Too many people practice what they're already good at and (A) neglect / plan the skills that need more work. It's pleasant to repeat the things we do well, while it's frustrating to deal with repeated (B) exercise / failure . I see this all the time with dancers. If they have great leg strength but weak arms, they will spend more time working on their legs (because the effort is rewarding — it looks good and feels good) and less time on their arms. Common sense should tell them the process ought to be (C) continued / reversed . That's what the great ones do: They ignore the perfected skills for a while and concentrate on their weaknesses.

	(A)		(B)		(C)
①	neglect	……	exercise	……	continued
②	neglect	……	failure	……	continued
③	neglect	……	failure	……	reversed
④	plan	……	failure	……	reversed
⑤	plan	……	exercise	……	reversed

3 **(A), (B), (C)의 각 네모 안에서 문맥에 맞는 낱말로 가장 적절한 것은?**

The first and most obvious observation of current technology that anyone can make is the imminent possibility that we may eventually move away from paper completely. The conventional mailing system, together with the paper and pen, could eventually become (A) extinct / prosperous , as everything comes in electronic form. Bills and checks could even be sent through e-mail, in their electronic form. In schools, at work or at home, all papers and pens could be replaced by newer technologies, and information transfer would (B) exclude / include the form of passing around pieces of paper or documents, but instead adopt electronic means. As going wireless and paperless will require people to be more in-touch with their e-mails, smart boards or computer panels with Internet access could be placed around the home, at work and in school to (C) prevent / facilitate this.

(A)	(B)	(C)
① extinct	…… exclude	…… prevent
② extinct	…… include	…… prevent
③ extinct	…… exclude	…… facilitate
④ prosperous	…… include	…… facilitate
⑤ prosperous	…… exclude	…… prevent

4 **다음 글의 밑줄 친 부분 중, 문맥상 낱말의 쓰임이 적절하지 <u>않은</u> 것은?**

Today a large number of people are cutting down rainforests and replacing forest ecosystems with farms that are unsuitable for rainforest soils. Their agricultural ecosystems lack the mechanisms that allow rainforest ecosystems and the traditional agriculture of the region to ① <u>maintain</u> soil health. These inappropriate agricultural ecosystems lose their ② <u>fertility</u> within a few years. The land may then be used for raising beef for export to industrialized nations. Eventually even grasses may not grow, and the land is ③ <u>abandoned</u>. It is a 'tropical desert' with soil so severely ④ <u>damaged</u> that it can be many years before it once again supports a rainforest or human use. Tropical forest immigrants then move to new places, where they ⑤ <u>protect</u> forests in order to farm soil that has not yet lost its health.

5 다음 글의 밑줄 친 부분 중, 문맥상 낱말의 쓰임이 적절하지 <u>않은</u> 것은?

Some nations have been aggressive expansionists, seeking to expand their territory by invading other countries. Empires have been built by nations ① <u>extending</u> their boundaries, or colonizing distant ones. In the lead-up to the Second World War, the nationalist movements of fascist Italy were seeking *spazio vitale* — 'room for living' — and the Soviet Union sought to ② <u>broaden</u> its empire based on expansionism. Sometimes expansionism is justified as regaining a territory previously ③ <u>lost</u> or that traditionally belonged to a particular people. But generally it is regarded as an unwarranted act of hostility, met with international ④ <u>condemnation</u>. Nowadays, nations expand their sphere of influence economically, utilizing resources in other countries through trade. When this occurs between nations with unequal power, it can be seen as a form of ⑤ <u>collaboration</u> because poor countries usually suffer from the relationship.

6 다음 글의 밑줄 친 부분 중, 문맥상 낱말의 쓰임이 적절하지 <u>않은</u> 것은?

People respond ① <u>differently</u> to changes in prices for different goods. Suppose, for example, that the price of jam rises: consumers might easily switch to marmalade, leading to a fairly large fall in the demand for jam. Demand for jam is thus ② <u>sensitive</u> to changes in prices — what economists call elastic demand. In contrast, consider a village only served by a single bus: as people have to use it, a rise in the bus fares might not ③ <u>affect</u> demand very much. Here, bus travel is said to be price inelastic. Goods that are necessities, or those for which there are few substitutes such as the bus, tend to be inelastic, while those that are luxuries or are easily ④ <u>substitutable</u> tend to be elastic. In the short term, demand tends to be more inelastic, but over time, consumers may adjust to price changes. In the 1970s, the oil-producing countries attempted to keep the price of oil high to earn themselves large revenues. In the long run, however, consumers ⑤ <u>boosted</u> their demand for oil by switching to more fuel-efficient cars or environmentally friendly cars such as electric vehicles.

*marmalade 마멀레이드(오렌지 · 레몬 등으로 만든 잼)

동사의 목적어 to-v vs. v-ing

❶ remember, forget처럼 목적어로 to-v와 v-ing(동명사)를 모두 취하는 동사들은 각각의 의미를 구분하여 알아 둔다.

❷ to-v는 주로 '미래성'을, v-ing는 '현재성'이나 '과거성'의 의미를 갖는다.

Initially, the washing machine made a lot of noise, and later, it stopped │operating / to operate│ entirely. (기출 응용)

풀이 「stop v-ing」는 'v하는 것을 멈추다'란 뜻이며, 「stop to-v」는 'v하기 위해 멈추다'란 뜻이다. 세탁기가 '작동하는 것을 멈추 었다'는 의미이므로 동명사 operating이 적절하다.

Quiz

1 Don't forget │booking / to book│ accommodations early for the upcoming holiday, because the hotels will be full during the peak season.

2 I went back home in a hurry on my way to work, for I couldn't remember │to turn / turning│ off the oven.

▌ Practice

(A), (B), (C)의 각 네모 안에서 어법에 맞는 표현으로 가장 적절한 것은?

Habits, scientists say, emerge because the brain is constantly looking for ways to save effort. Left to its own devices, the brain will choose (A) │making / to make│ almost any routine into a habit, because habits allow our minds to relax more often. This effort-saving instinct is a huge advantage. An efficient brain requires less room, (B) │where / which│ makes for a smaller head, which makes childbirth easier and therefore causes fewer infant and mother deaths. An efficient brain also allows us to stop (C) │thinking / to think│ constantly about basic behaviors, such as walking and choosing what to eat, so we can devote mental energy to inventing spears, airplanes and video games.

	(A)	(B)	(C)
①	making	…… where	…… to think
②	making	…… which	…… thinking
③	to make	…… which	…… thinking
④	to make	…… where	…… thinking
⑤	to make	…… which	…… to think

Unit 16 장문 독해

해결전략 1

장문1 유형 (두 문제 출제)

제목	글이 두 단락 이상인 경우: 글의 전체 흐름 파악하기 → 전체 단락을 포괄하고 **글의 핵심 내용**을 담은 **제목** 선택하기
빈칸 추론	**빈칸 문장**부터 읽기 → 글을 읽어 내려가며 나머지 부분에서 **단서 찾기**

전략적용 1

다음 글을 읽고, 물음에 답하시오.

The Institute of Personality Assessment and Research at the University of California, Berkeley, conducted a series of experiments on the nature of creativity. The researchers attempted to identify the most creative people and then determine what made them different from everybody else. They put together a list of scientists, engineers, and writers who had made major contributions and conducted a number of tests on them. Then the researchers did something similar with others from the same jobs whose contributions were less creative. One of the most interesting findings was that the more creative people tended to be shy and quiet. They were interpersonally skilled but not of an especially _____ nature. They thought of themselves as independent and individualistic. As teens, many had been shy and avoided the spotlight.

These findings don't mean that those who spend more time alone are always more creative than those who are more social, but they do suggest that in a group of people who have been especially creative throughout their lifetimes, you will probably find a lot of quiet individuals who enjoy solitude from time to time. It is definitely true that solitude can be an accelerator to innovation. Spending time alone focuses the mind on the tasks in hand and stops wasting energy on other matters unrelated to work. In other words, if you're in the backyard sitting beneath a tree while everyone else is having a party, you're more likely to have an apple fall on your head.

Q1
글의 전체 흐름을 파악할 수 있도록 각 단락의 핵심 문장을 찾아 해당하는 문장의 첫 두 단어를 쓰시오.

(1) 첫 번째 단락:

_____

(2) 두 번째 단락:

_____

Q2
빈칸의 단서가 되는 '창조적인 사람들'의 특징을 찾아 우리말로 쓰시오.

① _____

② _____

③ _____

★ 정오답 가리기 Tip!

- 두 문제 장문의 제목은 글의 일부분이나 어느 한 단락만을 다루는 선택지를 고르지 않아야 한다.
- 두 문제 장문의 빈칸은 주제문 이외에 세부 사항에 출제되기도 한다. 따라서 문장의 핵심어를 활용한 오답 선택지를 주의한다.

1 윗글의 제목으로 가장 적절한 것은?

① Friends Give Wings to Your Creativity

② What It Takes to Go Against the Crowd

③ A Key to Success: Take a Look Around

④ Great Discoveries from Unexpected Moments

⑤ Why Are Creative People Often the Quietest?

2 윗글의 빈칸에 들어갈 말로 가장 적절한 것은?

① charming   ② odd   ③ sociable

④ silent   ⑤ cheerful

장문 2 유형 (세 문제 출제)

글의 순서 배열	주어진 글 (A)를 먼저 읽고 글의 소재와 요지 파악 → 각 문단의 중심 내용을 파악하고 **글의 순서** 추측하기 → 주어진 단서를 종합하여 문맥상 자연스럽게 **글의 순서** 완성하기 (*각 문단에 쓰인 지시어, 대명사, 연결어 등이 주요 단서가 된다.)
지칭 대상 파악	완성된 순서대로 글 전체 읽어보기 → 밑줄 친 대명사의 앞뒤 문장에서 **그 지칭 대상** 찾기
세부 내용 파악	**내용 일치/불일치 문제:** 글의 전체 내용 이해하기 → 반드시 글에서 근거를 찾아 **세부 내용** 확인하기 (*확인한 내용은 선택지 옆에 ○, × 등으로 표시해 놓는 것이 좋다.)

다음 글을 읽고, 물음에 답하시오.

(A)

Dawn and I first met at our children's international school. It was at one of the school's grade level gatherings, a chance for parents to meet each other. We introduced ourselves, grabbed a coffee, and sat at one of the tables with a group of Japanese moms. Though most of the moms could not speak English very well, Dawn and I tried our best to communicate with them. About halfway through the gathering, Dawn smiled at the mom sitting directly across from (a) her, pointed to herself, and said, "I miss Canada." (Dawn is Canadian.)

(B)

After finishing our coffees, we said good-bye to our new Japanese friends and walked out to the parking lot. I walked with Dawn to her car. After she unlocked the door, I grabbed the handle and opened the door for (b) her. "What are you doing that for?" she asked. "Because you're Miss Canada," I joked with a teasing smile. "Stop it!"

Q1

글의 등장인물을 모두 쓰시오.

→ _____

_____

Q2

Dawn의 말 "I miss Canada."의 의미로 Dawn이 의도한 뜻과 일본인 엄마가 이해한 뜻을 우리말로 쓰시오.

(1) Dawn이 의도한 뜻:

→ _____

(2) 일본인 엄마가 이해한 뜻:

→ _____

(C)

"You Miss Canada," she said. Only then did Dawn understand what she meant. "No, no, no! I am not Miss Canada!" The moms looked confused. "I miss Canada. Not Miss Canada," Dawn tried to explain. "You miss Japan. I miss Canada. I am not Miss Canada." One of the moms finally got it and explained it to the others. Then everyone laughed. Dawn tried her best not to look embarrassed, but I knew (c) she was.

(D)

The mom's eyes grew very big. (d) She said something to the other moms in Japanese. Soon all the moms were smiling and clapping and speaking very fast, with everyone saying "Congratulations" to Dawn. Neither Dawn nor I understood what the fuss was about at first. Then one of the moms used body language, pretending to place a crown on (e) her head with her hands.

1 주어진 글 (A)에 이어질 내용을 순서에 맞게 배열한 것으로 가장 적절한 것은?

① (B) – (D) – (C)　　　　② (C) – (B) – (D)

③ (C) – (D) – (B)　　　　④ (D) – (B) – (C)

⑤ (D) – (C) – (B)

2 밑줄 친 (a)~(e) 중에서 가리키는 대상이 나머지 넷과 다른 것은?

① (a)　　　　② (b)　　　　③ (c)

④ (d)　　　　⑤ (e)

3 윗글에 관한 내용으로 적절하지 않은 것은?

① 일본인 엄마들은 영어를 잘하지 못했다.

② 필자는 Dawn을 놀리는 미소를 지으며 농담을 했다.

③ 한 일본인 엄마가 Dawn의 말뜻을 이해하여 오해가 풀렸다.

④ 일본인 엄마들은 Dawn에게 축하를 해주었다.

⑤ 한 일본인 엄마는 Dawn에게 왕관을 씌워 주었다.

Make it **Yours**

1 다음 글을 읽고, 물음에 답하시오.

The first step toward a life of writing — and its foundation — is journal writing. To write well takes practice. A writer writes, just as a runner runs and a dancer dances. Journal writing is practice and much more. With your words you give life to what you see, what you hear, what you touch. In this way you transform the outer thing that you see or touch into something inner. You bridge the outer and inner worlds, the visible and the invisible. This is the gift of journaling. Your daily life calls you in a thousand directions; journal writing centers you. You slow down and write. You learn to look at the world around you in a new way.

If I step outside my front door, I see hundreds of ordinary gray stones at my feet. They all look pretty much the same — gray, dull, and uneven in shape. But if I pick one up in my hand and write about it, it becomes _____. I see that it is shaped like one of the houses from my childhood drawings. I imagine a door. The stone is a small world in itself, not a common one at all like before. In writing about it, I touch its mystery. It is the same if I write about an oak tree in the park or my grandson on a swing in a ray of sunlight. My words take me deeper. As Marion Woodman writes, "My journal became a mirror in which I could see and hear my truth reflected in my own daily experience."

*oak tree 떡갈나무

1 윗글의 제목으로 가장 적절한 것은?

① Keep a Journal, Develop Diligence
② Journal Writing to Meet Specific Goals
③ Interesting Things about Journal Writing
④ How to Express Yourself in Journal Writing
⑤ The Journal: Connecting Outer and Inner Worlds

2 윗글의 빈칸에 들어갈 말로 가장 적절한 것은?

① even   ② unique   ③ mysterious
④ beautiful   ⑤ complex

2 다음 글을 읽고, 물음에 답하시오.

The human brain is an amazing pattern-detecting machine. We possess a variety of mechanisms that allow us to uncover hidden relationships between objects, events, and people and to organize such information. Without these, the sea of data reaching our senses would surely appear _____. But when our pattern-detection systems fail, they tend to make the mistake of perceiving patterns where none actually exist. The German neurologist Klaus Conrad described this tendency in patients who are suffering from certain forms of mental illness. But it is increasingly clear that this tendency is not limited to ill or uneducated minds; healthy, intelligent people also make similar errors on a regular basis. An athlete sees a connection between victory and a pair of socks; a parent refuses to give her child vaccinations because she thinks there's a connection between vaccinations and disease. In short, the pattern-detection responsible for so much of our success can just as easily betray us. This tendency to see patterns everywhere is likely a necessary consequence of our pattern-detecting mechanisms. Nevertheless, we can protect ourselves to some degree simply by being aware of our nature.

1 윗글의 제목으로 가장 적절한 것은?
① How to Deal with Mental Illness
② A Strength of Rational Thinking
③ Why Pattern-Detection Systems Count
④ The Mind's Natural Tendency to Distrust Connection
⑤ Out-of-Control Pattern Recognition: A Human Shortcoming

2 윗글의 빈칸에 들어갈 말로 가장 적절한 것은?
① successful   ② unbelievable   ③ unhealthy
④ chaotic   ⑤ orderly

3 다음 글을 읽고, 물음에 답하시오.

(A)

I'm the youngest among my family members and I have a brother, Jackie, who is two years older. I'm two grades behind him so we go to the same school together. Sometimes it really used to annoy me to be called "Jackie's little sister," but we got along well. A few years ago, Jackie and I were in a very bad car accident. (a) He came out with a few bumps and bruises. I, on the other hand, had about 100 stitches in my face.

(B)

He is in the same grade as Jackie and older than me. Jackie was sitting pretty far from where I was sitting and didn't hear him. When Jackie and I got off the bus, I didn't say anything to (b) him about what Jordan had done. Almost every day, he would do it again, and I would get off the bus crying. This went on for about a month, until I finally couldn't take it anymore and told Jackie. He got very angry.

(C)

About a month after the accident, I started riding the bus to school again with my brother. The stitches were gone, but a very large scar remained. (c) He reassured me that I looked great and I shouldn't worry about the scar. My friends did their best not to say anything and not to stare, but the scar was very noticeable. One day, I was riding home from school on the bus. This guy named Jordan, who rode the same bus, started teasing me about my scar.

(D)

After I told (d) him what had been happening, the next time Jordan made fun of me, Jackie stood up, walked to where he was sitting and said something into his ear. I don't know exactly what Jackie said, but (e) he never said one word to me again. I am very grateful to have a brother like Jackie looking out for me. I know that if I were ever in trouble, he would come running. Ever since that day, when anyone asks, I tell them, "Yep, I'm Jackie's little sister." And I am proud of it.

1 주어진 글 (A)에 이어질 내용을 순서에 맞게 배열한 것으로 가장 적절한 것은?

① (B) – (D) – (C)　　　　　　② (C) – (B) – (D)

③ (C) – (D) – (B)　　　　　　④ (D) – (B) – (C)

⑤ (D) – (C) – (B)

2 밑줄 친 (a)~(e) 중에서 가리키는 대상이 나머지 넷과 <u>다른</u> 것은?

① (a)　　　　　② (b)　　　　　③ (c)

④ (d)　　　　　⑤ (e)

3 윗글의 Jackie에 관한 내용으로 적절하지 <u>않은</u> 것은?

① 필자와 같은 학교에 다닌다.

② 필자와 함께 교통사고를 당했다.

③ 필자가 놀림 받는 것을 목격하고 알게 되었다.

④ 필자의 흉터에 대해 걱정하지 말라고 했다.

⑤ 필자의 이야기를 들은 다음 날 Jordan에게 귓속말했다.

4 다음 글을 읽고, 물음에 답하시오.

(A)

On my grandpa's farm, there are three Australian shepherd cow dogs who help with the cattle: Snowball, Bear, and Tiger. One hot summer day, all the cattle, except a Hereford bull, were brought into their field. The bull, however, refused to go in, because the extreme heat of the day had enraged him. His patience pushed to the limit, the bull turned around and looked at my father who was standing nearby. Finding (a) him, the bull ran toward him.

(B)

My father narrowly avoided the bull's attack, but the bull prepared to charge again. Barking at the angry bull, Snowball placed himself in front of my father. Then, with a heart-stopping sound, Snowball threw himself at the bull and began to drive the Hereford away. Snowball's actions gave my father enough time to crawl under a nearby truck and hide (b) himself.

(C)

Later that afternoon my father returned home safely, and everyone in the family was greatly relieved to learn that he had no life-threatening injuries. Snowball, on the other hand, remained upset until my mom let (c) him into the house. On silent feet, Snowball walked into the bedroom to see my father and placed his head on my parents' bed. My father petted him and thanked Snowball for saving (d) his life. Satisfied, the shepherd left the house quietly, with a happy look on his face.

(D)

Running to the truck that (e) he lay underneath, Snowball became like a wolf and bravely turned away each one of the determined bull's attacks. Soon, his friends Tiger and Bear joined. Working as a team, they kept the bull away from the truck until my grandpa and uncle could reach my father.

1 주어진 글 (A)에 이어질 내용을 순서에 맞게 배열한 것으로 가장 적절한 것은?

① (B) – (C) – (D)　　　　　　　② (B) – (D) – (C)

③ (C) – (D) – (B)　　　　　　　④ (D) – (B) – (C)

⑤ (D) – (C) – (B)

2 밑줄 친 (a)~(e) 중에서 가리키는 대상이 나머지 넷과 다른 것은?

① (a)　　　　　② (b)　　　　　③ (c)

④ (d)　　　　　⑤ (e)

3 윗글에 관한 내용으로 적절하지 않은 것은?

① 황소는 심한 더위에 화가 났다.

② Snowball은 황소에게 짖으며 아버지 앞을 막아섰다.

③ 가족들은 아버지가 큰 상처를 입지 않아서 안심했다.

④ Snowball은 아버지가 계신 방으로 흥분하여 들어왔다.

⑤ 세 마리의 개는 황소가 트럭에 접근하지 못하게 했다.

혼동하기 쉬운 형용사와 부사

❶ 형태가 비슷하여 헷갈리기 쉬운 형용사와 부사들은 각 형태별 의미를 알아두고 어느 것이 적절한지 문맥을 고려하여 판단한다.

❷ alive(살아 있는), awake(깨어 있는), asleep(잠이 든)처럼 주로 a-가 붙어 보어로만 쓰이는 형용사와, highly(매우), lately(최근에), closely(면밀히), hardly(거의 ~않다)처럼 형용사에 -ly가 붙어 의미가 달라지는 부사에 유의한다.

Dress and textiles [like / alike] are used as a means of nonverbal communication.

(기출 응용)

풀이 문맥상 '옷과 옷감 둘 다'라는 의미가 되어야 하므로 '둘 다, 똑같이'라는 뜻의 부사 alike가 적절하다. 전치사 like는 '~처럼'의 뜻으로 뒤에 명사(구)를 취한다.

Quiz

1 As a news reporter, I found it [hard / hardly] to get around without wireless Internet, since I needed to be informed of news updates.

2 Our cleaning service is guaranteed to improve the quality of your [living / alive] environment.

▌ *Practice*

(A), (B), (C)의 각 네모 안에서 어법에 맞는 표현으로 가장 적절한 것은?

People are attracted to people (A) [alike / like] themselves. Furthermore, when we meet new people, we instantly start matching our behavior to theirs. It took Muhammad Ali, who was (B) [near / nearly] as quick as any player ever, 190 milliseconds to detect a weakness in his opponent's defenses and begin throwing a punch into it. However, it only takes the average college student 21 milliseconds to begin synchronizing her movement with the movements of her friends. Friends who are absorbed in conversation begin to copy each other's breathing patterns. People who are told to observe a conversation begin to mimic the physical behaviors of the individuals having the conversation, and the more (C) [close / closely] they mimic the body language, the more accurately they understand the relationship they are observing.

	(A)		(B)		(C)
①	alike	……	near	……	closely
②	alike	……	nearly	……	closely
③	like	……	nearly	……	closely
④	like	……	nearly	……	close
⑤	like	……	near	……	close

미니 모의고사 4

01

밑줄 친 부분이 가리키는 대상이 나머지 넷과 다른 것은?

Jeanette is an editor. She recently joined a new team and was given a number of extra jobs by Beth, the team manager. People told ① her to be careful because Beth was especially difficult to work with. Jeanette quickly became stressed out because she was extremely diligent and felt she had to submit every job on time. ② She started to feel sick and even had trouble breathing. Jeanette needed Beth's help but strongly resisted the idea of even approaching ③ her. Suddenly, Jeanette realized it came from a belief about asking for her manager's help: that it would be like admitting weakness. To cope with her work, Jeanette needed to adjust her way of thinking. ④ She had to convince herself that asking for help is actually a sign of strength. Once Jeanette addressed the belief that had made her so afraid to talk to Beth, ⑤ she was able to get the help she needed.

02

Leopard seal에 관한 다음 글의 내용과 일치하지 않는 것은?

Leopard seals usually live in the Antarctic, where they rest on the ice that covers the ocean in winter. They feed on shrimp as well as octopus. They are also one of the few seal species in which warm-blooded animals like penguins make up a significant part of the diet. Apart from the reproducing season, these seals usually live alone. Leopard seals sometimes gather in groups according to age and stage of development. Reproduction occurs in summer, apparently in the water, and then the mothers give birth on the shores of the many small islands that surround Antarctica, and also at certain places on the coasts of southern South America and southern Africa. Leopard seals stop feeding milk to their babies when they are about four weeks of age.

*leopard seal 표범 물개

① 겨울에 바다 위의 얼음에서 휴식을 취한다.
② 번식기 외에는 주로 혼자 생활한다.
③ 때때로 비슷한 나이끼리 무리를 형성하기도 한다.
④ 어미는 작은 섬의 해안 지역에서 새끼를 낳는다.
⑤ 새끼는 태어난 지 4개월 무렵 젖을 뗀다.

03

Aquarium Lecture Series에 대한 다음 안내문의 내용과 일치하는 것은?

Aquarium Lecture Series

The Aquarium Lecture Series, held by the SEA Aquarium since 1982, is a wonderful chance to see exciting lectures and films by scientists, environmental writers, photographers, and others. Each presentation will examine a unique and fascinating aspect of the ocean or marine life.

Where and When

· All programs start at 7 p.m. in the aquarium's Simons IMAX Theater unless otherwise noted.
· Programs last about an hour.

Tickets

· Registration is requested ahead of time: register online or in person at the aquarium.
· Lectures are free and open to the public.

Note: Most lectures are recorded and available for viewing on our website, http:// www.seaq.org.

---

① 과학자와 사진작가들에게 강의를 제공한다.
② 별도 공지가 없으면 오후 6시에 시작한다.
③ 강의 참석은 별도의 사전 등록이 필요 없다.
④ 강의들은 대중에게 유료로 제공된다.
⑤ 대부분의 강의는 웹사이트에서 시청할 수 있다.

04

다음 도표의 내용과 일치하지 <u>않는</u> 것은?

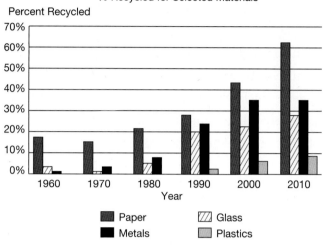

The above graph shows recycling rates over time by type of materials from 1960 to 2010. ① Paper was always the most recycled material during the entire period. ② Compared to the figure in 1960, recycling of paper had more than tripled in 2010. ③ When looking at the rate of glass recycling, it showed the most dramatic improvement between 1980 and 1990. ④ The rate of glass recycling never surpassed that of metals during any period. ⑤ For the first two decades, plastics were not recycled, but later they were recycled, though rates remained under 10 percent.

05

다음 글에 드러난 Jane의 심경 변화로 가장 적절한 것은?

Jane is a dancer. She has been preparing for weeks for her next performance, but there's still one move she can't do. Thinking that she will have to remove that part of the performance, she sits down in a chair and stares out the window. Without that move, an original and exciting piece becomes just another boring, tired routine. Perhaps her dream of becoming a professional is unrealistic, she thinks. Lost in thought, she falls asleep. When she wakes up, she decides to try the move a few more times. To her surprise, she performs it perfectly the first time. Skipping around the room, she imagines the reaction of the crowd when she gives the perfect performance later tonight.

① lively → hopeless
② depressed → joyful
③ anxious → thankful
④ confident → tense
⑤ embarrassed → relieved

06

다음 글의 목적으로 가장 적절한 것은?

Health is more than just being free from disease. A healthy person should feel positive and connected with others. Unfortunately, it's not uncommon to feel lost, lonely, or overwhelmed. This is especially true at a time when many of us are isolated online. That's why The Wellness Path is proud to announce the launch of our new website. On the site, you'll find information about mental health and resources for life improvement. You can also share with others, helping them as they help you. Counselors are also available to offer personal advice. If you or anyone you love is suffering, come visit us online.

① 진정한 건강의 의미를 설명하려고
② 개인 무료 상담의 기회를 제공하려고
③ 정신 건강을 위한 웹사이트를 소개하려고
④ 건강에 도움이 되는 유익한 상식을 알려주려고
⑤ 주위와 단절된 온라인 활동의 위험성을 지적하려고

07

다음 글의 밑줄 친 부분 중, 문맥상 낱말의 쓰임이 적절하지 <u>않은</u> 것은?

The trouble with credit cards is that they take advantage of a dangerous weakness built into the brain. This failing comes from our emotions, which tend to ① <u>overestimate</u> immediate gains (like a pair of shoes) while ignoring future consequences (high interest rates). Our emotions are thrilled by the thought of an immediate ② <u>reward</u>, but they can't truly process the long-term financial consequences of that decision. The emotional brain simply doesn't ③ <u>understand</u> things like interest rates or debt payments or finance charges. As a result, areas of the brain that handle emotions don't ④ <u>react</u> to purchases involving a credit card. Because our desire meets with little ⑤ <u>assistance</u>, we use our cards and buy whatever we want. We'll figure out how to pay for it later.

08

다음 글을 읽고, 물음에 답하시오.

Laughter probably existed before humans developed language. Robert Provine of the University of Maryland has found that people are thirty times more likely to laugh when they are with other people than when they are alone. When people are building relationships, laughter flows. Surprisingly, people who are speaking are 46 percent more likely to laugh during conversation than people who are listening. And they're not exactly laughing at jokes. Only 15 percent of the sentences that cause laughter are clearly funny. Instead, laughter seems to come naturally in conversation when people feel themselves responding in a similar way to the same emotionally positive circumstances.

Laughter also occurs when people are finding a solution to some stressful situation. It is a language that people use to cover over social mistakes or to strengthen relationships. This can be good, as when a crowd laughs together, or bad, as when a crowd ridicules a victim, but in any case, laughter and community go together. As Steven Johnson has written, "Laughing is not an instinctive physical response to humor. It's an instinctive form of _____."

1 윗글의 제목으로 가장 적절한 것은?

① The Reasons behind Laughter
② How to Make Someone Laugh
③ Laughter Is a Universal Language
④ Humor: Good for Your Relationship
⑤ What Happens in Our Mind When We Laugh

2 윗글의 빈칸에 들어갈 말로 가장 적절한 것은?

① healing pain   ② relieving tension
③ mental response   ④ social bonding
⑤ interpersonal trust

09

다음 글을 읽고, 물음에 답하시오.

(A)

One day, our teacher, Mr. Sims, announced that the seventh-grade field trip would be to an amusement park. The classroom was filled with excitement, but I sat back and listened, knowing that my parents did not have the money to send me. It made me angry to feel so left out. But not Danny. (a) He simply told everyone that he wouldn't be going. When Mr. Sims asked him why, he stood up and stated, "It's too much money right now. My dad hurt his back and has been out of work for a while."

(B)

The fund-raising event ended in great success, making enough money for every student, including Danny and me, to go on the field trip. Although not everyone accepted Danny, he gained the respect of many of us. I was especially impressed by how (b) he wasn't affected by peer pressure. By standing up and admitting he was poor, Danny changed my life. His self-confidence made it easier for all of us to understand that what his parents had or didn't have did not determine who he was. After that, I no longer felt I had to lie about my family's situation.

(C)

Sitting back down in his seat, (c) he held his head up proudly. Even though whispering had begun, he never seemed to be ashamed of his situation. I could only shrink in my seat, knowing those whispers could be about me when they found out I would not be going either. "Dan, I'm very proud of you for understanding the situation that your parents are in. Not every student your age has that capability," Mr. Sims replied.

(D)

Then, while staring angrily at the students whispering in the back, (d) he suggested organizing a fund-raising event so that everyone in the class could go on the field trip together. Most of the students agreed. We would each be responsible for bringing in at least one idea for a fund-raising drive. While walking home from school that day, I noticed three of the boys from our class talking with Danny. I worried that they were giving (e) him a hard time, but as I got closer, I realized they weren't making fun of him. They were all just debating about the best ideas for a fund-raiser.

1 주어진 글 (A)에 이어질 내용을 순서에 맞게 배열한 것으로 가장 적절한 것은?

① (B) – (D) – (C)   ② (C) – (B) – (D)
③ (C) – (D) – (B)   ④ (D) – (B) – (C)
⑤ (D) – (C) – (B)

2 밑줄 친 (a)~(e) 중에서 가리키는 대상이 나머지 넷과 다른 것은?

① (a)   ② (b)   ③ (c)
④ (d)   ⑤ (e)

3 윗글의 Danny에 관한 내용으로 적절하지 <u>않은</u> 것은?

① 아버지께서 허리를 다쳐 일을 못 하고 계신다고 했다.
② 기금이 모여 현장 학습에 갈 수 있게 되었다.
③ 모든 학생으로부터 존중을 받게 되었다.
④ 현장 학습에 갈 수 없는 상황을 부끄러워하지 않았다.
⑤ 친구들과 함께 모금 활동 아이디어를 논의했다.

쎄듀 고등 영어
서술형 시리즈

서술형, 가볍게 해결해 목표를 향해 도약하자

1 영작 기본서를 찾는다면
올씀 1권 기본 문장 PATTERN

- 패턴별 빈출 동사 학습 → 동사로 짧은 구 완성
  → 동사로 문장 완성
- 필수 문·어법 학습하여 문장에 응용
- LEVEL ★★ (중3~예비고1)

2 감점은 DOWN! 점수는 UP!
올씀 2권 그래머 KNOWHOW

- 서술형 감점 막는 5가지 노하우와 빈출 포인트별
  유형 적용 훈련
- 영작 → 개념 설명 역순 학습으로 우리말과 영어의 차이
  능동적으로 터득
- LEVEL ★★☆ (예비고1~고2)

3 어법=영작, 고등 내신의 핵심
어법끝 서술형

- 어법 포인트별 빈출 유형 단계별 학습
- 출제자의 시각에서 출제/감점 포인트 바라보기 훈련
- LEVEL ★★★ (고1~고2)

4 전략적으로 학습하는 서술형
올씀 3권 RANK 77 고등 영어 서술형

- 전국 253개 고교 기출을 분석하여 구성된 시험 출제 빈도순 목차
- 모평, 수능, 교과서, EBS 출처의 예문 수록을 통한 실전 감각 향상
- LEVEL ★★★☆ (예비고2~고3)

5 서술형 집중 훈련이 필요하다면
올씀 3권 RANK 77 고등 영어 서술형 실전문제 700제

- <RANK 77 고등 영어 서술형>과 병행 가능한 서술형 집중 훈련 문제집
- 누적식 실전 모의고사로 실력 점검
- LEVEL ★★★☆ (예비고2~고3)

쎄듀북닷컴(www.cedubook.com)에서 부가 자료를 무료로 다운로드할 수 있습니다.

쎄듀

더 빨리, 더 많이, 더 오래 남는 어휘

쎄듀런 프리미엄 VOCA

나만의 자동 어휘 단어장!

학생의 학습 최적화!

내게 맞춰 암기하니까, 외워질 수밖에!

미암기 단어 70% → 미암기 단어 30% → 미암기 단어 0%

 쎄듀런

📞 02-2088-0132
🏠 www.cedulearn.com
✉ cafe.naver.com/cedulearnteacher
✉ cedulearn@ceduenglish.com

프리미엄 VOCA 바로가기

1 '나'에게 딱! 맞는 암기&문제모드만 골라서 학습!

5가지 암기모드

8가지 문제모드

 암기모드를 선택하면, 최적의 문제 모드를 자동 추천!

2 미암기 단어는 단어장에! 외워질 때까지 반복 학습 GO!

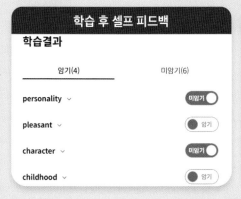

POWER

절대평가 대비 수능 영어 실력 충전

파워업
독해유형편

정답 및 해설

쎄듀

파워업
독해유형편

정답 및 해설

POWER

Unit 01 주제

해결전략 1 Warm Up ①

해석 ① 온라인 광고는 다양한 기능을 가지고 있다. ② 온라인 광고는 일자리에 대한 정보를 준다. ③ 어떤 온라인 광고는 사람들이 무엇을 사고싶을지 선택하도록 돕는다.

전략적용 1 ④ **Q1** To keep your brain working at its best for tests, don't allow stress to overwhelm you!, don't allow(명령문)

해설 Q1 시험 스트레스와 뇌의 반응을 설명하면서 시험 스트레스 관리의 중요성을 강조하는 글로, 주제문은 마지막 문장(To keep ~ overwhelm you!)이다. 또한 명령문(don't allow)을 사용하여 주제문의 특징을 잘 나타내고 있다.

해설 당신이 시험 스트레스를 받을 때 당신의 뇌에서는 무슨 일이 일어나는가? 처음에는, 당신은 더욱 명확하게 생각하고 더욱 재빨리 반응한다. 하지만 당신이 스트레스 한계에 도달한 후에, 당신의 뇌는 실수하기 시작한다. 당신은 집중할 수 없다. 당신은 의지력을 잃는다. 적은 양의 스트레스는 당신의 뇌가 당신이 더 빠르게 반응하고 똑똑하게 생각하도록 돕는 화학물질을 생산하게 한다. 하지만 스트레스가 증가함에 따라 이 화학물질들은 당신이 명료하게 생각하는 것을 방해하면서 뇌를 압도한다. 처음에는 당신이 암기한 것이 어려움 없이 떠오르고 있었다. 하지만 3시간 동안 시험을 보다 보면, 당신은 그 끝도 없는 작은 동그라미들을 채우기 위해 연필의 어느 쪽 끝을 사용해야 하는지도 겨우 기억할 것이다. 당신의 뇌가 시험을 위해서 최상으로 활동하도록 유지하려면, 스트레스가 당신을 압도하게 하지 마라!

① 스트레스를 피하는 효과적인 방법들
② 시험 스트레스를 증가시키는 요소들
③ 스트레스와 관련 화학물질의 문제들
④ 시험 스트레스 관리의 중요성
⑤ 스트레스와 기억력의 관계

해설 시험 스트레스에 뇌가 단기적, 장기적으로 어떻게 반응하는지 설명하면서, 스트레스가 증가하면 시험에서 뇌가 제 기능을 발휘할 수 없으므로 스트레스를 관리하라는 내용의 글이다. 마지막 문장에서 명령문을 사용하여 주제를 강조하고 있다. 따라서 이 글의 주제로는 ④가 적절하다.

오답분석 ③은 스트레스로 생산된 화학물질이 뇌에 미치는 문제에 대한 설명이 부분적으로 언급되어 있지만, 이 내용은 스트레스를 관리해야 하는 이유를 설명하기 위해 언급된 세부 내용일 뿐이다. ⑤는 글에 등장한 일부 어구(what you memorized, you can barely remember)를 이용하여 그럴듯하게 연상될만한 내용이지만 이 글 전체의 주제는 될 수 없다.

어휘 be under stress 스트레스를 받고 있다 / willpower 의지력 / react 반응하다 / sharply 똑똑하게, 분명하게 / overwhelm 압도하다 / prevent A from v-ing A가 v하지 못하게 하다 / barely 겨우, 간신히; 거의 ~아니게 / be supposed to-v v해야 한다; v하기로 되어 있다 [선택지 어휘] effective 효과적인 / related (~에) 관련된

구문 [9~10행] ~, you can barely remember // which end of the pencil you are supposed to use / to fill in those endless little circles.

(S: you / V: can barely remember / O: which end of the pencil)

◆ which는 remember의 목적어인 간접의문문을 이끌면서, '어느 쪽의'라는 의미가 있다.

해결전략 2 Warm Up ②

해석 ① 예를 들어, 사무직 근로자는 신선한 공기 속에서의 운동을 추구할지도 모른다. ② 사람의 취미는 그 사람의 일과는 다른 어떤 것이어야 한다.

어휘 seek 추구하다; 찾다

전략적용 2 ③ **Q1** It tends **Q2** However

해설 Q1 평판은 일단 형성되면 바꾸기 어렵고 오래 지속되므로 초기에 좋은 평판을 만들라는 내용의 글로, 주제문은 중반부의 It tends to last ~ at an early stage.이다.

Q2 글의 중반부에 나오는 연결사 However 앞에서는 평판을 형성하는 요소들에 대해서 언급하고, 뒤에서는 초기에 좋은 평판을 만들라는 이 글의 주제와 그에 대한 예시가 나오므로 주제문을 찾는 핵심 단서로 However가 알맞다.

해설 초기의 인상처럼, 평판은 종종 당신의 외모나 매너를 포함하여, 작은 것들 위에 만들어진다. 믿기 힘들겠지만, 이것은 좋은 소식이다. 왜냐하면, 그것은 당신이 시간을 두고 당신의 평판을 개발하기 위해 일관된 행동을 취할 수 있다는 것을 의미하기 때문이다. 하지만 주의할 점이 있다. 일단 당신의 평판이 형성되면, 그것은 형성된 것이다. 그것은 오랜 시간 동안 지속되는 경향이 있고 바꾸기 어려우므로 초기에 당신이 자랑스러워할 평판을 만들도록 하라. 아주 많은 미국인들이 과체중이기 때문에 맥도널드가 이미지와 평판을 바로잡으려고 노력하는 데 쓴 수백만 달러를 생각해라. 그것(맥도널드)이 이런 새 이미지를 당신의 뇌리에 박히게 만들기 위해 샐러드 같은 '건강에 좋은' 신제품을 만드는 데 쓴 추가적인 수백만 달러를 생각해라. 그것이 효과가 있었나? 당신에 대해서는 모르겠지만, 내가 맥도널드에 갈 예정이라면, 나는 심지어 내가 건강에 좋은 무언가를 먹고 있는 척하지는 않을 것이다.

① 평판을 형성하는 다양한 요소들
② 다른 사람들을 통제하기 위해 평판이 사용되는 방법
③ 초기에 좋은 평판을 형성하는 것의 중요성
④ 좋은 평판을 유지하기 위한 효과적인 전략들
⑤ 비즈니스계에서 평판을 만드는 것의 복잡함

해설 글의 중반부(It tends ~ at an early stage.)에서 역접의 접속사 However를 사용하여 평판은 한번 형성되면 바꾸기 어려우므로 처음에 자랑스러워할 만한 평판을 만들라는 주제를 강조하고 있다. 뒤이어 나쁘게 형성된 평판을 바로잡기 위해 수백만 달러를 쓴 맥도널드를 예로 들고 있다. 따라서 이 글의 주제로는 ③이 가장 적절하다.

오답분석 ①은 평판을 형성하는 데 영향을 주는 요소에 대해서 초반에 언급한 문장을 활용한 오답이다. 또한 일관된 행동을 취하여 평판을 만들어갈 수 있다고 하였으나 좋은 평판을 유지하는 전략에 대해서는 언급한 바 없으므로 ④를 답으로 고르지 않도록 유의한다.

어휘 impression 인상, 느낌 / reputation 평판, 명성 / believe it or not 믿기 힘들겠지만 / consistent 일관된 / caution 주의, 조심 / once 일단 ~하면; 한 번; 한때 / now that ~이기 때문에 / overweight 과체중의, 비만의 / stick 박히다; 붙이다; 나뭇가지; 막대기 [선택지 어휘] strategy 전략, 계획 / complexity 복잡함, 복잡성

구문 [9~10행] Consider the millions more [(that[which]) it spent (=McDonald's) on creating "healthy" new products like salads] / to make this new image stick in your mind.

(O': this new image / C': stick)

◆ it ~ salads는 the millions more를 선행사로 하는 관계대명사절로 목적격 관계대명사 that 또는 which가 생략된 형태이다.

◆ 「spend+시간/돈+on+v-ing」은 'v하는 데 시간/돈을 쓰다'라는 뜻이다.

◆ make는 여기서 사역동사로 쓰여서 목적격보어로 동사원형(stick)을 취한다.

Make it Yours

1 ①　2 ④　3 ④　4 ②　5 ②

1 ①

해석 천연 잔디는 도시와 시골의 정원과 풍경에서 중요한 요소여서 많은 집주인들은 자신들의 정원에서 자라는 천연 잔디의 아름다움을 감상한다. 하지만 아름다운 외관 이외에 천연 잔디가 환경상의 이점을 가지고 있다는 것을 인식하는 사람은 거의 없다. 정말로 천연 잔디는 오랫동안 유지 가능하고 인공 잔디와는 상대가 될 수 없는 여러 이점을 가져다줄 수 있다. 무엇보다도, 천연 잔디는 해마다 1,200만 톤의 먼지를 가두어 놓는 일을 책임지는데, 그렇지 않으면 이러한 먼지가 공기를 오염시킬 것이다. 주변에 날아다니는 더 적은 양의 먼지는 더 용이한 호흡을 의미한다. 또한 천연 잔디의 **빽빽한 뿌리 구조**는 토양에 안정감을 제공해 주어서 토양에 중요한 역할을 한다. 이러한 뿌리 구조 덕분에, 천연 잔디는 바람과 비에 의해 야기되는 침식을 줄이는 것을 도와준다. 이것은 또한 물이 토양을 통과할 때 물에 있는 오염 물질을 제거하는 것에도 기여한다.
① 환경에 미치는 천연 잔디의 이점
② 천연 잔디로 정원을 꾸미는 방법
③ 오염된 환경을 회복시키는 방법
④ 사람들이 천연 잔디 가꾸기를 꺼리는 이유
⑤ 천연 잔디와 인공 잔디의 비슷한 점

해설 아름다운 풍경을 전해주는 천연 잔디는 먼지를 가두어서 공기 오염을 줄여주며, 천연 잔디의 빽빽한 뿌리 구조는 토양에 안정감을 주어 토양 침식을 줄이고, 물에 있는 오염 물질을 제거한다는 천연 잔디가 환경에 미치는 긍정적인 역할에 대해 설명하고 있으므로 정답은 ① '환경에 미치는 천연 잔디의 이점'이다.

오답분석 글 초반에 천연 잔디가 정원의 풍경을 아름답게 해준다는 내용이 언급되었지만, 천연 잔디를 통해 정원을 꾸미는 방법은 나와 있지 않으므로 ②은 오답이다. 또한 환경에 미치는 천연 잔디의 긍정적 역할에 대한 글이므로, ③은 그 의미가 지나치게 포괄적이므로 정답이 될 수 없다.

어휘 component 요소 / urban 도시의 / rural 시골의 / landscape 풍경 / appreciate 감상하다; 고마워하다 / merit 이점 / other than ~이외에 / sustainable 오랫동안 유지[지속] 가능한 / multiple 다수의, 많은 / advantage 이점, 유리한 점 / artificial 인공적인 / trap 가두다; 덫으로 잡다 / contaminate 오염시키다 / dense 빽빽한, 밀집한 / play a key role in ~에 중요한 역할을 하다 / stability 안정감, 안정 / erosion 침식 / contribute 기여하다 / pollutant 오염 물질 **[선택지 어휘]** decorate 꾸미다, 장식하다 / be reluctant to ~하기를 꺼리다[주저하다]

구문 [5~6행] Most of all, it is responsible for trapping *12 million tons of dust* each year [**that** would otherwise contaminate the air].

- 주격 관계대명사 that이 이끄는 관계사절이 선행사 12 million tons of dust를 수식한다.

[8~9행] ~ natural grass helps reduce *erosion* (**caused** by wind and rain).

- 동사 helps의 목적어는 reduce이고, erosion은 reduce의 목적어이다.
- caused ~ and rain은 erosion을 후치 수식하는 과거분사구이다.

2 ④

해석 단순한 삶을 살겠다고 결정하는 데 있어서, 당신은 보통 일반적으로 받아들여지는 성공의 기준에 반하는 위험을 무릅쓰는 것이다. 성공이 무엇인지 정의하기 위해 매체에 의존하는 친구들과 동료들은 당신의 소망을 황당하게 생각할 것이다. 그들은 '실제' 세계에서 성공하는 데 필요한 것을 당신이 가지고 있지 않다고 생각할지도 모른다. 때때로, 그들이 인정하지는 않는다 하더라도, 그들은 당신의 새로운 생활 방식을 그들 자신의 생활 방식에 대한 위협으로 본다. 많은 사람들에게 단순한 삶을 살겠다는 생각은 상상할 수도 없다. 종종 의문은 "많이 가질 수 있는데도 왜 당신은 조금만 갖기를 바라지요?"이다. 당신은 다른 종류의 성공을 추구하는 삶을 만들 거라는 당신의 계획을 친구들에게 설명하기를 시도할 수도 있지만, 만약 그들이 즉시 당신의 여정에 당신과 함께하지 않아도 놀라지 마라.
① 생활 방식을 선택하는 데 영향을 미치는 요소들
② 실제 세계에서 성공하는 데 필요한 것들
③ 단순한 삶을 사는 것의 위험을 받아들이는 이유
④ 단순한 삶을 결심하는 것에 대한 예측 가능한 부정적 반응
⑤ 친구들과 가족들에게 당신의 생활 방식을 설명하는 것의 중요성

해설 당신이 단순한 삶을 살겠다고 결심을 하는 순간 주변 사람들이 그 의견에 반대할 것임을 초반부(Friends and ~ absurd.)에 언급하면서, 주변 사람들은 다른 종류의 성공을 추구하는 단순한 삶을 보통 이해하지 못한다는 내용이다. 따라서 이 글의 주제로는 ④ '단순한 삶을 결심하는 것에 대한 예측 가능한 부정적 반응'이 가장 적절하다.

오답분석 ③은 첫 번째 문장에서 단순한 삶을 살기 위해서 위험을 무릅써야 한다(run the risk of ~)고 했지만 그에 관한 이유를 서술한 글이 아니므로 답이 아니다. ⑤는 마지막 문장에서 주변인에게 당신의 생활 방식을 설명하는 것을 시도해 볼 수 있다고 한 부분을 활용한 오답이다.

어휘 run the risk of ~의 위험을 무릅쓰다 / go against ~에 위배되다, 맞지 않다 / associate 동료; 연상하다; 연관 짓다 / look to ~에 의존하다; 기대하다 / may well 아마 ~일 것이다; ~하는 것도 당연하다 / absurd 황당한, 터무니없는 / unthinkable 상상할 수 없는 / pursue 추구하다; 뒤쫓다 **[선택지 어휘]** predictable 예측할 수 있는

구문 [2~3행] *Friends and associates* [**who** look to the media / to define what success is] may well **find** your desires **absurd**.
S V O C

- who ~ is는 Friends and associates를 선행사로 하는 주격 관계대명사절이다.
- 「find+O+C(O가 C하다고 여기다)」 구조에서 형용사 absurd를 목적격보어로 취하고 있다.

3 ④

해석 역할극은 승리하는 팀의 특징이다. 그것은 항상 최고의 선수 역할을 하는 것이 아니라, 하나의 팀으로서 뛰어나게 함께 경기하는 사람들의 역할을 하는 것이다. 대부분의 선수들은 득점왕, 홈런 타자 등의 주요 역할을 놓고 경쟁한다. 하지만 당신의 선수들 중 누구도 가끔 덜 흥미로운 역할을 맡으려 하지 않을 때, 당신의 팀은 곤경을 맞게 된다. 모든 선수가 스타가 되기를 원하기 때문에 실로 성공하지 못한 매우 재능 있는 몇몇 팀들이 있었다. 대부분의 선수들은 스카우트 담당자들이 그들을 주목하도록 개인적인 성적 자료에 관심이 있었다. 그들은 늘 틈만 나면 주목받는 것을 기대하고 있었다. 아무도 챔피언 팀을 만들기 위해 할 필요가 있는 지루한 일을 하길 원하지 않았다. 챔피언 팀들에는 힘들고, 지루하고, 주목받지 않는 일을 기꺼이 하고, 실제로 그것들을 하는 것에 자부심을 가지는 선수들이 있다.
① 팀을 바탕으로 하는 훈련을 위한 조언
② 협동적인 문제 해결의 이점들
③ 자신의 경기를 모니터하는 효과적인 방법들
④ 팀에서 조연의 중요성
⑤ 팀워크에서 역할극의 장단점

해설 이기는 팀이 되는 것은 최고의 선수들이 모였기 때문이 아니라 팀의 승리를 위해 주목받지 않는 역할도 기꺼이 해내는 선수들이 있기 때문이라는 내용의 글이다. 마지막 문장(Championship teams ~ them.)에서 챔피언 팀의 특징을 설명하면서 주제를 강조하고 있다. 따라서 이 글의 주제로는 ④ '팀에서 조연의 중요성'이 가장 적절하다.

오답분석 ⑤는 글에 나온 role playing과 team이라는 단어가 반복 사용되었지만, 일반적인 단체 활동에서 역할극의 장단점을 설명하는 글이 아니다.

어휘 role playing 역할극 / characteristic 특징(= feature); 특유의 / leading 선두의; 주요한 / be willing to-v 기꺼이 v하다 *cf.* willingly 기꺼이 / be headed for ~로 향하다 / be concerned with ~에 관심이 있다; ~와 관련이 있다 / statistics 통계 자료; 통계(학) / scout 스카우트 담당자; (운동선수·연예인 등을) 발굴하다 / look to 기대하다 / at every opportunity 틈만 나면 / unnoticed 주목받지 못하는; 눈에 띄지 않는 **[선택지 어휘]** monitor 모니터[감시]하다 / supporting role 조연 *cf.* supporting 조연의; 뒷받침하는, 지지하는 / pros and cons 장단점

구문 [8~9행] No one wanted to do *the boring work* [**that** needed to be done / **to create** a championship team].

- that ~ team은 the boring work를 선행사로 하는 주격 관계대명사절이다.
- to create는 to부정사의 부사적 용법 중 목적을 나타낸다.

4 ②

해석 우리 마음의 상태는 우리 주변의 사람들로부터 받는 질문보다는 우리가 자신에게 묻는 질문에 의해 더 많이 결정된다. 우리는 그것을 의식적으로 하지는 않지만, 어떤 것이 잘못될 때, 우리는 "무엇이 잘못됐지?" 또는 "내가 무슨 일을 한 거야?"라고 묻기 시작하고, 그러면 뇌는 사태를 악화시키고 더 부정적인 생각으로 이끄는 방식으로 그 질문들에 답한다. 마침내, 그것은 당신을 무너뜨릴 수 있다. 이것이 긍정적인 생각이 필수적인 이유이다. 당신의 뇌가 당신에게 주는 질문과 답을 무작위로 고르게 하기보다는, 그것들을 스스로 선택하기 시작하라. 여섯 개의 긍정적인 질문들을 생각해내고, 그것들을 벽에 붙여라. 내 사무실 벽에는 "내가 지금 행복하게 여기는 여섯 가지는 무엇인가?"와 "미래에 내가 나 자신에게 어떤 상을 줄 것인가?"가 있다. 나는 매일 아침 그 질문들을 살펴본다. 그것은 단순하지만, 시도해볼 가치가 있다.

① 긍정적인 피드백의 이점
② 긍정적으로 생각하는 이유와 방법
③ 자기 자신에게 보상해주는 것의 필요성
④ 부정적 생각의 결과들
⑤ 질문하기 위한 뇌의 방법

해설 글의 내용을 종합적으로 이해해야 한다. 이 글은 우리가 자신에게 하는 질문이 부정적인 생각으로 이끌어 자신을 무너뜨리는 결과를 초래하기 때문에 긍정적인 생각이 필수적이며, 긍정적으로 생각하기 위해 일상에서 할 수 있는 훈련 방법을 소개하고 있다. 이를 종합해 보았을 때 이 글의 주제로는 ② '긍정적으로 생각하는 이유와 방법'이 가장 적절하다.

오답분석 ①, ③에 글에 나온 positive나 reward라는 어휘가 나오지만, 긍정적 피드백이나 자기 보상은 글의 주제가 아니다. 또한, 부정적인 생각의 결과가 일부(when something goes wrong ~ more negative thinking, Eventually, ~ break you.) 나와 있지만, 글의 전체 내용을 포괄하지 못하므로 ④는 답이 될 수 없다.

어휘 determine 결정하다; 결심하다 / consciously 의식적으로 / eventually 마침내, 결국 / essential 필수적인 / randomly 무작위로, 임의로 / work out 생각해내다; 운동하다 [선택지 어휘] mechanism 방법, 메커니즘; 기계 장치

구문 [5~7행] Rather than **letting** your brain randomly choose *the questions and answers* [*(that[which])* it gives you ●], / start to choose them yourself.
= the questions and answers = your brain

◆ let은 사역동사로 쓰여서 목적격보어로 동사원형(choose)을 취한다.
◆ it gives you는 the questions and answers를 선행사로 하는 관계대명사절이며, 목적격 관계대명사 that 또는 which가 생략된 형태이다.

5 ②

해석 어떤 사람들은 과정 중심의 뇌를 가지고 있어서, 그들은 간접적인 대화를 즐기는데, 그것은 분명하거나 명확한 목표가 부족하지만 바라는 것을 암시한다. 다른 사람들은 이런 구조나 목적의 결여가 매우 헷갈린다고 생각하고 그런 대화들을 정확히 이해하기 위해 고군분투한다. 많은 사람들이 간접적인 대화를 이해하지 못해서 발전을 위한 간접적인 제안이나 요청이나 노력을 거절하게 되기 때문에, 이것은 사업상 재난이 될 수 있다. 간접적인 화법은 관계를 형성하는 데는 훌륭할지도 모르지만, 운전자나 비행 조종사가 들은 것을 확신하지 못해 자동차나 비행기가 충돌하고 만다면, 그 이점은 중요성이 희미해질 것이다. 간접적으로 말하는 사람이 다른 간접적으로 말하는 사람과 간접적 화법을 사용할 때 전혀 문제가 없는데, 둘 다 실제 의미를 알아채는 데 민감하기 때문이다. 그러나 단어를 문자 그대로 받아들이는 사람과 대화를 할 때, 그것은 재난을 일으킬 수도 있다.

① 의사소통의 다양한 방식들
② 간접적인 화법에 의해 야기되는 문제들
③ 사업에서 화법의 중요성
④ 의사소통 문제를 피하는 방법들
⑤ 간접적인 대화를 이해하는 방법

해설 뚜렷한 주제문이 없으므로 글의 내용을 종합적으로 이해해야 한다. 간접적인 화법은 목적이 분명하게 드러나지 않으므로 대상이나 상황에 따라 이해하기 어렵고 이로 인

해 막대한 손실을 초래하는 상황이 발생할 수 있다는 내용의 글이다. 이를 종합해 보았을 때 이 글의 주제로는 ② '간접적인 화법에 의해 야기되는 문제들'이 가장 적절하다.

오답분석 ③은 간접적인 대화가 사업에서 효과적이지 못하다고 서술하는 내용이 있지만, 이는 간접적 대화의 문제 예시에 해당한다. 두 번째 문장에서 간접적인 대화 내용을 이해하려는 노력이 언급되었지만 그 방법에 관해 설명한 글은 아니므로 ⑤는 오답이다.

어휘 -oriented ~ 지향적인; ~ 위주의 / indirect 간접적인 / hint at ~을 암시하다 / disastrous 재난을 불러일으키는; 비참한; 불행한 / end up v-ing 결국 v하게 되다 / turn down 거절하다 / proposal 제안 / bid 노력, 시도; 입찰 / pale 희미해지다, 약해지다; 옅은 / significance 중요성(= importance) / pick up 알아차리다; 집어 들다 / literally 문자 그대로

구문 [1~2행] Some people have *brains* [that are process-oriented], so they enjoy *indirect conversation*, // **which** hints at **what is desired** while lacking a clear or obvious purpose.
V' O'

◆ which ~ purpose는 indirect conversation을 선행사로 하여 그것을 부연 설명하는 계속적 용법의 관계대명사절이다.
◆ 관계대명사 what이 이끄는 명사절이 hint at의 목적어 역할을 한다.
◆ 부사절 while 이하의 주어가 주절의 주어와 동일해서 「주어+be 동사」가 생략되었다.

정동사 vs. 준동사

visiting | 대부분의 야생 지역에서, 그 지역을 방문하는 대다수의 집단은 소규모이며, 대개 두 명에서 네 명 사이이다.

어휘 wilderness 황무지, 황야 / majority 대다수, 대부분

Quiz

1 located | 아프리카 근처의 인도양에 위치한 한 섬은 자연과 야외활동 애호가를 위한 꿈의 목적지이다.

해설 문장의 동사(is)가 있으므로 준동사 자리이다. 주어(An island)를 수식하는 과거분사인 located가 적절하다.

어휘 locate 위치하다; 찾아내다 / destination 목적지, 도착지

2 turned out | 그 건설 회사에 의해 최근에 지어진 저 60층짜리 건물은 심각한 문제가 있는 것으로 드러났다.

해설 문장의 동사가 없으므로 주어(That 60-story building)와 호응하는 동사 turned out이 알맞다.

어휘 construction 건설; 건물 / turn out to-v v인 것으로 드러나다

Practice ④

해석 환자들을 대상으로 한 어느 실험은 접촉이 어떻게 남성과 여성에게 다른 영향을 끼치는지를 보여준다. 환자들에게 그들의 다가올 수술에 관해서 말해야 하는 간호사가 환자들과 세 번 접촉했다. 한번은 간호사가 자신을 소개할 때 잠깐 환자의 팔을 만지고, 그녀가 말하는 도중에는 그 팔을 꼬박 1분 동안 만진 다음, 떠나기 전에는 환자의 손을 잡고 악수했다. 여성과 남성은 각기 다르게 반응했다. 접촉은 여성들에게 있어 혈압을 낮추고 불안을 진정시켜 주었지만, 그것(접촉)은 남성들을 당혹하게 하여, 혈압을 높이고 불안을 가중시켰다. 그 실험은 남성이 여성보다 두려움이나 나약함의 감정들을 인정하기를 더 어려워한다는 것을 시사했다. 따라서 위안 대신에, 간호사의 접촉은 남성들에게 자신들의 나약함에 대한 위협적인 신호였다.

해설 (A) 문장의 주어는 A nurse로 whose ~ surgery는 주어를 수식하는 소유격 관계대명사절이다. 문장의 동사가 필요하므로 touched가 알맞다.
(B) but이 이끄는 절의 동사(upset)가 있으므로 준동사 자리이다. 분사구문의 의미상 주어인 it(= the touching)과 능동 관계이므로 현재분사 raising이 적절하다.
(C) 문맥상 '간호사의 접촉이 남성들에게 그들의 나약함에 대한 위협적인 신호'라는 뜻이므로 the men's를 대신할 수 있는 소유격 인칭대명사 their가 와야 한다.

어휘 have an effect on ~에 영향을 미치다 / upcoming 다가오는 / briefly 잠깐, 잠시; 간단히 / blood pressure 혈압 / ease (고통 등을) 진정시키다; 쉬움 / upset 당황하게 하다; 당황한, 속상한 / acknowledge 인정하다 / threatening 위협적인

구문 [7~9행] The experiment suggested // **that** men find **it** harder than women / **to acknowledge feelings of fear and weakness.**

◆ that 이하는 suggested의 목적어로 쓰인 명사절이다.
◆ 「find+O+C(O가 C하다고 여기다)」 구조에서 it은 가목적어로 뒤에 나오는 진목적어인 to부정사구를 대신한다.

Unit 02 요지, 주장
p. 16

해결전략 1 Warm Up ②

해석 ① 애완동물들은 우리의 곁에 있어 주고, 우리가 행복하게 느끼게 만든다. ② 애완동물들은 사람들을 위해 긍정적인 것들을 할 수 있다. ③ 애완동물들은 또한 노인들을 덜 외롭게 느끼게 한다고 알려져 있다.

어휘 keep ~ company ~의 곁에 있어 주다

전략적용 1 ⑤ Q1 Don't you think, Your parents may

해설 Q1 첫 문장에서 부모님이 자녀에게 해준 일들을 언급한 후, 부모님이 자녀에게 일어나는 일들을 알 자격이 있으므로 부모님께 숨김없이 이야기를 해야 한다는 필자의 주장을 부정명령문(Don't you think ~?)과 조동사 may를 사용(Your parents may be ~.)하여 나타내고 있다.

해석 부모님은 이 세상에 온 당신을 맞이했고, 보살피고, 씻겨 주며, 밥을 먹이고 옷을 입히고, 당신에게 위안을 주었으며, 당신에게 셀 수 없이 많은 시간과 돈을 들였다. 그럼에도 불구하고 당신은 왜 부모님이 당신의 삶에서 일어나는 일을 알고 싶어 하시는지 이해를 못 하는가? 부모님은 적어도 당신이 공손하게 얘기하는 것과 숨김없이 말하는 것을 누려야 한다고 생각하지 않는가? 이것은 당신에게 이미 사실일 수도 있다(당신은 이미 그렇게 하고 있을 수도 있다). 부모님은 당신이 함께 나누고 싶은 좋은 소식이나 해결할 문제가 있을 때 당신이 가장 먼저 달려가는 사람일지도 모른다. 만약 그렇다면 잘하고 있다! 당신은 아마도 애정이 깊고, 힘이 되는 관계라는 커다란 보상을 누리고 있을 것이다. 반면 당신이 (부모님께) 거의 말을 하지 않는다면 부모님은 상처받고 무시당한다고 느끼실 것이다.

해설 부모님이 우리에게 해준 여러 일을 나열한 후에, 그러므로 부모님이 우리에 대해 알 자격이 있지 않은지(Don't you ~ with them?) 반문을 통해 필자의 주장이 드러난다. 이후의 내용에 필자의 주장(Your parents may ~ sort out.)이 한 번 더 완곡하게 표현되고 있으므로 이 글의 요지는 ⑤이다.

오답분석 첫 문장(Your parents welcomed ~ on you.)만을 보고 연상 가능한 ③을 선택하지 않도록 한다.

어휘 nurse 보살피다; 간호사 / clothe 옷을 입히다 / countless 셀 수 없이 많은, 무수한 / deserve ~을 누릴 자격이 있다(받을 만하다) / at the very least 적어도, 최소한 / sort out (문제 등을) 해결하다; ~을 정리하다 / reward 보상; 보상하다 / loving 애정어린 / supportive 힘을 주는, 도와주는

구문 [3~4행] **And yet** you don't understand // **why they want** to know / **what's** going on in your life?

◆ And yet은 '그럼에도 불구하고 ~'로 해석하면 자연스럽다.
◆ understand가 취하는 목적어는 「의문사+S+V」 구조의 의문사절이다.
◆ know의 목적어 역할을 하는 what's going on ~은 「의문사 주어+V」의 구조이다.

해결전략 2 Warm Up ☑ table manners

해석 ① 음식이 제공되기 전에 앉아야 한다. ② 테이블에서 당신의 자리 옆에 있는 냅킨을 펼쳐라. ③ 주인이 먹기 시작할 때 당신은 먹기 시작할 수 있다.

전략적용 2 ④ Q1 ① 흥미[재미] ② 위기 ③ 미래

해설 Q1 글의 도입부에서는 전문가와는 달리 초보자인 학생들은 수학과 과학 분야에 흥미를 찾기 어렵다는 내용이, 중반부에서는 그 결과 수학과 과학 분야의 지식과 창의성이 사라질 위기에 처해 있다는 내용이, 후반부에서는 이러한 추세가 지속되면 수학과 과학 분야의 미래를 위협할 것임을 설명하고 있다.

해석 한 분야의 전문가는 대개 그들이 하는 일을 사랑하는 반면, 이런 감정은 일반적으로 학생들이나 그 분야에서 시작하는 사람들에게는 유효하지 않다. 특히 과학에서, 초보자들은 그 일의 지겨운 부분들만을 본다. 선생님들은 수학이나 과학을 하는 아름다움과 재미를 드러내기 위해 노력하는데 좀처럼 시간을 쓰지 않고, 학생들은 이런 과목들이 자유와 모험이 부족하다고 배운다. 놀라울 것도 없이, 젊은 사람들이 그런 과목들을 숙달하도록 동기를 부여하는 것은 어렵다. 그 결과, 이런 분야의 지식은 사라질 위기에 처해 있고, 창의성은 점점 더 희귀해지고 있다. 문화를 건설하는 것, 즉, 과학자나 수학자가 되는 것은 큰 즐거움이기 때문에 이것은 애석한 일이다. 그러나 너무 자주, 발견의 기쁨은 젊은이들에게 전해지지 않고, 젊은이들은 대신 수동적인 오락에 의지한다. 이런 추세가 계속되면, 이것은 수학과 과학 분야의 미래를 위협할 것이다.

해설 뚜렷한 주제문이 없으므로 글의 내용을 종합적으로 이해해야 한다. 도입부에서 전문가와 달리 학생(초보자)들은 수학이나 과학에서 흥미를 찾기가 어렵다는 설명이 나오고, 글의 중반부에는 그 결과 이 분야의 지식과 창의성이 위기를 맞고 있으며, 후반부에 수동적인 오락과 문화를 소비하는 데 의존하는 젊은이들의 모습을 설명하면서 수학, 과학 분야의 미래가 불투명해지는 현실을 나타내고 있다. 이를 종합해 보았을 때 요지로 가장 적절한 것은 ④이다.

오답분석 ①은 글의 후반부(young people, who turn instead to passive entertainment), ②는 글의 중반부(Teachers rarely spend ~ science;), ③은 글의 첫 부분(experts in a field usually love what they do)과 관련 있는 오답으로, 수학과 과학 분야의 미래가 위태로운 상황이라는 글의 전체적인 요지를 포괄하지 않는다.

어휘 available 유효한, 쓸모 있는 / start out (사업·일을) 시작하다 / rarely 좀처럼 ~하지 않는 / motivate A to-v A가 v하도록 동기를 부여하다 / shame 애석한 일; 수치심; 창피스럽게 하다 / mathematician 수학자 / turn to A A에 의지하다 / passive 수동적인, 소극적인

구문 [1~2행] Whereas experts (in a field) usually love **what** they do, // this emotion is generally not available / to students or those (**starting out in the field**).

◆ what they do의 what은 선행사를 포함하는 관계대명사로 '~하는 것'으로 해석하며, 동사 love의 목적어 역할을 한다.
◆ starting ~ field는 those를 후치 수식하는 현재분사구이다.

Make it **Yours**
p. 18

1 ③ 2 ④ 3 ① 4 ② 5 ②

1 ③

해석 2004년의 한 연구에서, 독일 연구팀은 사람들에게 복잡한 절차를 사용하여 특정한 유형의 수학 문제를 푸는 법을 가르쳤다. 그들은 참가자들에게 그 문제를 약 100번 연습하라고 요청했다. 참가자들은 그런 다음 보내졌고, 12시간 후에 돌아오라는 말을 들었다. 그런 다음 그들은 그것을 200번 더 시도해보라고 지시를 받았다. 연구원들이 참가자들에게 말하지 않은 것은 그 문제를 푸는 훨씬 더 단순한 방법이 있다는 것이었다. 그 연구에 참가한 많은 사람들이 시간이 지나면서 손쉬운 방법을 발견했다. 그것을 알아낸 사람들에게 있어서 결정적인 차이점은 잠이었다. 비록 그 사람은 풀어야 할 문제가 있다는 것을 몰랐을지라도, 세션 사이에 잠을 잔 참가자들은 세션 사이에 깨어 있었던 사람들에 비하여 2와 1/2배 더 그것을 알아낼 가능성이 많았다. 연구는 우리가 하루에 얻는 지식이 우리가 잠을 자는 동안에 처리되고 재조직되어, 그것이 우리를 다음 날 더 창의적이고 문제를 더 잘 해결하는 사람으로 만들어준다는 것을 시사한다.

해설 이 글은 수면이 창의력과 문제 해결력을 높여준다는 사실을 증명한 실험에 관한 것이다. 연구 및 실험에 관한 글은 실험 결과나 결과의 시사점이 주제가 될 수 있는데 글의 마지막 문장이 이에 해당된다. 따라서 이 글의 요지로는 ③이 가장 적절하다.

오답분석 실험 참가자 중 잠을 잔 사람들의 문제 해결력이 증가된 것이지, 습득한 지식의 양이 늘어난 것은 아니므로 ①은 요지가 아니다. ②는 연구원들이 참가자들에게 같은 문제를 반복해서 풀어보라고 지시한 글의 초반부에서 연상할 수 있는 내용이나 글의 요지와는 무관하다.

어휘 complicated 복잡한 / procedure 절차 / participant 참가자 / instruct 지시하다; 가르치다 / shortcut 손쉬운 방법; 지름길 / critical 결정적인, 중요한; 비판적인 / in terms of ~의 면에서 / figure A out A를 알아내다, 이해하다 / suggest 시사하다; 제안하다 / reorganize 재조직하다

구문 [10~12행] The study suggests // that the knowledge
   S   V   O
[(that[which]) we gain ● one day] / is processed and reorganized
/ as we sleep, / which makes us more creative and better
problem solvers the following day.

◆ 접속사 that이 이끄는 명사절(that ~ the following day)은 suggest의 목적어 역할을 한다.

◆ 선행사 the knowledge 뒤에는 목적격 관계대명사 that이나 which가 생략되었다.

◆ 계속적 용법으로 쓰인 관계대명사 which는 선행사인 the knowledge ~ we sleep을 보충 설명한다.

2 ④

해석 대부분의 사람들은 자기 자신의 생각이 가진 힘을 모른다. 그들은 자신들이 불평할 것들을 계속 찾으면서, 그것들이 그들 자신의 안녕을 방해한다는 것을 깨닫지 못한다. 많은 사람들은 그들이 아픈 몸이나 질병에 대해 불평하고 있기 전에, 다른 많은 것들에 대해 불평하고 있었다는 것을 인식하지 못한다. 당신의 불평의 대상이 당신이 화난 사람이든, 당신을 배신한 사람이든, 당신이 생각하기에 잘못된 다른 사람의 행동이든, 혹은 자신의 신체의 어딘가가 아픈 것이든 상관없다. 불평은 불평이고, 그것은 부정적인 성향을 생산해낼 뿐이다. 그러므로 당신이 기분이 좋아 그 좋은 기분을 유지할 방법을 찾고 있든 당신의 육체가 회복을 필요로 하든, 그 과정은 똑같다. 당신을 기분 좋게 만드는 것들의 방향으로 당신의 생각을 이끄는 것을 배워라.

해설 생각에는 힘이 있어서 불평은 부정적인 성향을 만들어내고, 좋은 생각도 똑같은 과정을 거친다고 했다. 따라서 좋은 생각을 하는 법을 배우라는 내용의 글이다. 글의 마지막에 필자의 주장이 명령문(learn to ~ feel good)으로 드러나 있으며, 이를 가장 잘 나타낸 것은 ④이다.

오답분석 ②는 불평과 연관 지어 반복되는 단어들을 활용한 오답이다. ⑤는 글의 후반부에서 육체에 회복이 필요할 때 기분 좋은 생각을 하라는 내용이 나오지만 좋은 방향으로 생각하라는 주장의 예시에 해당하고 글의 요지가 아니다.

어휘 well-being 안녕, 행복 / aching 아픈, 쑤시는 / object 대상; 물체; 반대하다 / complaint 불평, 항의 / betray 배신하다 / negativity 부정적[비관적] 성향 / in need of ~을 필요로 하고 / recovery 회복 / in the direction of ~의 방향으로

구문 [5~6행] ~, *someone* [who has betrayed you], *behavior in others* [that (you believe) is wrong], ~.

◆ 선행사 behavior in others를 꾸며주는 주격 관계대명사절에 you believe가 삽입된 형태이다. 관계사절에서 콤마 없이 「S+believe[think. hear 등]」가 삽입되는 경우가 종종 있다. 삽입어구를 ( )로 묶으면 문장구조를 파악하기가 쉽다.

[7~9행] So / **whether** you **are feeling** good and **are looking for**
                                            A
a way (to maintain that good feeling) **or** your physical body is in
                                                        B
need of recovery, // the process is the same: ~.

◆ 「whether A or B(A이든 B이든)」 구문으로, A에서 현재진행형인 are feeling과 are looking for가 and로 병렬구조를 이루고 있다.

3 ①

해석 다른 사람들과 좋은 관계를 유지하는 것은 풍요로운 삶으로 이어지지만, 그러려고 노력하는 과정에서 우리는 종종 잘못 알고 있다. 건강한 자아는 흔히 상황에 대한 우리의 사고방식이 옳다고 우리에게 확신시키지만, 누군가가 우리의 생활 방식을 따르게 하려고 애쓰는 것은 보통 원치 않는 결과를 초래한다고, 심리학자 폴 콜맨은 말한다. 그런 행동은 우리가 더 우월한 위치에서 왔고, 우리가 무엇이 최선인지에 대해 더 깊은 지식을 갖고 있다는 것을 넌지시 비친다. 이런 식의 태도는 다른 사람들을 화나게 만든다. 대신, 당신은 자신의 자기중심적 본성과 싸워야만 한다. 예를 들어, 당신의 친구가 많은 사람들이 모이는 모임을 싫어한다면, 그가 당신을 따라 파티에 오도록 강요하지 마라. 그래서 그가 억지로 대화를 할 필요가 없게 말이다. "다른 사람에게 당신이 어떤 일을 하는 방식을 강요하는 것은 거의 폭력의 한 형태이다."라고 콜맨은 말한다.

해설 심리학자 폴 콜맨의 말을 인용하며 자기중심적인 태도로 자신의 사고방식이나 생활 방식을 다른 사람에게 강요하는 것은 폭력의 한 형태라는 주장을 강조하고 있다. 따라서 글에 드러난 필자의 주장으로는 ①이 가장 적절하다.

오답분석 자신의 방식을 다른 사람에게 강요하지 말라고 하였지, ②처럼 타인의 방식을 따르라고 하지는 않았다. 글의 내용을 확대 해석한 선택지를 답으로 고르지 않도록 유의해야 한다.

어휘 ego 자아; 자부심 / convince 확신시키다; 설득하다 / bring about ~을 초래하다 / imply 넌지시 비치다, 암시하다 / self-centered 자기중심적인 / nature 본성; 자연 / gathering 모임, 집회; 수집 / come along 함께 가대[오다]; 도착하다, 나타나다 / forced 억지로 하는; 강요된 / violence 폭력

구문 [2~4행] A healthy ego often convinces us / **that** our way of
                     S1   V1   IO1   DO1
thinking about things is right, // but **trying to make someone**
                                                          S2
follow our way of living usually **brings about** an unwanted
              C'   V2   O2
result, / says psychologist Paul Coleman.

◆ 「make+목적어+동사원형」은 '~가 …하게 하다'의 뜻으로 사역동사 make는 목적격보어로 동사원형(follow)을 취한다.

◆ but절의 주어는 trying ~ living의 동명사구이며, 동명사구 주어는 단수 취급하므로 3인칭 단수동사(brings about)가 왔다.

[4~5행] Such behavior implies **that** we're coming from a superior
                S   V   O1
place and **that** we have a deeper knowledge (of what's best).
                        O2

◆ 접속사 that이 이끄는 두 개의 명사절이 and로 병렬구조를 이루며 implies의 목적어로 쓰였다.

4 ②

해석 인생 사이클 가설에 따르면 사람들은 대출과 저축을 통해 소비를 완화시키면서, 시간이 흐를수록 자신들의 소비를 상당히 일정하게 유지하려 한다. 젊을 때, 사람들은 노후를 대비해서 수입의 일부를 저축한다. 나이가 들면 사람들은 소비의 재원을 마련하기 위해 이 저축을 사용한다. 개인이 행운을 경험할 때, 이것이 수입의 영구적인 증가라기보다는 일시적 증가라는 것을 깨닫고 소비를 늘리지 않는다. 대신에 이 여분의 수입

을 저축한다. 마찬가지로, 사람들은 수입이 일시적으로 하락한다 할지라도, 저축한 금액을 이용해서 평상시와 같이 돈을 쓸지 모른다. **이 이론에 따르면, 사람들에게 소비를 늘리거나 줄이게 하는 유일한 것은 영구적이면서 장기적인 수입이 변할 때이다.**

해설 사람들은 시간이 흐를수록 소비를 일정하게 유지하려 한다고 하면서, 수입이 갑자기 많아지거나 또는 수입이 일시적으로 하락하는 것과 관계없이 일정한 수준으로 소비한다고 했으므로, 글의 요지로 ②가 가장 적절하다.

오답분석 사람들의 소비가 일정하다는 것을 증명하기 위해 사람들의 저축을 일종의 증거로 제시한 것이므로 저축과 관련된 선택지인 ①, ④는 오답이다. 수입의 변동이 심하다 할지라도 사람들의 소비가 일정하다는 요지의 글이므로 ⑤는 정답이 될 수 없다.

어휘 hypothesis 가설 / fairly 상당히 / smooth 완화시키다; 평평하게 하다 / consumption 소비 / finance 재원을 마련하다, 자금을 공급하다 / temporary 일시적인, 임시의 / permanent 영구적인, 영원한 / boost 증가; 북돋우다 / extra 여분의, 추가의 / theory 이론 / long-run 장기적인

구문 [1~2행] The life cycle hypothesis <u>says</u> // that people **try to keep** their spending fairly constant over time, / **smoothing their consumption by borrowing and saving.**

∘ that절(that ~ and saving)은 동사 says의 목적어 역할을 하는 명사절이다.
∘ 「try to-v」는 '~하려고 노력하다[애쓰다]'라는 의미이다. *cf.* try -ing: (시험삼아) ~해보다
∘ smoothing ~ and saving은 동시동작을 나타내는 분사구문으로, '~하면서'로 해석하면 자연스럽다.

5 ②

해설 네트워킹은 양파를 벗기는 것과 약간 비슷해 보인다. 각각의 '층'은 정말 그저 어떤 공통점을 지닌 당신의 세계에 있는 한 무리의 사람들이며, 예를 들면 당신의 '마케팅 동료들'이 한 층을 이룬다. 당신의 '대학 친구들'이 또 하나의 층일 것이다. 당신은 그 친근한 막들을 벗겨내고 중심으로 더 가까이 옮겨감으로써 시작한다. 다시 말해, '당신의 층들을 작업하면서' 당신은 그 과정에서 점점 더 많은 새로운 사람들을 만나기 시작할 것이다. 이것이 당신을 멈추게 하지 마라. 너무 많은 사람들이 자신들이 단지 모르는 사람들에게 다가가는 것이 불편해서 네트워킹(인적 정보망을 형성하는 것)을 피한다. 하지만 나는 당신에게 권고한다. 이 단계(당신이 모르는 사람들에게 접근하는 것)를 건너뛰지 마라. 오늘의 낯선 사람이 내일 당신을 위한 풍부한 연줄이나 지식이 될지도 모르니 첫 번째나 두 번째 층에서 당신의 양파를 벗기는 일을 그만두지 마라.

해설 양파로 요리를 할 때 양파의 층을 중심까지 겹겹이 벗겨내듯이, 기존의 인간관계의 층을 하나씩 벗겨 들어가서 새로운 사람들과 인적 정보망을 형성하라는 내용의 글이다. 글의 후반부(But I urge you: ~ or second layer.)에 필자의 주장이 명확히 드러나 있으므로, 이를 정리한 ②가 가장 적절하다.

오답분석 새로운 관계 형성을 강조하는 글이므로 기존의 아는 사람과의 관계 개선을 언급하는 ①은 지문과 대비되는 주장이다.

어휘 networking 네트워킹, 인적 정보망의 형성 / coworker 동료 / peel back 껍질을 벗기다 / along the way 그 과정에서 / shy away ~을 피하다 / reach out to A A에게 접근하다 / urge 강력히 권고하다; 충고하다 / skip 건너뛰다, 생략하다; 깡충깡충 뛰다 / a wealth of 풍부한 / contact 연줄(이 닿는 사람); 연락(하다)

구문 [6~7행] Far too many people shy away from networking // because they just aren't comfortable with reaching out to *people* (*who(m)*/*that*) they don't know ●.

∘ they don't know 앞에는 people을 선행사로 하는 목적격 관계대명사 who(m)[that]이 생략되어 있다.

Unit 02 빈출순 **어법 POINT** p. 21

병렬구조

name | 언어는 혁신의 문화적 확산을 촉진할 뿐 아니라, 그것은 우리가 환경을 생각하고, 인지하고, 이름을 붙이는 방식도 형성하도록 돕는다.

어휘 facilitate 촉진하다; 가능하게 하다 / spread 확산, 전파; 펼치다 / innovation 혁신 / perceive 인지하다

Quiz

1 missing | 모든 것을 전적으로 하려고 애쓰느라 시간이 부족하다면, 그러면 때때로 당신은 결국 어리석은 일을 하게 되고, 정말로 중요한 것을 놓치게 된다.

해설 doing과 병렬구조를 이루므로 missing이 와야 한다. end up -ing: 결국 ~하게 되다

어휘 absolutely 전적으로 / matter 중요하다; 문제; 물체, 물질

2 drew | 이 동화의 작가는 재능이 많다. 그는 글을 썼을 뿐만 아니라 삽화들도 그렸다.

해설 상관접속사 「not only A but (also) B(A뿐만 아니라 B도)」 구문으로 동사 wrote와 병렬구조를 이루고 있으므로 drew가 적절하다.

어휘 fairy tale 동화 / illustration 삽화

▌Practice ③

해석 알이 날것으로 먹었을 때 영양가가 높고 안전한 것 같음에도 불구하고, 수렵·채집인들은 그것들을 익히는 것을 선호한다. 예를 들어, 남미의 티에라델푸에고의 야간족 수렵·채집인들은 설익은 달걀은 절대 먹지 않았고, 하물며 날달걀은 말할 것도 없었다. 야간족은 알이 터지는 것을 방지하기 위해 알의 껍데기에 구멍을 뚫고, 불의 가장자리에 알들을 묻은 다음, 안쪽이 상당히 딱딱해질 때까지 그것들을 뒤집었다. 갈증을 해소하기 위해 알을 마시지 않을 때, 호주 원주민들은 유사한 노력을 했는데, 그것은 에뮤새의 알이 아직 껍데기 안에 있을 때 스크램블을 만들기 위해 그것들을 공중에 던지는 것을 포함했다. 그런 다음 그들은 알들을 뜨거운 모래나 재에 넣고 그것들을 완전히 익히기 위해 주기적으로 뒤집었는데, 이는 약 20분이 걸린다. 그러한 주의를 기울이는 것은 수렵·채집인들이 알을 먹는 적절한 방법에 대해 많이 알고 있었음을 시사한다.

해설 ③ 동사 drilled, buried와 등위접속사 and로 연결된 병렬구조이므로, turn은 과거형 동사인 turned가 되는 것이 알맞다.

오답분석 ① 상관접속사 「both A and B(A와 B 둘 다)」는 A와 B에 문법적으로 대등한 형태가 와야 하므로, 형용사 nutritious와 병렬구조를 이루는 형용사 safe는 알맞다. ② 과거에 '~하곤 했다'는 의미를 나타낼 때는 조동사 would를 쓸 수 있다. ④ 뒤에 주어가 빠진 불완전한 구조가 이어지고 앞에 콤마(,)가 있으므로 관계대명사 which는 적절하다. 이때 which가 이끄는 절은 선행사 similar efforts를 보충 설명한다. ⑤ 조동사 would에 이어지는 동사 put과 and로 병렬연결된 구조이므로 flip은 적절하다.

어휘 nutritious 영양가가 높은 / raw 날것의, 익히지 않은 / hunter-gatherer 수렵·채집인 / much less 하물며 ~은 아니다 / drill ~에 구멍을 뚫다; 드릴 / eggshell 알의 껍데기 / burst 터지다 / satisfy (필요 등을) 충족시키다; 만족시키다 / thirst 갈증 / native 원주민, 현지인 / scramble (달걀을 휘저어) 스크램블을 만들다; 재빨리 움직이다 / ash 재 / flip 홱 뒤집다

구문 [7~8행] They would then **put** them into hot sand or ashes

= Australian natives = emu eggs

and **flip** them regularly / *to cook them completely*, // **which** takes about twenty minutes.

∘ 조동사 would에 이어지는 동사 put과 flip이 and로 병렬연결된 구조이다.
∘ which는 선행사인 앞 문장 전체(They ~ completely)를 보충 설명하는 계속적 용법의 관계대명사이다.

[9~10행] Such care **suggests** // that the hunter-gatherers **knew** plenty / about *the proper way* (to eat an egg).

∘ suggests가 '시사하다, 암시하다'의 의미이고, that절이 사실적인 정보 전달일 때, that절의 동사는 「(should+)동사원형」을 쓰지 않고 직설법을 쓴다.

Unit 03 제목

해결전략 1 Warm Up ①

해석 돌고래들이 수영하는 사람들을 상어로부터 보호해주는 것은 종종 목격되어 왔다. 그러나 돌고래가 인명 구조 요원이라는 생각은 그들이 인간과 상호작용하는 것을 능가하는데, 돌고래가 자신들이 속한 무리의 다친 구성원을 구하기 위해 협력하는 것이 관찰되어 왔다.

① 인명 구조 요원으로서 돌고래 ② 돌고래의 우정

어휘 lifesaver 인명 구조 요원 / injured 다친, 부상당한

전략적용 1 ③ **Q1** The *Mona Lisa* ~ ever created. / These techniques ~ one-sided smile. / In any case, ~ are unknown.

해설 Q1 레오나르도 다빈치의 그림 '모나리자' 속의 불가사의한 주인공의 미소에 관한 글로, 첫 문장(The *Mona Lisa* ~.)과 중반부의 두 문장(These techniques ~. In any case, ~.)에 이 글의 주제가 잘 나타나 있다.

해석 '모나리자'는 이제까지 창작된 가장 불가사의한 초상화들 중 하나로 여겨진다. 그것은 아마도 피렌체의 비단 상인의 아내인 리자 게라르디니일 가능성이 높다. 이 그림에서 레오나르도 다빈치는 두 가지 특정한 기법의 숙달을 증명했다. 첫 번째로 그는 '스푸마토'라고 불리는 기법으로 밀접하게 연관된 색채의 사용을 통해 부드럽고 매끄러운 효과를 만들어냈다. 그다음으로 그는 '명암법'이라고 불리는 기법으로 대비를 이루기 위해 빛의 작은 변화를 이용했다. 이러한 기법들은 대상의 한쪽으로 치우친 미소라는 흥미로운 특징에 기여했다. 어쨌든 그 특정한 표정의 이유는 알려져 있지 않다. 여성들이 그런 식으로 미소 짓는 것이 단순히 그 당시의 유행이었다는 가설이 있다. 다른 사람들은 심지어 그것이 그녀가 잠들었을 때 이를 가는 버릇으로 인해 고생했다는 증거라고 제안하기까지 했다. 어쩌면 그녀는 기다림으로 그저 경직되고 지루했던 것일지도 모른다!

① '모나리자'에 사용된 기법
② '모나리자' — 왜 그렇게 유명한가?
③ 모나리자 미소의 미스터리
④ 왜 레오나르도는 '모나리자'를 그렸나?
⑤ '모나리자'의 몇 가지 비밀들이 밝혀졌다

해설 글 초반에서 레오나르도 다빈치가 그린 불가사의한 초상화인 '모나리자'를 그린 기법을 통해 주인공의 미소를 소개한다. 이어서 미소 지은 정확한 원인은 알려지지 않았다는 주제를 설명하며, 그에 대한 의견이 분분하다는 내용이 나온다. 따라서 글의 제목은 ③ '모나리자 미소의 미스터리'가 알맞다.

오답분석 글의 초반부에 레오나르도가 모나리자를 그리는 데 사용한 두 가지 기법(his mastery of two particular techniques)이 설명되고 있으나 이는 모나리자 미소의 특징에 기여했음을 설명하는 부분일 뿐이므로 ①을 골라서는 안 된다. 또한, 글의 후반부에 모나리자의 미소에 대한 여러 가설이 제시되어 있기 하나, '그 특정한 표정의 이유는 알려지지 않았다(the reasons for that particular expression are unknown)'라고 했으므로 ⑤ 역시 정답이 될 수 없다.

어휘 merchant 상인 / demonstrate 증명하다, 입증하다 / mastery 숙달, 통달 / closely 밀접하게, 접근하여 / contrast 대비, 대조; 대조하다 / contribute to A A에 기여[기부]하다 / subject 대상; 주제; 과목 / one-sided 한쪽으로 치우친 / grind (이를) 갈다 / tense 경직된, 긴장한

구문 [10~11행] There is **a theory that it** was simply the fashion of the time / for women / **to smile in that manner**.
（a theory = that: 가주어, 의미상 주어, 진주어）

◆ that ~ that manner는 a theory와 동격을 이루는 절이다.

◆ it이 가주어, to-v 이하가 진주어이며, to-v의 의미상 주어는 for women이다.

[11~13행] Others have even proposed // that **it** was **evidence that** she suffered from the habit of grinding her teeth together / **while** (*she was*) asleep.
（it = her smile）

◆ it과 that이 보이지만, 「it(가주어) ~ that(진주어)」 구조가 아니다. it은 모나리자 특유의 미소를 가리키는 대명사, that절은 evidence와 동격이다.

◆ while 등이 이끄는 부사절의 주어가 주절의 주어(she)와 일치하는 경우, 부사절의 「주어+be동사」는 생략되는 경우가 많다.

해결전략 2 Warm Up ①

해석 나는 비록 스트레스를 받는 예측으로 3일을 보냈지만, 그 시간을 가짐으로써 스카이다이빙에 관한 지식을 얻을 수 있었다. 내 두려움은 내가 수집했던 정보에 의해 줄어들었고, 그것이 내가 그 경험을 더 즐길 수 있게 해주었다.

① 정보: 두려움을 피하는 방법 ② 높이와 스카이다이빙에 대한 두려움

어휘 anticipation 예측 / acquire 얻다, 습득하다

전략적용 2 ⑤ **Q1** 신생아 목욕 **Q2** For this reason

해설 Q1 아기가 태어난 직후에 바로 목욕을 시키는 관행에 관한 내용으로 '신생아 목욕'이 글의 중심 소재이다.

Q2 일부 전문가들에 의해 신생아 목욕에 관한 관행이 아기를 보호해주는 '태지'라는 물질을 씻어버리게 되어 바람직하지 않은 것으로 여겨진다는 것이 이 글의 요지이다.

해석 아기들이 태어난 직후에 바로 목욕시키는 관행은, 특히 임신 마지막 단계 동안 생성된 막이 제거될 때, 종종 그들을 열 손실과 추위에 노출시킨다. '태지'라고 불리는 이 막은 아기 피부 자체에서 생겨난다. 출산 전에 '태지'는 아기의 피부를 보호하는 담요 역할을 한다. 출산 후에 그것은 열 손실을 막고 추위를 차단한다. 이러한 이유로 이 물질을 씻어버리는 관행은 몇몇 전문가들에 의해 바람직하지 않은 것으로 여겨진다. 이것은 주변 온도가 26도 미만인 곳에서는 특히 그렇다. 그러나 주변 온도가 더 높을 때라도 이 물질을 그대로 남겨두고, 대신에 엄마가 아기를 돌볼 준비를 하는 동안, 아기를 엄마와 같이 두는 것이 그럼에도 좋은 생각일지도 모른다.

① 첫 목욕에 대한 근거 없는 믿음
② 당신 아기의 초기를 편안하게 만들기
③ 목욕은 아기에게 고통스러울까?
④ 목욕 온도의 중요성
⑤ 신생아를 목욕시키는 데 급하신가요? 여유를 가지세요

해설 첫 번째 문장(The practice ~ is removed.)에서 아기가 태어난 직후에 목욕을 시키는 것은 열 손실과 추위를 막아주는 '태지'를 제거해 버린다고 했고, 글 중반에서 이 물질을 씻는 것은 바람직하지 않다고 했으므로 글의 제목은 ⑤이다. 글에 대한 호기심을 유발하기 위해 제목을 의문문과 명령문 형태로 쓴 경우이다.

오답분석 신생아 목욕이 중심 소재지만 신생아 목욕에 관한 잘못된 통념이나 근거 없는 믿음에 대해서 글에 드러나 있지 않으므로 ①은 오답이다.

어휘 practice 관행; 관습; 연습 / bathe 목욕시키다 / shortly after 직후에 / coating (막 같이 두른) 칠; 입힌 것 / phase 단계 / pregnancy 임신 / serve as ~의 역할을 하다 / following ~ 후에; 다음의 / block out ~을 차단하다 / substance 물질 / undesirable 바람직하지 않은; 원하지 않는 / authority 권위(자), 대가; 권한 ((pl.)) 당국 / surrounding 주변의, 주위의; ((pl.)) (주변) 환경 / untouched 본래 그대로의 **[선택지 어휘]** myth 근거 없는 믿음; 신화 / newborn 신생아; 갓 태어난

구문 [1~3행] *The practice* (of bathing babies / shortly after they are born) / often exposes them to heat loss and cold, // especially when *the coating* (**developed during the last phase of pregnancy**) is removed.
（V = exposes, O = them, S' = the coating, V = is removed）

◆ developed ~ pregnancy는 the coating을 후치 수식하는 과거분사구이다.

[8~11행] This is especially true / **where** the surrounding temperature is less than 26 degrees. But even when surrounding temperatures are higher, / it might still be a good idea to leave this substance untouched, ~.
（it = 가주어, to leave = 진주어, this substance = O', untouched = C'）

◆ 여기서 where는 접속사로 쓰여 '~한 곳(상황, 경우)'를 나타낸다.

1 ②　　**2** ④　　**3** ④　　**4** ⑤　　**5** ⑤

1 ②

해석 정신 병원에 있는 환자가 여러분에게 "집에 가고 싶어요."라고 말한다면, 여러분은 반드시 그의 말을 진지하게 받아들이거나 또는 그 환자가 서류 작업과 허가받는 것을 완수되게끔 도와주려 하지는 않는다. 하지만, 대학생이 방학에 '집에 가는 것'에 대해 이야기한다면, 여러분은 도와주고 싶다고 느끼면서 격려를 해준다. 매니저가 긴 하루 일과를 끝내고 '집에 가고' 싶어 한다면, 여러분은 그 여행이 짧고 다음 날 다시 돌아올 것이라는 것을 안다. 심리학자가 어린 시절의 상처를 치유하기 위해서 정신적으로 '집에 가는 것'에 대해 이야기한다면, 여러분은 수년 동안 지속되는 새로운 사고의 과정을 시작할지도 모른다. 의미는 말에서 나오는 것이 아니고, 똑같은 말이 다른 상황에서 다른 의미를 전달한다. 의미는 누가 누구에게, 언제, 그리고 무슨 목적으로 말하는지에 달려 있다. 그 말이 일반적일수록, 그 말은 아마 더 많은 의미를 가지고 있을 것이다.

① 말 대 목적: 어느 것이 여러분을 행동으로 이끄는가?
② 의미는 맥락에서 나온다는 것을 명심하라
③ 구체적으로 말하라, 그러면 여러분은 더 많은 지지를 받을 것이다
④ 말을 하는 사람이 아니라 말의 내용에 집중하라
⑤ 모든 사람들은 말을 듣는 것보다 말을 하는 것을 더 좋아한다

해설 정신 병원에 있는 환자, 대학생, 매니저 등의 사례를 통해서 '집에 가고 싶다'와 같은 말을 어떤 상황에서 하느냐에 따라서 그 의미가 달라진다고 했으므로 정답은 ② '의미는 맥락에서 나온다는 것을 명심하라'이다.

오답분석 똑같은 말이라도 어떤 상황에서 말을 하느냐에 따라서 지지를 받을 수도 아니면 받지 못할 수도 있다고 했을 뿐, 구체적으로 말하면 더 많은 지지를 받는다고는 하지 않았으므로 ③은 오답이다. ④ 또한 말을 하는 사람의 상황에 따라 의미가 달라진다고 했으므로 오답이다.

어휘 mental hospital 정신 병원 / necessarily 반드시 / seriously 진지하게, 심각하게 / paperwork 서류 작업, 문서 업무 / permission 허가, 허락 / supportive 도와주는, 지원하는 / psychologist 심리학자 / wound 상처, 부상 / convey 전달하다 / circumstance 상황, 환경　[선택지 어휘] context 맥락; 문맥 / specifically 구체적으로

구문 [1~2행] When a patient in a mental hospital says to you, "I want to go home," // you don't necessarily take it seriously or (don't) try to help him get the paperwork and permission completed.

◆ 목적어 the paperwork and permission이 '완수되다, 이루어지다'라는 수동의 의미이므로, 과거분사 completed가 사용되었다.

[10행] **The more** common the word (is), **the more** meanings it probably has.

◆ 「the+비교급 ~, the+비교급 ...」 구문으로 '~하면 할수록 더 ...하다'라는 의미를 나타낸다.

2 ④

해석 오늘날 우리의 지식은 맹렬한 속도로 증가해서, 이론적으로 우리는 세상을 더욱더 잘 이해해야 한다. 하지만 매우 반대의 상황이 일어나고 있다. 우리가 새로 발견하는 지식은 급속한 경제, 사회, 그리고 정치적 변화를 이끈다. 그래서 발생하고 있는 일을 이해하기 위해서, 우리는 지식의 양을 확장시키고, 이것은 단지 더 빠르고 더 큰 격변을 초래할 뿐이다. 결과적으로 우리는 미래를 예측할 수 있는 능력이 점점 떨어진다. 1016년에는 1050년의 유럽의 어떤 모습일지 예측하는 것이 상대적으로 쉬웠다. 당연히 왕조는 무너지고, 사람들은 농업에 의존할 것이다. 하지만 1050년에 유럽은 여전히 왕에 의해 통치될 것이고 농업 사회일 것이 명백했다. 대조적으로, 현재 우리는 풍부한 지식 때문에 2050년의 유럽이 어떤 모습이 될지 알 수 없다. 우리는 유럽이 어떤 유형의 정치 시스템을 가지게 될지 또는 직업 시장이 어떻게 형성될지 말할 수 없다.

① 이것을 잊지 마라: 지식 첫 번째, 예측 두 번째
② 지식은 행복하게 사는 것을 쉽게 만든다
③ 과거의 유럽 대 미래의 유럽: 비슷하지만 다른
④ 더 많은 지식이 있으면 있을수록, 미래를 예측하는 것은 더 어려워진다
⑤ 혁신적인 지식 발전의 숨은 촉진제

해설 지식이 증가하면 세상을 더 잘 이해할 수 있을 것 같지만, 그 반대의 현상이 현재 발생하고 있다고 하면서 지식의 양이 늘어나면서 미래를 예측하는 것이 더 어려워진다는 내용의 글이므로 정답은 ④ '더 많은 지식이 있으면 있을수록, 미래를 예측하는 것은 더 어려워진다'이다.

오답분석 ①은 지식(knowledge)과 예측(prediction)이 전체 글의 핵심어이지만 언급되어 있지 않다. ③은 1016년의 유럽과 2050년의 유럽에 대한 내용이 언급되었지만 이 두 개의 유럽이 서로 비슷하다거나 다르다는 내용은 나와 있지 않다.

어휘 breakneck 맹렬한, 정신없이 달려가는 / theoretically 이론적으로 / in an attempt to ~하기 위하여 / expand 확장하다, 넓히다 / upheaval 격변 / consequently 결과적으로 / forecast 예측하다 / relatively 상대적으로 / dynasty 왕조 / agriculture 농업 cf. agricultural 농업의 / in contrast 대조적으로 / due to ~ 때문에

구문 [4~5행] ~ we expand the amount of knowledge, // **which** leads only to faster and greater upheavals.

◆ which는 계속적 용법의 관계대명사로 and it(= we expand the amount of knowledge)으로 바꾸어 쓸 수 있다.

[7~8행] ~; yet **it** was clear that in 1050 Europe would still be ruled
　　　　　　가주어　　　　　　　　　진주어1
by kings, and that **it** would be an agricultural society.
　　　　　　　　　　진주어2

◆ 첫 번째 it은 가주어, 두 번째 it은 지시대명사로 in 1050 Europe을 가리킨다.
◆ 'it(가주어) ~ that(진주어)' 구조로 첫 번째 that절과 두 번째 that절이 접속사 and로 병렬연결되어 있다.

3 ④

해석 어떤 사람들은 결과에 대해 끊임없이 걱정한다. 하지만 그들에게 동기를 부여하는 것은 바로 실패에 대한 그들의 두려움이다. 그럼에도 그들이 부정적인 생각에 초점을 맞추는 것이 실제로 득이 되는 걸까? 이를 알아내기 위해, 한 조사팀은 그러한 무리의 사람들에게 그들이 곧 일련의 수학 문제를 시험 보게 될 것이라고 말했다. 절반의 참가자들에게는 다가오는 시험에 대한 그들의 생각과 감정을 곰곰이 생각해보고 그러한 생각들을 실험자에게 열거하라고 말했다. 나머지 참가자들에게는 그들의 모든 주의를 돌리는 교정하는 활동이 주어졌다. 결국 다가오는 시험에 대해 걱정을 하고 불안해하는 것이 허용된 참가자들이 이를 하지 못하게 된 참가자들보다 실제로 기분이 더 나았다. 게다가 그들은 걱정하는 것이 허용되지 않았던 참가자들보다 더 나은 성적도 냈다. 이 실험의 결과는 어떤 도전 과제 전에 잘못될 수 있는 모든 것에 대해 생각하는 것이 실제로 어떤 사람들에게는 도움이 된다는 것을 시사한다.

① 자기반성의 효과
② 불안 수준과 시험 성적
③ 부정적인 생각은 어디에서 나오는가
④ 부정적인 생각: 모든 사람의 적은 아니다
⑤ 부정적인 생각을 긍정적으로 바꾸는 비결

해설 시험에 대해 걱정하고 불안해하는 사람들은 그렇게 함으로써 기분이 더 나아지고 시험 성적도 더 좋게 나온다는 내용의 글이다. 실험 결과의 시사점을 서술하는 마지막 문장(The result of ~ some people.)이 주제문으로, 이를 압축적으로 표현한 ④ '부정적인 생각: 모든 사람의 적은 아니다'가 글의 제목으로 적절하다.

오답분석 불안함과 시험 성적에 관한 실험 결과가 소개되어 있지만 시험 성적과의 관계를 강조하기보다는 부정적인 생각이 효과가 있는지에 관한 실험이므로 ②로 골라서는 안 된다. ③, ⑤는 negative thoughts를 보고 연상할 수 있는 내용의 오답이다.

어휘 outcome 결과, 성과 / motivate 동기를 부여하다, 자극하다 / figure out ~을 알아내다, 이해하다 / investigator 조사자, 연구원 / a series of 일련의 / reflect on ~을 곰곰이 생각하다 / remaining 나머지의 / proofreading 교정(남의 문장 또는 출판물의 잘못된 글자를 바르게 고침) / in the end 결국

구문 [1~2행] But **it is** *their fear of failure* **that** motivates them.

◆ 「it is[was] ~ that ...」 강조 구문에서 their fear of failure가 강조 대상인 문장이다.

[6~8행] In the end, *those* (**allowed to worry and be anxious about the upcoming test**) actually felt **better than** *the participants* (**not allowed to do this**).

◆ A와 B를 비교하는 「비교급+than ~」 구조이다. those와 the participants 뒤에는 후치 수식하는 과거분사구가 쓰였다.

4 ⑤

해석 최근 여론 조사에 따르면, 미국인들 중 거의 65%가 소위 그들의 여가의 대부분을 그들이 차라리 하지 않는 게 나을 일을 하면서 보낸다고 한다. 나는 이것에 두 가지 이유가 있다고 생각한다. 첫 번째로 우리 중 많은 이가 우리가 무엇을 원하는지 모르고, 그것을 알아낼 시간을 갖는 것이 불가능한 것처럼 보일 수 있다. 두 번째로 우리가 하고 싶은 일은 흔히 하기에 어려울 수 있다. 예를 들어 만약 당신의 숨겨진 욕망이 훌륭한 소설을 쓰는 것이라면, 그것을 시작이라도 할 수 있도록 상황을 정리하기 위해 그것은 당신의 인생에서 외견상 중요한 변화를 필요로 할 것이다. 그래서 이곳저곳에서 사교 약속, 오찬 모임, 혹은 그렇게 많은 흥미가 없는 TV를 보는 저녁으로 우리의 인생을 보내게 된다. 그동안에 우리가 진정 하고 싶은 것들은 계속해서 다른 날로 미루게 된다.

① 당신이 인생에서 원하는 것을 하는 방법
② 여가를 즐기고, 당신의 에너지를 충전하라
③ 당신에게 여가가 필요한 이유들
④ 일과 휴식 사이의 균형
⑤ 우리가 하고 싶은 것을 하지 않는 이유

해설 첫 문장(According to ~ not do.)이 주제문으로 대부분의 사람들이 왜 하고 싶은 일보다 하지 않는 것이 나을 일들을 하며 여가를 보내는가에 대한 두 가지 이유가 있다고 했고, 그 이유들이 이어서 설명된다. 따라서 글의 제목은 ⑤ '우리가 하고 싶은 것을 하지 않는 이유'가 알맞다.

오답분석 이 글은 여가에 왜 우리가 하고 싶은 일을 하지 못하는지에 대해 설명하는 글이기 때문에, 원하는 일을 어떻게 할 수 있는가에 대한 ①이나 여가가 필요한 이유를 설명하는 ③은 글의 제목이 될 수 없다. 글에 나온 어구나 표현이 선택지에 사용되고 있다고 해서 혼동하지 않도록 주의한다.

어휘 poll 여론 조사; 투표 / so-called 소위, 이른바 / seemingly 외견상으로, 겉보기에는 / arrange 정리하다 / engagement 약속; 약혼 / luncheon 오찬(손님을 초대하여 먹는 점심) [선택지 어휘] recharge 충전하다 / relaxation 휴식; (긴장 등의) 풀림

구문 [6~8행] So our lives get spent / on **a social engagement here**, **a luncheon there**, |**or**| *an evening of television* [that we don't have all **that** much interest in ●].

◆ 전치사 on의 목적어 역할을 하는 세 개의 명사구(A, B, C)가 등위접속사 or로 대등하게 연결된 형태이다.

◆ 관계대명사 that절 내에서 첫 번째 that은 전치사 in의 목적어에 해당하는 an evening of television을 수식하는 목적격 관계대명사로, 목적격 관계대명사 that 앞에는 전치사를 두지 못한다. 두 번째 that은 '그렇게 ~하지는 않은'이라는 뜻의 부사이다.

5 ⑤

해석 여러분이 사람들에게 여러분을 기꺼이 알게 되도록 할 때만 그 사람들이 여러분에게 충실함을 느낀다. 사람들은 자신들이 모르는 누군가를 좋아할 수 없다. 만약 여러분이 직장에서 맺고 있는 가장 가까우면서 가장 의미 있는 관계를 생각한다면, 그러한 관계는 흔히 자기 공개에 기반을 둔 것이다. 그런 초기의 대화나 초대는 "일 끝나고 함께 시간을 좀 보내자. 나는 너를 더 잘 알아가고 싶어," 또는 "음, 내가 네게 내 인생 이야기를 말해줄게. 네 인생 이야기를 말해줘."처럼 흔히 명백하다. 여러분이 일하는 곳, 여러분이 즐기는 취미, 여러분이 갔던 여행, 여러분이 놓친 세일 등 여러분 자신에 대한

사실을 공유함으로써 자신의 공개를 연습하라. 그 주제는 당신이 기꺼이 정보를 공유한다는 사실만큼 중요하지는 않다. 시간이 흐르고 연습을 통해서 여러분의 가치, 의견, 그리고 목표를 공유할 때 여러분은 점진적으로 편안함을 느낄 것이다. 이에 따라서 여러분의 관계도 나아질 것이다.

① 왜 연습이 우리를 능력 있는 사람으로 만드는가
② 여러분의 관계가 나의 관계만큼 소중한가?
③ 사실 대 소문: 여러분은 어느 것에 의존합니까?
④ 자기 공개: 나를 위한 것이 아니라 여러분을 위한 것이다
⑤ 자신에 대해 말하라, 그러면 여러분의 관계가 이익을 얻을 것이다

해설 사람들이 맺고 있는 가장 가깝거나 의미 있는 관계는 자기 공개를 기반으로 이루어진 것이라고 하면서 자신의 가치, 의견, 목표 등을 공개해서 남들과 공유할 때 관계가 나아질 것이라고 했으므로 정답은 ⑤ '자신에 대해 말하라, 그러면 여러분의 관계가 이익을 얻을 것이다'이다.

오답분석 글의 전체적인 내용이 인간관계에 관한 것이기는 하지만 '나의 관계'와 '여러분의 관계'를 서로 비교하는 내용이 아니므로 ②는 오답이다. 또한 자기 공개를 하면 '나 자신의 관계'가 좋아진다고 했으므로 ④는 정답이 될 수 없다.

어휘 be willing to-v 기꺼이 v하다 / meaningful 의미 있는 / be based on ~에 기반을 두다 / self-disclosure 자기 공개 / initial 초기의, 처음의 / subject 주제; 피실험자 / matter 중요하다 / gradually 점진적으로, 점차 / feel at ease 편안해지다 / accordingly 이에 따라서; 따라서, 그러므로 [선택지 해석] able 능력 있는 / precious 소중한, 귀중한 / benefit 이익을 얻다

구문 [7~8행] The subject doesn't matter as much as the fact [**that** you're willing to share the information].

◆ that ~ the information은 the fact와 동격을 이루는 절이다.

Unit 03 빈출순 **어법 POINT** p. 27

능동의 v-ing vs. 수동의 p.p.

offering | 인도의 왕들은 승자를 위한 상을 제공하며 큰 토론 대회를 후원했다.

어휘 sponsor 후원하다

Quiz

1 surrounding | 과학자들은 지구온난화를 둘러싼 쟁점들을 더욱 철저히 조사하는 것을 시도해왔다.

해설 '쟁점들'이 '둘러싸는' 것이므로 the issues와 surround는 능동 관계이다. 따라서 현재분사 surrounding이 적절하다.

어휘 issue 쟁점, 논점; 문제 / thoroughly 철저히

2 taken | 병원으로 옮겨지고 나서야 제이크는 의식을 되찾고 회복하기 시작했다.

해설 '제이크'가 '옮겨진' 것으로 의미상 주어 Jake와 take는 수동 관계이므로 과거분사 taken이 적절하다.

어휘 regain 되찾다 / consciousness 의식, 자각 / recover 회복하다

Practice ⑤

해석 우리는 보통 우리의 감각이 일상의 경험들과 상호작용하는 방식을 알지 못한다. 내가 사는 곳 근처의 유명한 해변 바로 맞은편에는 우산, 자외선 차단제, 청량음료 등의 여름철 용품들을 파는 한 줄로 늘어선 상점들이 있다. 어느 추운 겨울날, 거친 바람이 불고 있었을 때, 생일 선물을 사야 했던 한 친구가 보석류 판매 구역을 둘러보기 위해 그 가게들 중 하나로 잠시 들어갔다. 이유를 모른 채, 그녀는 불현듯 자신이 수영복을 둘러보고 있다는 것을 깨달았다. 자신의 행동에 놀라, 그녀는 여름이 적어도 다섯 달이나 남았음에도 불구하고 주위의 공기가 여름의 공기와 같다는 것을 서서히 알아차리게 되었다. 후에, 판매직원과 농담을 하면서, 그녀는 그들에게 그들의 비밀을 밝혀달라고 부탁했다. 한 점원이 그녀를 상점의 구석으로 데려가서 미세한 코코넛 향을 �어 내고 있는 기계를 가리켰다. 결국, 그녀는 수영복은 사지 않았고, 일주일 후에 그녀는 피지로 가는 여행을 예약했다.

오답분석 ① '한 줄로 늘어선 상점들'이 '판매하는' 것이므로 a row of stores와 sell은 능동 관계이다. 따라서 현재분사인 selling은 적절하다. ② 선행사가 사람(a friend)이고 뒤에 동사 needed가 왔으므로 주격 관계대명사 who는 어법상 옳다. ③ 분사구문의 의미상 주어인 she와 know는 능동 관계이다. 따라서 현재분사 knowing은 알맞게 쓰였다. ④ 분사구문의 의미상 주어인 she가 자신의 행동 때문에 '놀라움을 느낀' 것이므로 과거분사 Surprised는 어법상 옳다.

어휘 unaware 알지 못하는 / interact with ~와 상호작용하다 / day-to-day 일상의 / across from ~의 바로 맞은편에 / rough 거친 / pop into ~을 잠깐 방문하다 / scan 둘러보다, 살펴보다 / browse (가게 안의 물건들) 둘러보다 / surrounding 주위의, 인근의 / pump out (~을) 쏟아 내다 / subtle 미묘한

구문 [2~3행] Across from *a popular beach* (near *(the place)* [where I live]) / is *a row of stores* (selling **summertime equipment**): umbrellas, sun creams, sodas, and so on.

- 장소를 나타내는 부사구(Across from ~ I live)가 문두에 오면서 주어와 동사가 도치된 구조이다.
- 전치사 near 다음에 관계부사 where의 선행사인 the place가 생략되어 있으며, '~한 곳에서'라고 해석한다.
- 콜론(:) 이하에는 summertime equipment에 대한 예시가 나열되고 있다.

[5~6행] **Not knowing why**, she suddenly found herself browsing the swimsuits.

- Not knowing why는 부대상황을 나타내는 분사구문의 부정형으로서, '~한 채, ~하면서'로 해석하면 자연스럽다.

미니 **모의고사 1** 01 ① 02 ⑤ 03 ⑤ 04 ③ 05 ③ 06 ⑤ 07 ③ 08 ③ p. 28

01 ①

해석 해변은 퇴적물이 축적되어 있는 육지와 바다 사이에 놓인 장소이다. 해변은 사람들이 즐길 수 있는 장소일 뿐만 아니라, 그곳은 많은 동식물의 서식지이자 방어 기능을 갖추고 있다. 하지만 전 세계 해변의 절반가량이 이번 세기말까지 사라질 수 있다. 열을 가두는 온실가스의 배출로 인해 지구의 온도가 계속해서 상승하면서, 녹는 빙하가 해수면을 높이고 극단적인 날씨 변화가 더 빈번해지고 강력해질 것으로 예상된다. 많은 전문가들은 이러한 것들이 전 세계의 취약한 해안가를 강타해서, 결국 해변을 사라지게 만든다고 경고한다. 그 전문가들에 따르면, 만약 이러한 과정이 저지되지 않도록 놔둔다면 2100년까지 전 세계 모래 해변의 거의 50%가 소멸되는 결과를 낳을 수 있다.

① 무엇이 해변을 사라지게 하는가
② 날씨에 미치는 해변의 영향
③ 해변은 어떻게 형성되어서 더 커지는가
④ 사람들이 해변에서 머무는 것을 선호하는 이유
⑤ 인간을 위한 해변의 다양한 기능

해설 전 세계 해변의 절반이 이번 세기말에 사라질 수 있다고 경고하면서 해변이 사라지게 되는 원인을 온실가스 배출로 인한 온도 상승 등을 언급하면서 구체적으로 설명하고 있으므로 정답은 ① '무엇이 해변을 사라지게 하는가'이다.

오답분석 ②, ③, ⑤는 핵심어인 해변(beaches)을 이용해 만든 선택지일 뿐 글의 핵심적인 내용과는 관련이 없다. 글 초반에 사람들이 해변에서 즐거운 시간을 보낸다는 내용이 언급되었을 뿐이므로 ④ 역시 정답이 될 수 없다.

어휘 zone 장소 / accumulate 축적되다, 축적하다 / habitat 서식지 / defensive 방어의, 수비의 / temperature 온도, 기온 / emission 배출, 방출 / frequent 빈번한, 자주 일어나는 / intensify 강력해지다, 심해지다 / strike 강타하다 / vulnerable 취약한, 허약한 / coastline 해안가, 해안 지대 / ultimately 결국 / unchecked 저지하지 않고 놔둔 / extinction 소멸, 멸종 / sandy 모래의

구문 [2~5행] **Not only** *are they* a place [where people can enjoy themselves], **but** they are **also** a habitat for many animal and plant species and they have a defensive function.

- 「not only A but (also) B」 구문에서 부정어를 포함하는 어구인 not only가 문두로 나가서 도치가 일어난 문장이다.
- where는 관계부사로, where ~ themselves가 선행사 a place를 수식한다.

[9~11행] ~ melting ice will raise sea levels **and** extreme weather events are expected to become more frequent and *(to)* intensify.

- 등위접속사 and로 두 문장이 병렬구조를 이루고 있다.

02 ⑤

해석 전통 건축 양식의 성공적인 현대적 사용은 그것들이 가진 아름다움으로만 우리를 감동시키는 것이 아니다. 그것들은 현대성과 보편성에 접근하는 동시에, 우리 자신의 문화와 배경을 지킴으로써 우리가 어떻게 다른 시대와 국가와 연결될 수 있는지도 우리에게 보여준다. 최고의 현대 주택들은 현대 건축 자재들과 현재 통용되는 디자인 원리들을 충분히 이용한다. 동시에, 그것들은 현대적 구조물을 다채롭고 안락한 역사와 연결하는 입증된 전통적 테마를 이용하는데, 그것은 잔혹하게 빠른 변화의 시대로 인해 발생된 충격을 치료한다. 그것들(these structures)이 사랑하는 역사에 대한 완전한 경의로, 이 건축물들은 우리에게 어떻게 우리도 과거와 지역의 소중한 부분을 급속히 변화하는 세계의 미래로 가져갈 수 있을지 보여준다.

① 건축 분야에서의 최근의 진보
② 현대 문화에서 전통의 중요성
③ 기술적 진보가 건축에 주는 영향
④ 전통적인 건축 양식을 접목하는 적절한 방법
⑤ 전통적이고 현대적인 건축물을 결합시키는 것의 가치

해설 글의 도입부(Successful modern ~ the universal.)와 후반부(With complete ~ global future.)에서 전통적인 양식을 접목한 성공적인 현대의 건축물들의 아름다움과 그 가치와 의의에 대해 서술하고 있다. 따라서 이 글의 주제로는 ⑤ '전통적이고 현대적인 건축물을 결합시키는 것의 가치'가 가장 적절하다.

오답분석 현대 '문화(culture)'에서 전통의 중요성이라고 한 단어만 바꾸어 오답으로 구성한 ②를 답으로 고르지 않도록 한다. 또한 전통적인 건축 양식의 접목에 대해 얘기하고 있으나, 그 방법에 대해 설명하는 글은 아니므로 ④는 적절하지 않다.

어휘 architectural 건축의, 건축(학)상의 *cf.* architecture 건축 양식; 건축(학) / move 감동시키다; 움직이다 / access 접근하다; 이용하다; 접근(권) / take full advantage of 충분히 이용하다 / current 현재 통용되는; 흐름 / proven 입증된 / rich 다채로운, 풍요로운; 부유한 / comforting 안락한, 편안한; 위안을 주는 / generate 발생시키다; ~을 초래하다 / era 시대 / brutally 잔혹하게 [선택지 어휘] advance 진보(하다), 향상(되다) / appropriate 적절한

구문 [2~6행] They show us // **how** we, too, might connect with other time periods and countries, / keeping our own culture and background / **while accessing the modern and the universal**.

- how ~ countries는 show의 직접목적어로 쓰인 간접의문문으로, 「의문사(how)+주어(we)+동사(might connect)」의 어순을 취한다.
- while accessing ~은 의미를 분명히 하기 위해 접속사를 남긴 분사구문으로, '부대상황'을 나타낸다(= while they access ~).
- 「the+형용사」는 여기서 추상명사의 뜻이 되어 the modern은 '현대성', the universal은 '보편성'으로 해석할 수 있다.

03 ⑤

해석 어릴 때는, 우리가 충분히 열심히 노력하면, 어떤 것도 가능하고 (예를 들면, 우주비행사가 되면서 동시에 유명 야구 선수가 되는 것) 우리는 어떤 것도 성취할 수 있다고 생각하는 것은 흔한 일이다. 야망이 있는 사람들에게 큰 꿈이 종종 실현된다는 것은 사실이지만, 우리가 나이가 들어감에 따라, 우리는 하나의 완성된 삶을 창조하기 위해 어떻게 우리의 목표들이 함께 들어맞아야 하는지를 고려할 필요가 있다. 다시 말해, 목표들은 우리 자신의 소망들이나 꿈들과 조화가 되어야 할 뿐만 아니라, 당신의 인생 목록상의 한 가지 목표의 성취는 또 다른 목표의 성취로 인해 더 쉬워져야 한다. 예를 들어, 당신의 소원이 요가 선생님이 되어 자신의 요가 스튜디오를 열고 싶은 것이라면, 이 목표는 '나의 가장 친한 친구와 매년 열리는 요가 캠프에 가기', '인도 방문하기', '매주 두 가지 새로운 요가 자세 연습하기'와 같은 다른 목표들로부터 도움을 받을 수 있을 것이다. 이런 형태의 목표들은 행복과 에너지를 만들어내고, 당신의 가장 큰 목표들에 도달할 가능성을 높인다.

해설 인생의 여러 가지 목표가 서로 조화를 이루어 한 가지 목표의 성취가 다른 목표의 성취를 돕도록 하라는 내용의 글이다. 글의 중반부에 need to, must not, should 등으로 필자의 주장이 강하게 드러나 있으며, 이를 가장 잘 나타낸 것은 ⑤이다.

오답분석 큰 꿈을 꾸던 어린 시절을 설명하는 초반부만 보고 ①을 골라서는 안 된다. 글의 중반부에서 목표는 당신의 소망과 조화가 되어야 할 뿐만 아니라, 목표 간의 조화를 이루어야 한다고 했으므로 ④는 필자의 주장을 포괄하지 않는다.

어휘 uncommon 흔하지 않은 / accomplish 성취하다 cf. accomplishment 성취; 업적 / ambition 야망, 야심 / fit together 서로 잘 맞다 / harmonious 조화로운 / desire 소망, 욕망 / annual 매년의, 연례의 / chance 가능성; 기회; 우연히 ~하다

구문 [5~8행] It's true / that big dreams often **do** come true for _people_ [who have ambition], // but as we get older, we need to consider / **how** our goals°ˢ fit together°ⱽ / to create one complete life.

⬥ do는 동사 come true를 강조하는 조동사이다.
⬥ how 이하는 consider의 목적어로 쓰인 간접의문문으로, 의문사가 있는 간접의문문은 「의문사+주어+동사」의 어순이다.

04 ③

해석 대부분의 사람들이 이해를 못 할 때조차도 예술은 좋은 예술이 될 수 있다는 주장이 있다. 그것은 (몸에는) 매우 좋지만 사람들이 먹을 수 있는 어떤 종류의 음식에 대해 말하는 것과 같다. 빵과 과일은 사람들이 그것들을 좋아할 때만 소용이 있는데 예술도 마찬가지다. 예를 들어, 이해하는 사람이 거의 없는데 몇몇이 좋다고 평가하는 예술이 있다고 가정하자. 그런 예술을 사랑하는 사람들이 어떤 특별한 지식이나 통찰을 가지고 있는 경우가 아니다. 이 작품들에 대한 설명도 없다. 그런데 익숙해질 때까지 사람이 먼저 예술을 읽고, 보고, 들어야 한다고 말하는 사람들이 있다. 하지만, 아무리 그것이 끔찍할지라도 사람은 어떤 것에도 익숙해질 수 있다. 사람들을 모든 종류의 건강에 좋지 않거나 해로운 것들에 익숙해지게 하는 것이 가능한 것처럼, 사람들이 나쁜 예술에 익숙해지게 하는 것도 가능하다.

해설 사람들이 빵과 과일을 좋아할 때만 그것이 좋은 음식인 것처럼, 예술도 사람들이 이해하지 못한다면 좋은 예술이라고 할 수 없다는 주장이 글의 초반부에 드러나 있다. 따라서 이 글의 요지로는 ③이 가장 적절하다.

오답분석 ①은 글의 요지와 정반대되는 내용으로 첫 번째 문장 (There's a claim ~ understand it.)을 활용한 오답이며, 글의 후반부에 예술에 익숙해지는 것에 관한 언급이 있으나 이는 나쁜 예술에도 익숙해질 수 있다고 부연 설명하는 부분이므로 ⑤ 역시 글의 요지로 적절하지 않다.

어휘 claim 주장; 주장하다 / in possession of ~을 소유하여 / insight 통찰(력) / explanation 설명; 해명 / work 작품; 일하다 / accustomed 익숙한 cf. get accustomed to A A에 익숙해지다 / unhealthy 건강에 좋지 않은; 유해한

구문 [5~7행] For instance, / suppose there is _some art_ [**that** few people understand ● but some describe ● as good].

⬥ that은 선행사인 some art를 수식하는 목적격 관계대명사로 ●는 원래 that절 안

의 목적어가 위치했던 자리이다.

[14~16행] **As** it is possible / to get°ⱽ people°° accustomed to all kinds of unhealthy or harmful things°°, // **so** it is possible / to get°ⱽ them°° accustomed to bad art°°.

⬥ 「(just) as ~, so ...: (꼭) ~인 것처럼 …하다」 구문이 사용되었다.

05 ③

해석 제품을 홍보할 때 제품이 없어야 할 문제점들을 확인하는 것으로 시작하는 것이 흔히 자연스럽다. 하지만 문제점만이 강조된다면 고객들을 잃을지도 모른다. 나는 한때 시리얼을 우유 속에서 더 오래 신선하게 유지해주는 데 실제로 도움이 될 수 있는, 시리얼에 입히는 특수한 설탕 코팅을 개발한 회사와 일한 적이 있다. 우리는 말랑말랑하고 눅눅해진 플레이크가 떨어지는 숟가락을 들고, 얼굴을 찡그린 아이 그림으로 이 발상을 강조했다. 그러나 이 이미지는 너무나도 매력적이지 못해서 기껏해야 동정심을 불러일으키고 영원히 그 슬픈 시리얼 경험과 우리 브랜드를 연결시켰다. 우리가 그 눅눅한 시리얼이 다른 회사의 것임을 분명히 하고 줄곧 (시리얼을) 오도독 씹고 있는 행복한 아이의 긍정적인 이미지를 강조했더라면, 아마도 이것은 효과가 있었을 것이다. 긍정적인 메시지와 이미지는 항상 더 나은 결과를 가져온다.

① 문제 분야에 집중하라
② 긍정적인 캠페인을 일찍 시작하라
③ 긍정적인 마케팅이 항상 최선이다
④ 부정적인 것에서 긍정적인 것을 분리하기
⑤ 차별화를 통한 마케팅 성공

해설 제품을 홍보할 때는 부정적인 이미지보다 긍정적인 이미지를 강조하는 것이 더 효과적이라는 요지의 글이다. 부정적인 이미지로 인해 원하는 성과를 거두지 못한 시리얼 광고를 통해 얻은 교훈이 서술되는 마지막 문장(Positive messages ~ better results.)이 주제문으로, 이를 가장 잘 반영한 제목은 ③ '긍정적인 마케팅이 항상 최선이다'가 된다.

오답분석 문제가 되는 부분에 집중하라는 ①은 주제와 정반대이므로 오답이다. 마케팅 활동의 시기와 관련된 내용이 아니기 때문에 ②는 답이 될 수 없다. 차별화를 통한 마케팅 성공은 시리얼 광고 예시에서 연상 가능한 내용이나, 글의 요지와는 무관하므로 ⑤는 부적절한 제목이다.

어휘 promote 홍보하다; 증진하다 / identify 확인하다; 동일시하다 / eliminate 없애다, 제거하다 / highlight 강조하다 / emphasize 강조하다 / frowning 찌푸린 얼굴의 / flake 플레이크(낱알을 얇게 으깬 식품); 조각 / hang off ~에서 떨어지다; ~을 놓아주다 / arouse 불러일으키다 / at best 기껏해야 / crunch 오도독 씹다 / imagery 이미지, 형상화; 사진 / bring in 가져오다 [선택지 어휘] separate A from B B에서 A를 분리하다 / differentiation 차별(화), 구별

구문 [9~12행] However this image was **so** _unattractive_ / **that** it **aroused** pity at best `and` forever **connected** that sad cereal experience with our brand.

⬥ 「so+형용사[부사]+that ...(너무 ~해서 …하다)」 구문이 사용되었으며, that절 안의 동사 aroused와 connected가 and로 병렬구조를 이룬다.

[12~15행] _Had we made_ it clear that the wet cereal was from another company, `and` **emphasized** a positive image of a happy kid crunching along, // maybe this **would have worked.**

⬥ 과거 사실에 반대되는 가정을 하는 가정법 과거완료로, if절에서 if가 생략되어 주어(we)와 조동사(had)의 도치가 일어났다. 주절에는 「조동사+have p.p.」가 쓰였다.
⬥ 과거완료 동사에서 made와 emphasized가 and로 병렬구조를 이룬다.

06 ⑤

해석 유럽의 발명품들은 국경을 알 수 없었다. 인쇄기가 독일의 발명품이 아닌 것은 망원경이 네덜란드의 발명품이 아니거나 편물 기계가 영국의 발명품이 아닌 것과 같았는데, 왜냐하면 그것들은 모두 지역 간의 상호작용과 소통의 부산물이었기 때문이다. 유럽 조선업자들은 다른 곳에서 생산되는 배의 종류를 보기 위해 자주 배를 타고 이동했

다. 14세기부터 북유럽 상인들의 자손들은 상업 산술을 배우기 위해 이탈리아로 여행왔다. 장거리 소통의 높은 비용에도 불구하고, 기술적인 '소식'은 유럽에서 잘 그리고 빠르게 전해졌다. 유럽에서 기술적으로 창조적인 사회들은 학습자로 시작해서 곧 대체로 (기술의) 생산자가 되었고 그런 다음 기술의 수출업자로 변했다.
① 사회에서 발명의 역할
② 유럽 국가들을 바꾼 발명품들
③ 유럽인들은 어떻게 서로 의사소통을 했는가?
④ 유럽인들이 발명을 추구하도록 장려했던 요인들
⑤ 무엇이 유럽의 기술적 발전을 초래했나?

해설 유럽의 발명품들은 여러 지역 간의 상호작용과 소통의 부산물이라는 초반부 (European inventions ~ between regions.)가 주제이다. 뒤이어 빠른 소식 전달과 활발한 교류를 통해 서로의 기술을 배워서 기술의 생산자에서 나아가 수출업자가 될 수 있었던 그 당시 유럽의 상황을 설명하고 있다. 따라서 제목으로는 ⑤ '무엇이 유럽의 기술적 발전을 초래했나?'가 가장 적절하다.

오답분석 Invention, Europeans 등 글에 나온 핵심 단어들로 오답이 구성되어 있음에 주의한다. 소통을 어떻게 했는지 설명하는 글이 아니기 때문에 ③을 골라서는 안 된다.

어휘 boundary 경계(선) / printing press 인쇄기 / telescope 망원경 / knitting machine 편물 기계(옷이나 소품 따위를 짜는 기계) / by-product 부산물 / interaction 상호작용 / region 지역 / shipbuilder 조선업자 / frequently 자주, 빈번히 / travel 이동하다; 여행하다 / elsewhere 다른 곳에서 / merchant 상인, 무역상 / commercial 상업의; 광고 (방송) / in spite of ~에도 불구하고 / technological 기술적인 cf. technologically 기술적으로 / typically 대체로, 일반적으로 / exporter 수출업자 **[선택지 어휘]** produce 초래하다; 생산하다 / advancement 발전, 진보

구문 [1~6행] The printing press was **no more** a German invention
_A
than the telescope was a Dutch one **or** the knitting machine
_{C1} _{D1 = invention} _{C2}
(was) an English one, // because **they** were all by-products (of
_{D2 = invention}
interaction and communication between regions).

◆「A is no more B than C is D」는 'A가 B가 아닌 것은 C가 D가 아닌 것과 같다'라는 의미이다.

◆they는 the printing press, the telescope and the knitting machine을 가리킨다.

07 ③

해설 모차르트는 타고난 재능이 있는 아이였다고 널리 여겨지기는 하지만, 그는 오랜 기간의 학습 후에야 최고의 작품을 만들었다. 16년 동안 음악에 몰두한 후에야 그는 처음으로 인정받는 걸작을 내놓았다. 비범한 솜씨의 출현은 보통 보기 드문 기회가 제공되는 시기보다 앞서기보다는 그 뒤에 온다. 그리고 그것은 어떤 아이가 잘할 것이라고 영향력 있는 어른들에 의해 표현된 강한 기대감과 종종 결합되기도 한다. 높은 수준의 성과가 노력 없이도 얻어질 수 있다는 사회적 통념은 대체로 연습 그 자체의 본질에서 비롯된다. 연습은 재미도 없고, 보통은 개인적으로 하게 되므로 (사람들은) 아무 일도 없었다고 생각하기가 쉽기 때문이다.

해설 (A) The appearance가 주어이고 단수이므로 follows가 적절하다.
(B) 문맥상 '강한 기대감'이 '영향력 있는 어른들에 의해 표현되는 것'이므로 수동의 의미인 과거분사 expressed가 알맞은 형태이다.
(C) 주어 The myth 다음에 동격 관계인 that절(that high ~ without effort)이 이어지는 구조로 문장 전체 주어 다음의 동사 자리에는 owes가 적절하다.

오답분석 (A) The appearance를 수식하는 전명구의 skills를 보고 복수동사인 follow를 고르지 않도록 한다. (C) The myth와 동격을 이루는 that절에 있는 동사 can be achieved를 문장의 동사로 착각하여 owing을 고르지 않도록 한다.

어휘 gifted 타고난 재능이 있는 / acknowledge 인정하다 / masterpiece 걸작, 대표작 / typically 보통; 전형적으로 / follow ~의 뒤에 오다; 따라가다 / combine A with B A와 B를 결합하다 / influential 영향력 있는 / myth 사회적 통념; 신화 / owe (성공 등을) ~에 돌리다; 빚지고 있다 / reality 본질; 현실

구문 [3~5행] **It was not until** he had been trained in music for 16 years // **that** he first produced an acknowledged masterpiece.

◆「it is[was] not until ~ that ...」의 경우 '~하고 나서야 비로소 …하다'로 해석할 수 있다.

[5~8행] The appearance of unusual skills typically follows rather
_S _{V1}
than comes before a period [**during which** unusual opportunities
_{V2} _O
are provided].

◆during which ~ provided는 선행사 a period를 수식하는 「전치사+관계대명사」 형태의 절이다.

08 ③

해석 만약 당신을 쫓아오는 악어가 있다면, 당신이 기억해야 할 가장 중요한 일은 당신과 악어 사이에 거리를 두는 것이다. 이렇게 하는 가장 빠르고 쉬운 방법은 곧장 앞으로 달리는 것이다. 악어는 거의 시속 50km의 속도까지 낼 수 있지만, 이 속도를 유지할 능력이 없다. 시작할 때 당신과 악어 사이에 약간의 거리가 있다면, 당신은 거의 틀림없이 달아날 수 있을 것이다. 당신이 달릴 때 지그재그로 달리는 것처럼 어떠한 어리석은 짓도 하지 않는 한 말이다. 좋은 소식은 당신이 악어에게 아마 절대로 쫓기지 않을 거라는 사실이다. 악어는 먹이를 얻기 위해 그들의 먹이를 잡으려고 뒤쫓는 대신에 '기습 공격' 방법을 쓰기 때문이다. 악어가 빨리 움직이고 있을 때, 그 악어는 안전을 위해 물속에서 일직선을 그으며 움직이면서 대개 무언가에서 벗어나려고 애쓰는 중이다.

해설 (A) The most important thing이 문장의 주어이므로 단수동사 is가 적절하다.
(B) be동사의 보어 역할을 하는 명사절이 필요하다. that과 what 모두 명사절을 이끌 수 있지만, 네모 뒤에 완전한 절이 오므로 불완전한 명사절을 이끄는 what은 올 수 없다. 따라서 접속사 that이 적절하다.
(C) 문장에 주어와 동사(it's)가 모두 있으므로 또 다른 접속사 없이 다른 동사가 올 수 없다. 따라서 준동사 형태인 현재분사 making이 적절하다.

어휘 crocodile 악어 / reach (특정 수준, 속도 등에) 이르다 / as long as ~하는 한 / zigzag 지그재그로 나아가다 / employ (기술, 방법 등을) 쓰다, 사용하다; 고용하다

구문 [1~3행] The most important thing [**that** you should remember
_S
●] / if there's a crocodile (following you) / is to get distance
_V _C
between you and **it**.
_{= the crocodile}

◆that은 The most important thing을 선행사로 하는 목적격 관계대명사이다.

CHAPTER 2 추론 및 완성하기

Unit 04 빈칸 추론(1)

p. 34

해결전략 1 Warm Up 1. ① 2. ①

1. 해석 500쌍의 결혼에 대한 연구에서, 한 연구자는 성공적인 결혼은 다른 어떤 요소보다도 _____에 더 밀접하게 연결되어 있다는 것을 알아냈다.

어휘 researcher 연구원 / be linked to A A와 연결되다 / factor 요인

2. 해석 동기부여에서 나오는 한 가지 결과는 상당한 노력을 필요로 하는 행동이다. 예를 들어, 몸무게를 줄이고자 하는 동기가 있다면, 당신은 저지방 식품을 사고, 더 적은 1인분의 양을 먹으며, 운동을 할 것이다.
① 노력 ② 경험

어휘 motivation 동기부여 / considerable 상당한 / portion 1인분의 양

전략적용 1 ③ **Q1** TV로 시간을 보내는 것이 무엇에 기여할 사건을 막는지 **Q2** If we are

해설 **Q1** 빈칸 문장을 'TV로 시간을 '때움'으로써 우리는 _____에 기여할 사건을 막게 된다.'라고 해석해 보면 쉽게 알 수 있다.
Q2 빈칸 바로 뒤의 If we are ~ 이하의 문장들에서 빈칸에 들어갈 단서를 찾을 수 있다.

해석 최근 설문 조사에 따르면 보통 사람은 하루에 거의 5시간을 텔레비전을 시청하면서 보내는데, 일을 제외하고 다른 깨어 있는 시간에 하는 활동들에 보내는 것보다 더 많은 시간이다. 좀 더 관계 지향적인 세상에서 이 5시간은 가족, 친구, 운동 또는 다른 인간관계 활동에 쓰일 것이다. TV는 우리에게 정보를 전달해주고, 시간을 보내게 하며, 우리의 아이들을 봐준다. 하지만 TV로 시간을 '때움'으로써, 우리는 교우관계에 기여할 사건을 막게 된다. 만약 우리가 텔레비전에 붙어 있으면, 우리는 친구와의 산책을 나갈 생각을 못 하게 된다. 우리는 친구가 무언가에 대해 걱정스러워 보이는 것을 알아채지 못하거나 걱정이 무엇인지 물어보지 못하게 된다. 우리는 다른 사람들의 감정에 대처하지 못하거나 흥미로운 논쟁을 하지 못하게 된다. 이것(TV를 보는 것)이 의미 있는 인간관계를 구축하는 우리의 능력을 파괴함에 따라 그 사회적·개인적 비용은 상상을 초월한다.
① 건강 ② 사회 ④ 지능 ⑤ 자기개발

해설 빈칸 문장을 통해 TV로 시간을 보내는 것이 무엇에 기여할 사건을 막는지 찾아야 함을 알 수 있는데, 빈칸 문장 뒤에 단서가 있다. TV 시청으로 인해 친구와 산책하러 나가지 못하는 것, 친구의 걱정을 알아차리지 못하는 것, 다른 사람의 감정에 대처하지 못하는 것 등은 모두 '교우관계'에 미치는 부정적 영향의 예이므로 빈칸에는 ③ '교우관계'가 알맞다.

오답분석 ①, ⑤는 상식적인 TV의 부정적 영향으로 빈칸에 넣었을 때 그럴듯해 보이지만 글에 언급된 바 없다.

어휘 -oriented ~ 지향적인 / fill up (시간을) 보내다; 채우다 / occurrence 사건; 발생 / set (텔레비전) 수상기; 세트; 놓다 / friendly 친구 사이의; 친절한 / companion 친구 / cope with ~에 대처하다

구문 [9~10행] We don't **notice** // **that** our companion seems to be worried about something [or] **ask** / **what it is.**
* don't에 이어지는 동사 notice와 ask가 or로 병렬구조를 이룬다.
* that은 notice의 목적어 역할을 하는 명사절(that ~ it is)을 이끄는 접속사이다.
* what it is는 ask의 목적어 역할을 하는 간접의문문으로 「의문사+주어+동사」의 어순이다.

해결전략 2 Warm Up ②

해석 만약 실험이 그 제품이 효과 있음을 보여준다면, 그 제약 회사는 이익을 본다. 따라서, 그 실험자들은 객관적이지 않다. 그들은 결론이 제약 회사에 우호적이고 이익을

주도록 보장할지도 모른다.
① 주관적인 ② 객관적인

어휘 profit 이익을 주다 / effective 효과 있는 / ensure 보장하다 / conclusion 결론 / benefit 이익을 주다

전략적용 2 ④ **Q1** because

해설 **Q1** 빈칸 앞의 이유를 나타내는 접속사 because를 단서로 중국 아이들이 숫자 세기를 배우는 데 유리하다는 내용에 대한 그 이유가 빈칸에 옴을 알 수 있다.

해석 왜 어떤 아이들은 수학적 재능을 발달시키는 반면 다른 아이들은 그러지 못하는 걸까? 우선, 숫자 언어의 학습이 중요한데, 문화적, 교육적 차이가 나타나는 것이 바로 이 단계이다. 예를 들어 중국 아이들은 숫자 세기를 배우는 데 유리한데, 그들의 숫자 어휘가 훨씬 더 단순하기 때문이다. 영어를 말하는 사람들은 'seventeen(17), eighteen(18), nineteen(19), twenty(20), twenty-one(21) 등'이라고 하는 반면에, 그들은 단지 '십-칠, 십-팔, 십-구, 이-십, 이-십-일 등'으로 말하면 된다. 이런 이유로 그들은 배워야 할 단어의 수가 더 적고 익혀야 할 문법도 더 적다. 증거에 따르면 그들이 쓰는 숫자 단어의 더 큰 단순함으로 인해 숫자 세기를 배우는 것이 약 일 년 정도 빨라진다고 한다!
① 그들은 다양한 계산법이 있기
② 그들의 숫자 체계는 다소 불규칙하기
③ 수학에 대한 그들의 태도가 매우 긍정적이기
⑤ 그들은 일상에서 숫자 단어들을 규칙적으로 마주치기

해설 빈칸 문장에서 중국 아이들이 숫자 세기를 배우는 데 유리하다고 했고, 접속사 because로 연결되고 있으므로 빈칸에는 유리한 이유가 들어가야 한다. 빈칸 뒤에 중국어에서는 숫자를 나타내는 단어가 영어권에 비해 단순하다는 내용이 이어지므로 중국 아이들이 숫자 셈을 배우기에 유리한 이유는 숫자 어휘들이 단순하기 때문이라는 것을 알 수 있다. 따라서 빈칸에 들어갈 말은 ④ '그들의 숫자 어휘가 훨씬 더 단순하기'이다.

오답분석 ②는 숫자 어휘가 단순해서 중국 아이들이 셈을 배우는 데 유리하다는 글의 요지와 상반되므로 알맞지 않다.

어휘 for starters 우선, 맨 먼저 / learning 학습; 학식 / crucial 중요한, 결정적인 / hence 이런 이유로 / grammar 문법 / indicate 나타내다; 가리키다 / simplicity 단순함, 평이함 / speed up 속도를 높이다 [선택지 어휘] counting system 계산법 / irregular 불규칙한

구문 [3행] ~, and **it is** at that stage / **that** cultural and educational differences appear.
* 「it is[was] ~ that ....」 강조구문으로, 전명구(at that stage)가 강조되었다.

[9~10행] Evidence indicates // **that** *the greater simplicity* (of their number words) **speeds up** learning to count / by about one year!
* that은 indicates의 목적어 역할을 하는 명사절을 이끄는 접속사이다.
* that절의 주어는 the greater simplicity ~ words이므로 동사는 speeds up으로 단수형이 쓰였다.

Make it **Yours**

p. 36

1 ① 2 ① 3 ④ 4 ⑤ 5 ②

1 ①

해석 일부 경제 분석가들은 불황이 도움이 된다고 주장한다. 미국 대통령인 허버트 후버는 경제 대공황 시기에 재무장관이었던 앤드루 멜런이 자신에게 "노동을 청산하고, 주식을 청산하고, 부동산을 청산하세요… 이것은 현재의 시스템에서 부패를 뿌리 뽑을 것이요… 사람들은 더 열심히 일하고 더 도덕적인 생활을 할 것입니다."라고 조언했다고 말했다. 이러한 주장은 불경기에는 비효율적인 회사들이 폐업을 하므로, 살아남은 회사들이 비용을 절감해서 더 효율적이 될 수 있는 아주 좋은 장려책이 있다는 것이다. 장기적으로 경제는 이러한 비효율을 제거함으로부터 이익을 얻을 것이고, 제너럴 모터스와 디즈니 같은 몇몇 유명한 회사들은 심한 불경기 동안에 설립되었다.
② 재해를 일으키는 ③ 되돌릴 수 없는 ④ 예상할 수 없는 ⑤ 심리적인

해설 미국의 재무장관이 사람들에게 경제 대공황 시기가 부패를 뿌리 뽑을 좋은 기회라고 말하였고, 불경기에 살아남은 회사들이 더 효율적인 회사가 될 수 있다는 등 경제가 좋지 않은 것이 도움이 될 수 있다는 내용이므로 정답은 ① '도움이 되는'이다.

오답분석 경기 불황이 심한 경우 재해를 일으키는 수준이 되거나 또는 돌이킬 수 없는 상황을 야기할 가능성이 있기는 하지만, 이 글은 경기 불황의 긍정적 기능에 관한 내용이므로 ②나 ③은 정답이 될 수 없다.

어휘 analyst 분석가 / claim 주장하다 / recession 불황, 불경기 / Secretary of the Treasury 재무장관 / the Great Depression 경제 대공황 / stock 주식 / real estate 부동산 / root out 뿌리 뽑다 / corruption 부패 / moral 도덕적인 / go out of business 폐업하다 / incentive 장려[우대]책 / benefit from ~로부터 이익을 얻다 / removal 제거 / found 설립하다

구문 [6~7행] ~, and there are greater incentives for surviving companies **to cut** costs / and **become** more efficient.
◆ to cut과 (to) become의 의미상 주어는 for surviving companies이다.

2 ①

해석 여론 조사와 설문 조사는 특히 통계적 오류와 고의적인 속임수에 취약하다. 특히, 조사 결과는 선택 편향에 의해 영향을 받을 수 있다. 합리적인 무작위 그룹의 반응을 얻기 위해 조사를 실시하려면 상당한 작업이 필요하다. 예를 들어, 쇼핑몰, 콘서트 또는 스포츠 경기장 밖에서 행해지는 조사는 사람들의 소득 수준, 인종 또는 성별 측면에서 균형을 이루지 못할 수 있다. 또한 조사 주제에 대해 강하게 느끼는 사람들은 그렇지 않은 사람들보다 그것을 완성할 가능성이 더 높다. 그래서 그들의 조사에 편견을 갖기를 원하는 이해관계자들은 누가 조사에 응답하는지 교묘하게 선택할 수 있고, 심지어 가장 선의의 여론 조사자조차도 대표 샘플을 얻지 못해 우연히 설문 조사에 편견을 갖게 할 수 있다.
② 가능한 한 자주 여론 조사를 실시해
③ 다양한 조사의 결과를 밝혀
④ 모든 응답자의 대답을 조작해
⑤ 그들이 좋아하지 않는 대답을 받아들이기를 거절해

해설 여론 조사 응답자들의 소득 수준, 인종, 성별 등의 측면에서 균형을 이루지 못하거나 응답자들이 조사 주제에 대해 편견을 가지는 경우, 선택 편향에 의해 여론 조사 결과가 영향을 받을 수 있다고 했으므로 빈칸에 들어갈 말로 가장 적절한 것은 ① '대표 샘플을 얻지 못해'이다.

오답분석 여론 조사를 자주 실시한다는 ②나 다양한 조사의 결과를 밝힌다는 ③은 글에서 언급되지 않았다. 또한 응답자의 대답을 조작함으로써 여론 조사의 결과를 한쪽으로 치우치게 할 수는 있지만, 이 글에서는 응답자의 대답을 조작한다는 내용은 언급되지 않았으므로 ④ 역시 오답이다.

어휘 opinion poll 여론 조사 / vulnerable 취약한, 허약한 / statistical 통계의 / deliberate 고의적인 / trickery 속임수, 사기 / outcome 결과 / influence 영향을 주다 / selection bias 선택 편향 / considerable 상당한 / random 무작위의 / in terms of ~의 측면[관점]에서 / complete 완성하다, 끝내다 / pollster 여론 조사자, 여론 조사 요원 / accidentally 우연히

구문 [2~4행] It **takes** a considerable amount of work / to conduct a survey / to get responses / from a reasonably random group of people.

◆ It이 가주어, to-v 이하(to conduct ~ people)가 진주어이다.
◆ take는 '(시간, 노력 등)이 걸리다, 들다'라는 뜻으로, 「it takes A to-v(v하는 데 A가 걸리다」의 어순으로 사용된다.

3 ④

해설 언젠가 자신의 목표를 실현할 것이라고 믿는 사람들 열 명 중 아홉은 능력에 대한 확고한 생각을 가지고 있다. 제임스 블랙은 백화점에서 일했는데, 그곳에서 그는 매장에서 어떤 옷을 팔지 선택하는 것을 도왔다. 하지만 그는 자력으로 더 잘할 수 있다고 확신했다. 그의 동료들은 그에게 그것이 가망 없는 일이라고 경고했다. 이에 의기소침해하기는커녕, 제임스는 자신을 신뢰했고 1995년에 지미 웨어를 시작했다. 그는 장시간 일을 했고 그의 옷은 꾸준히 전국에서 점점 더 많은 매장으로 진출해 나갔다. 제임스는 그토록 치열하고 경쟁이 심한 환경에서 성공하기 위한 한 가지 전략이 있다. "당신이 무엇을 위해 노력하고 있더라도, 꿈을 이룰 당신의 능력을 의심하지 마라."
① 그들이 종사하는 직업에 성취감을 느끼는
② 모두에게 '무조건 찬성하는 사람'이 되지 않으려고 노력하는
③ 오랫동안 자신을 준비해온
⑤ 많은 실패를 겪고 극복해온

해설 빈칸 문장으로 보아, '어떠한' 사람들이 능력에 대한 확고한 생각을 가지고 있는지 찾아야 한다. 이어지는 제임스에 관한 설명을 보면 그는 스스로 독립해서 더 잘할 수 있다는 확신이 굳건했고 주위의 만류에도 불구하고 사업을 시작했다. 또한, 마지막 문장에서 꿈을 이룰 자신의 능력을 의심하지 말라고 했으므로 이 단서들을 종합하면 그는 자신의 목표를 실현할 것이라는 믿음이 있었다는 것을 알 수 있다. 따라서 ④ '언젠가 자신의 목표를 실현할 것이라고 믿는'이 적절하다.

오답분석 ①은 빈칸 문장에 그럴듯해 보이나 자신의 목표가 실현될 수 있다는 확신을 가지라는 글의 요지와 무관하다. 또한, 동료들이 경고했지만 자신의 사업을 시작했다는 내용을 보고 ②라고 착각할 수 있으나, 이는 제임스가 목표를 실현한 과정 중 일부일 뿐이다. 이 글은 자신의 목표에 확신을 가지고 성공을 거둔 제임스의 이야기에 초점을 맞추고 있으므로 빈칸 문맥에 적절치 않다.

어휘 competence 능력; 능숙함 / be convinced 확신하다 / a long shot 가망 없는 일 / far from v-ing v하기는커녕 / drag down ~을 의기소침하게 하다 / launch 시작하다 / steadily 꾸준히, 끊임없이 / make one's way to A A로 나아가다 / intense 치열한 / competitive 경쟁을 하는 [선택지 어휘] fulfillment 성취, 달성 / go through ~을 겪다

구문 [2~3행] James Black worked in *a department store*, // **where** he helped choose **which clothes the store would sell**.
　　　　　　　　　　　　　　　　　　　　　　　S'　　　V'

◆ where는 선행사 a department store를 보충 설명하는 관계부사의 계속적 용법으로 쓰였다.
◆ 동사 choose의 목적어로 의문사절(which ~ sell)이 쓰였다.

4 ⑤

해석 정부가 약화될수록 기술적 혁신에는 더 이롭다는 것이 일반적인 법칙으로 여겨진다. 예외는 있어 왔지만, 강력한 통치자들은 기술적인 변화에 비우호적이거나 무관심한 경향이 있었다. 예를 들어 중국의 명 왕조와 일본의 도쿠가와는 그들 사회의 모든 측면을 긴밀하게 관리했고, 새로운 기술에 대해 비우호적이었다. 프랑스의 나폴레옹의 경우에서와 같이, 강력한 정부는 정권을 유지하기 위해 기술이 필요할 때만 혁신을 촉진하기로 결정했다. 하지만 통치자가 약해지면, 아무리 열심히 애를 쓴다 하더라도 그들은 보통 기술적인 진보가 발생하는 것을 막을 수 없다. 예를 들어 로마 제국의 몰락 이후 유럽의 중앙 권력의 약화는 이후 엄청난 기술적 진보를 설명하는 데 도움이 될 수도 있다.
① 사회를 개혁하기가 더 쉽다
② 권력을 확립하는 데 시간이 더 오래 걸린다
③ 사회 변화에 대한 요구가 더 강해진다
④ 기술적 발전이 더 느려진다

해설 빈칸 문장을 보면 정부가 약할수록 '어떻게' 되는지를 파악해야 함을 알 수 있다. 빈칸 문장 뒤에 단서가 있는데 강력한 통치자는 기술적 변화에 비우호적이라고 했으므로 반대로 통치자가 약하면 기술적 변화가 이루어진다는 것을 파악할 수 있다. 또한, 글

후반부의 통치자의 권력이 약해지면 기술적 진보의 발생을 막을 수 없다는 내용에서도 이를 확인할 수 있다. 따라서 빈칸에는 이 단서들을 개괄적으로 표현한 ⑤ '기술적 혁신에는 더 이롭다'가 적절하다.

오답분석 ②는 상식적으로 그럴듯해 보이지만 약한 정부와 권력이 확립되는 시간의 상관성에 대해서는 언급되지 않았다. ④는 글의 요지가 정부가 약할수록 기술적 혁신이 촉진된다는 것이므로 글의 중심 내용과 정반대인 오답이다.

어휘 ruler 통치자, 지배자 / indifferent 무관심한 / dynasty 왕조 / typically 보통; 전형적으로 / weaken 약화시키다 / central 중앙의 [선택지 어휘] reform 개혁하다, 개선하다

구문 [5~7행] **Only** when strong governments needed technology to stay in power, / as in the case of Napoleon's France, / **did they decide** to promote innovation.

◆ Only가 이끄는 어구가 문장 맨 앞으로 나갔기 때문에 「조동사(did)+주어(they)+동사(decide) ~」의 어순으로 도치되었다.

[7~8행] ~, they are typically unable to **keep technological progress from happening**, // **however hard** they may try.

◆ 주절에 「keep A from v-ing(A가 v하는 것을 막다)」 구문이 쓰였다.
◆ 「however+형용사[부사]+S+V」는 '아무리 ~하더라도'란 의미로 '양보'를 나타낸다.

5 ②

해석 생태학에 강조를 두기 때문에, 환경론자들은 산업 국가들이 누리는 동일한 부와 세련됨을 개발도상국들이 접근하지 못하도록 막는다는 비난을 종종 받는다. 다른 국가들이 이전에 취했던 것과 똑같은 경제적 길을 개발도상국이 자유롭게 추구해야 한다고 많은 사람들이 주장한다. 하지만 환경운동가들은 환경과 개발이 단단하게 연결되어 있어서 별개로 취급될 수 없다고 주장한다. 1987년 브룬틀란트 보고서에서 언급된 내용에 따르면, '환경을 관리하지 못하고 지속해서 개발을 하지 못하는 것은 모든 국가들을 전멸시킬 우려가 있다. 발전은 악화되는 환경의 기반에서 살아갈 수 없다.' 그러므로 모든 성장은 환경파괴의 비용을 고려해야 한다. 이 정도로 해서, 환경운동가들은 소규모 농업 프로젝트, 공정 무역의 지지, 그리고 서구 사회가 더러운 산업을 개발도상국에 버리는 것의 종식을 추진하면서, 개발도상국들이 경제·사회적으로 성장하도록 도움을 주었다.
① 급속한 발전의 필요성
③ 발전을 촉진시키는 새로운 방법
④ 경제적 이익의 정확한 분배
⑤ 발전하는 국가들의 고유한 상황

해설 환경과 개발이 밀접하게 연결되어 있어서 별개로 취급될 수 없고, 환경을 제대로 관리하지 못하는 상황에서 개발하는 국가들은 쇠퇴할 수 있다고 했으므로, 빈칸에 들어갈 말로 가장 적절한 것은 ② '환경 파괴의 비용'이다.

오답분석 개발 또는 발전이 환경과 밀접하게 연결되어 있다고 하면서 발전과 관련된 표현이 여러 차례 언급되지만, 급속한 발전이 필요하다거나 발전을 촉진시키는 새로운 방법에 대해서는 구체적으로 언급되어 있지 않으므로 ①, ③은 오답이다. 발전하는 국가들이 겪는 상황 또한 글에 제시되고 있지 않으므로 ⑤ 역시 정답이 될 수 없다.

어휘 emphasis 강조 / ecology 생태학 / be accused of ~라는 비난을 받다 / deny 거부하다, 허락하지 않다 / sophistication 세련됨, 세련 / separately 별개로 / sustain 지속하다, 계속하다 / threaten ~할 우려가 있다; ~의 징후를 보이다 / overwhelm 전멸시키다; 압도하다 / subsist 근근이 살아가다, 먹고 살다 / fair-trade 공정 무역 [선택지 어휘] rapid 급속한 / facilitate 촉진하다; 가능하게 하다 / distribution 분배

구문 [4~5행] Environmentalists, however, argue // **that** environment and development are tightly linked / and cannot be treated separately.

◆ that은 명사절을 이끄는 접속사로 environment ~ separately가 argue의 목적어 역할을 한다.

---

that[which] vs. what

that | 과학 기술과 인터넷은 젊은이들에게 익숙한 자원이므로, 그들이 이 자료에서 도움을 얻으려 하는 것은 타당하다.

어휘 logical 타당한; 논리적인 / assistance 도움, 원조 / source 자료(의 출처); 원천

Quiz

1 that | 곤충을 먹는 새들은 멀리서도 곤충을 볼 수 있다.

해설 앞에 선행사 The birds가 있으며 뒤에 주어가 없는 불완전한 구조가 오므로 주격 관계대명사 that이 적절하다.

2 what | 어떤 사람들은 자신들이 원하는 것을 얻는 것이 정직한 것보다 더 중요하다고 생각한다.

해설 앞에 선행사가 없고 뒤에 절의 동사 want의 목적어가 없는 불완전한 구조가 이어지므로, 선행사를 포함하는 관계대명사 what이 적절하다. 여기서 what절은 getting의 목적어 역할을 한다.

Practice ④

해석 한 유명한 실험에서, 아기들에게 갈퀴가 주어졌고, 장난감은 멀리 놓여 있었다. 아기들은 그 장난감을 얻기 위해 갈퀴를 사용하는 것을 재빨리 배웠다. 그런 다음 연구원들은 무언가 흥미로운 행동을 관찰하였다. 몇 번의 성공적인 시도 후에, 아기들은 그 장난감에는 흥미를 잃었지만 그 실험에는 흥미를 잃지 않았다. 그들은 장난감을 가져와 그것을 다른 장소들로 옮기고, 그것을 잡기 위해 갈퀴를 사용하곤 했다. 그들은 심지어 갈퀴가 할 수 있는 것을 보기 위해 손이 닿지 않는 곳에 그 장난감을 두었다. 장난감은 그들에게 전혀 중요한 것처럼 보이지 않았다. 중요한 것은 갈퀴가 그것을 더 가까이 움직일 수 있다는 사실이었다. 그들은 두 물체의 관계를 실험하고 있었고, 구체적으로 말하면 어떻게 한 물체가 다른 하나에 영향을 줄 수 있는지를 실험하고 있었다.

해설 (A) '행동'이 '흥미로운' 것으로, 수식받는 명사와 분사는 능동 관계이므로 현재분사인 interesting이 적절하다.
(B) 조동사 would에 이어지는 take, move와 and로 병렬연결된 구조이므로 동사원형인 use가 알맞다.
(C) 앞에 선행사가 없고 뒤에 do의 목적어가 없는 불완전한 절이 오므로 '(~하는) 것'이라는 뜻의 선행사를 포함한 관계대명사 what이 알맞다.

오답분석 (C) that을 see의 목적어절을 이끄는 접속사로 착각할 수 있는데, 접속사 that은 뒤에 완전한 구조가 이어져야 하므로 적절하지 않다.

어휘 observe 관찰하다; (법 등을) 준수하다 / attempt 시도(하다) / out of reach 손이 닿지 않는 곳에 / specifically 구체적으로 말하면; 분명히

구문 [6~7행] **What** mattered / was **the fact that** the rake could move it closer.
　　　　　　　　　　= the toy

◆ 선행사를 포함한 관계대명사 what이 이끄는 절이 문장의 주어 역할을 한다.
◆ the fact와 that 이하는 동격으로, 이때의 that은 동격절을 이끄는 접속사이다.

해결전략 1 Warm Up ②

해석 여러분이 친구들의 행복의 원천이 될 수 있음을 기억하라. 당신은 얼굴에 밝은 미소를 띰으로써 행복을 퍼뜨릴 수 있다.

① 산출량 ② 원천

어휘 wear a smile 미소를 짓다 [선택지 어휘] output 산출(량), 생산(량)

전략적용 1 ② **Q1** Using **Q2** On the other hand, ~ their walking.

해설 **Q1** 실제 세계에 비해 가상 세계를 이용하는 것의 한 가지 이점에 대한 글로, 빈칸 문장(Using a virtual world ~.)이 주제문이다.

Q2 '가상 세계를 만들어 피실험자에게 방을 걷게 하고, 피실험자가 걷는 동안 일어나는 일을 완전히 관리할 것'이라는 의미의 마지막 문장(On the other hand, if you created a virtual world ~.)에서 '환경을 통제한다'라는 빈칸의 내용을 추론할 수 있다.

해석 만약 여러분이 걸어서 문을 통과하는 것이 사람의 기억에 미치는 영향에 대한 연구를 하고 싶다면 상상해보자. 당연히 여러분은 피실험자들을 걷게 할 필요가 있고 문이 있는 여러 개의 다른 방이 필요할 것이다. 여러분은 이것을 '실제 세계'에서 할 수 있을 것이지만, 왜 컴퓨터 기술을 활용해서 피실험자들에게 가상으로 걷게 하지 않는가? 가상 세계를 이용하는 것은 실제 세계에 비해 한 가지 이점이 있는데, 그것은 여러분이 환경을 통제한다는 것이다. 예를 들어, 만약 여러분이 실제 세계를 이용해서 피실험자들에게 건물의 한쪽 끝에서 다른 쪽 끝으로 걷게 한다면, 여러분은 피실험자들이 누구를 만날지, 누가 그들과 대화를 시작하는지, 또는 피실험자들이 이 과정에서 어떤 사건을 보게 될지 관리할 수 없을지도 모른다. 예기치 못한 이 모든 사건은 피실험자의 기억 능력에 영향을 끼칠 수 있다. 반면에 만약 여러분이 컴퓨터에 가상 세계를 만들어내서 마우스를 이용해서 피실험자들에게 이러한 방들을 걷게 한다면, 여러분은 피실험자들이 걷는 동안 일어나는 일을 완전히 관리할 것이다.

① 건물을 빌리기 위해 돈을 쓰는 것을 피한다
③ 피실험자들로 하여금 반복적으로 걷게 한다
④ 여러분이 원하는 만큼 많은 피실험자를 모은다
⑤ 여러분의 예상과 일치하지 않는 결과를 없앤다

해설 누군가가 걸어서 문을 통과하는 것이 사람의 기억에 미치는 영향에 대한 연구를 할 때, 피실험자가 실제 공간을 걷게 되면 여러 가지 변수가 생길 수 있지만, 가상 공간을 걷게 되면 연구자가 가상 공간을 완전히 통제할 수 있다고 했으므로 빈칸에 들어갈 말로 가장 적절한 것은 ② '환경을 통제한다'이다.

오답분석 피실험자에게 가상 세계를 걷게 하면 건물 임대 비용을 절약할 수 있는 것이 일반적이기는 하지만 글에서 직접 언급되지 않았으므로 ①은 오답이다. 또한 피실험자에게 가상 세계를 걷게만 시켰을 뿐, 반복해서 걷게 한다는 내용도 없으므로 ③도 정답이 될 수 없다.

어휘 subject 피실험자 / make use of ~을 활용[이용]하다 / virtually 가상으로 / manage 관리하다 / affect 영향을 미치다 / completely 완전히

구문 [1~2행] **Imagine** // if you wanted to do studies / on *the effects* (of walking through doorways / on a person's memory).
명령문

◆ Imagine은 주어가 생략된 명령문이다.
◆ if ~ memory는 조건을 나타내는 부사절로, Imagine에 해당하는 목적어는 생략되었다고 볼 수 있다.

해결전략 2 Warm Up ①

해석 어떤 회사가 신제품을 출시하면, 그 회사는 흔히 기존 제품들의 가격을 올린다. 이것은 신제품이 더 저렴해 보이고, 따라서 (기존 제품들과) 비교하여 (신제품이) 더 매력적으로 보이게 하려고 의도된 것일지도 모른다.

① 더 저렴해 ② 더 비싸게

어휘 existing 기존의 / attractive 매력적인 / by comparison 그에 비해

전략적용 2 ③ **Q1** In order to, One way to

해설 **Q1** 빈칸 문장은 '인터벌 트레이닝을 통해, 당신은 자신의 뇌에게 _____해도 당신의 몸은 해를 입지 않을 것이라고 가르칠 수 있다.'라는 의미로, 빈칸 바로 앞의 두 문장(In order to ~, "No more.", One way to ~ the stress.)에 단서가 잘 나타나 있다.

해석 만약 운동선수로서 당신의 능력을 향상시키길 원한다면, 그것을 하는 한 가지 아주 효과적인 방법은 인터벌 트레이닝이다. 인터벌 트레이닝은 강도 높은 운동을 위해서 짧고 어려운 운동 부분을 반복하는 것과 더 긴 휴식 기간을 결합한 것이다. 이 훈련 방법은 단순히 더 낮은 수준에서 훈련하는 것보다 더 효과적이다. 왜 이 방법이 효과가 있는 걸까? 팀 녹스에 따르면 일어나게 될 일은 이러하다. 최대의 수행 능력을 향상시키기 위해, 당신은 자신의 한계를 넘어서도록 뇌를 설득해야 하는데, 그렇지 않게 되면 그때 피로가 침입해서 당신에게 '더는 안 돼'라고 경고할 것이다. 자신에게 동기를 부여하는 한 가지 방법은 뇌에게 당신의 몸이 스트레스를 감당할 수 있다고 가르치는 것이다. 인터벌 트레이닝을 통해, 당신은 자신의 뇌에게 스스로를 좀 더 밀어붙여도 당신의 몸은 해를 입지 않을 것이라고 가르칠 수 있다.

① 평소보다 더 오래 쉬어도
② 훈련 시간을 단축해도
④ 다른 훈련 방법을 사용해도
⑤ 무엇이 효과적인지 알기 위한 시간을 좀 가져도

해설 빈칸 문장으로 보아, 인터벌 트레이닝을 통해 '어떻게' 해도 몸이 해를 입지 않는지를 찾아야 한다. 빈칸 문장 앞에 단서가 있는데, 인터벌 트레이닝이 효과적인 이유는 본인의 육체적 한계를 넘어서도록 뇌를 설득시키고, 몸이 스트레스를 감당할 수 있다고 가르치기 때문이라고 했다. 이 단서는 모두 '스스로를 좀 더 밀어붙인다'는 포괄적인 어구로 말 바꿈 될 수 있으므로 ③이 정답이다.

오답분석 ①은 인터벌 트레이닝의 정의가 설명된 두 번째 문장의 longer periods of rest라는 표현에서 연상할 수 있으나, 더 오래 쉬는 것이 인터벌 트레이닝이 효과적인 이유는 아니므로 빈칸 문맥과 무관하다.

어휘 athlete 운동선수 / highly 아주, 매우 / combine A with B A와 B를 결합하다 / intensity 강도, 세기 / go beyond ~을 넘어서다 / fatigue 피로 / break in 침입하다 [선택지 어휘] shorten 단축하다, 짧게 하다

구문 [9~10행] *One way* (**to motivate yourself**) / is **to teach your brain that your body can handle the stress.**

◆ to motivate yourself는 One way를 꾸며주는 형용사적 용법의 to-v이고, to teach ~ the stress는 보어로 쓰인 명사적 용법의 to-v이다.

Make it **Yours** p. 42

1 ① **2** ② **3** ② **4** ② **5** ①

1 ①

해석 사람들이 집단 소유의 공동 목초지에서 양들을 방목하면서, 양털 판매로 생계를 꾸려나가는 전통 마을을 상상해보자. 이 마을은 번성해지고 더 많은 양이 방목된다. 하지만 곧 양이 너무나 많아져서 풀이 다시 자랄 수 있는 속도보다 더 빨리 (양들에 의해) 뜯어 먹힌다. 결국, 땅이 황폐해져서 양들이 그 땅 위에서 살 수 없고, 마을 사람들의 생계가 없어지게 된다. 개별 소유자가 자신들의 양을 방목할 때, 그들은 이로 인해 다른 마을 사람들의 양이 먹을 수 있는 풀을 감소시킨다는 사실을 고려하지 않기 때문에, 이러한 '공유지의 비극'이 발생한다. 여기서 풀은 공유자원이다. 그 누구도 공유자원을 사용하는 것에서 배제될 수 없지만, 한 사람이 공유자원을 사용하면 다른 사람의 공유자원이 줄어든다. 마을 사람들이 하는 이러한 행동의 복합적인 효과는 자기 파괴적이다.

만약 세금 또는 할당을 통해서 마을 사람들이 양의 수를 제한하는 데 동의한다면, 마을 사람들의 생계는 보호될 수 있을 것이다. 이것이 물, 도로, 그리고 물고기와 같은 공유 자원을 규제하려는 정부의 시도 뒤에 숨겨져 있는 것이다.
② 이익 친화적인 ③ 집단 중심적인 ④ 경제 주도적인 ⑤ 규제 지향적인

해설 양을 소유한 모든 개별 소유자가 양을 방목하여 공동 목초지에 있는 풀을 뜯어 먹게 한다면 풀이 없어져서 공동 목초지가 폐허가 되는 공유지의 비극이 발생한다고 했으므로 빈칸에 들어갈 말로 가장 적절한 것은 ① '자기 파괴적인'이다.

오답분석 양을 소유한 개별 소유자와 공동 목초지의 비유를 통해서 개인의 공유자원 사용에 대한 부정적 효과만 언급했을 뿐 개인이 이익을 추구한다거나 경제에 기반한다는 내용은 언급되지 않았으므로 ②, ④는 정답이 아니다. 또한 집단을 중심으로 공유자원을 이용해야 한다와 같은 집단 중심적인 내용도 전개되지 않았으므로 ③도 정답이 될 수 없다.

어휘 picture 상상하다; 그리다 / graze 방목하다 / collectively 집단적으로 / common pasture 공동 목초지 / prosper 번성하다 / bare 황폐한; 헐벗은 / livelihood 생계; 활기 / come about 발생하다, 생기다 / individual 개별의, 개개의 / take account of ~을 고려하다 / exclude 배제하다 / lie behind ~의 뒤에 숨어 있다 / attempt 시도 / regulate 규제하다

구문 [5~7행] This 'tragedy of the commons' **comes about** // **because** when individual owners graze their sheep, / they don't take account of the fact that this reduces the grass (available to other villagers' sheep).
♦ come about은 '생기다, 발생하다'라는 뜻의 완전자동사이다.
♦ they ~ other villagers' sheep이 접속사 because에 직접적으로 연결되는 절이다.

2 ②

해설 국가들 사이에는 언제나 갈등이 있었고, 무력 사용에 대한 거의 보편적인 비난에도 불구하고, 국제적인 분쟁은 종종 전쟁을 초래한다. 하지만 전쟁이 과연 정당화될 수 있는가? 이것은 중세 이슬람과 기독교 철학자들에 의해 처음으로 제기되었던 문제였는데, 이들은 만약 전쟁이 세 가지 주요 기준, 즉 전쟁이 권위(국가 또는 통치자에 의해 선포되는), 이유(빼앗겼던 것을 되찾기 위한), 그리고 의도(평화를 회복하는 목적)에 부합한다면, '정당한 전쟁' 같은 것이 있다고 결론 내렸다. 전쟁을 할 권리인 이러한 생각은 나중에 도덕적 철학이 되기보다는 오히려 국제적 협약의 문제가 되었고, 정당한 무력 사용에 대한 보다 자세한 기준이 수립되었다. 이러한 기준에는 적절한 권위, 정당한 이유, 그리고 올바른 의도에 대한 사상이 포함되었을 뿐만 아니라 성공 확률, 그리고 최후의 수단이라는 원칙도 추가되었다. 전쟁을 규제하는 이러한 규칙은 제네바 협정에 의해 국제적으로 합의되었다.
① 왜 사람들은 전쟁을 증오하는가
③ 우리는 전쟁을 영원히 막을 수 있는가
④ 전쟁의 숨은 의도는 무엇인가
⑤ 정말로 전쟁이 그 어떤 것보다 더 나쁜가

해설 적절한 권위, 정당한 이유, 올바른 의도, 그리고 최후의 수단이라는 원칙하에 시작되는 전쟁은 정당한 전쟁으로 평가받을 수 있다고 했으므로 정답은 ② '전쟁이 과연 정당화될 수 있는가'이다.

오답분석 사람들이 전쟁을 증오하는 것은 일반적인 생각일 뿐, 글에서 언급되지 않았으므로 ①은 오답이다. 전쟁을 막을 수 있는 방법이나 전쟁의 숨은 의도에 관한 내용이 아니므로 ③, ④ 역시 정답이 될 수 없다.

어휘 conflict 갈등 / despite ~임에도 불구하고 / universal 보편적인 / condemnation 비난 / frequently 종종, 자주 / result in ~을 초래하다[낳다] / address 제기하다 / medieval 중세의 / conclusion 결론 / satisfy 충족시키다, 만족시키다 / criteria 기준, 표준 / authority 권위 / intention 의도 / moral 도덕적인 / justifiable 정당한 cf. just 정당한 / principle 원칙, 원리 / resort 수단 / Geneva Conventions 제네바 협정

구문 [3~7행] This was *a question* first (addressed by *medieval Islamic and Christian philosophers*), // **who** came to the conclusion **that** if war satisfies three main criteria — / it must have authority (declared by a state or ruler), / cause (to recover something that has been taken), / and intention (the goal of restoring the peace), — // there is such a thing as a 'just war.'
♦ 주격 관계대명사 who는 medieval Islamic and Christian philosophers를 선행사로 하는 계속적 용법으로 사용되었으며 and they로 바꾸어 쓸 수 있다.
♦ that은 동격 접속사로 that에 연결되는 절은 there is ~ a 'just war'이다.
♦ if war ~ the peace)는 조건을 나타내는 부사절이다.

3 ②

해석 뇌의 기능이 국지적이다라는 최초의 실제 증거는 병원에서 환자의 진찰을 통해서 나왔다. 유명한 사례는 1848년 뇌 왼쪽 앞부분의 대부분을 훼손시킨 사고에서 살아남은 철도 노동자인 피니어스 P. 게이지였다. 비록 그가 정상적인 생활을 이어나갔다 할지라도, 그의 성격은 극적으로 달라졌다. 나중에 생리학자 폴 브로카는 심각한 언어 장애를 가진 사망한 환자들을 검사해서, 뇌의 특정 부위가 손상되었다는 것을 발견했다. 마찬가지로 칼 베르니케는 언어를 이해하는 것과 관련된 영역을 발견했다. 보다 최근에는, 간질 환자들을 치료하면서, 로저 스페리는 뇌의 두 반구가 다른 기능을 한다는 것을 파악했다. 각 반구는 신체의 반대 부분에서 온 감각 정보를 처리하는데 왼쪽 반구는 논리적 분석과 관련되어 있고, 반면에 오른쪽 반구는 창의적 사고를 다룬다.
① 뇌는 끊임없이 활동을 한다
③ 손상된 뇌는 적절히 치료될 수 있다
④ 각각의 뇌는 다른 수준의 사고력을 가지고 있다
⑤ 개인적인 삶은 뇌 건강과 함께 변한다

해설 빈칸이 있는 문장은 환자의 진찰을 통해서 '어떠한' 증거가 드러났다는 것이므로, 빈칸에는 증거에 해당하는 내용이 와야 한다. 언어 장애가 있는 사람들은 뇌 특정 부위가 손상되었고, 뇌의 좌반구와 우반구가 처리하는 기능이 다르다고 했으므로 이를 통해 뇌 부위에 따라 뇌의 기능이 다르다는 것을 추론할 수 있다. 따라서 빈칸에 들어갈 말로 가장 적절한 것은 ② '뇌의 기능이 국지적이다'이다.

오답분석 뇌의 부위에 따라 수행하는 기능이 다른 것을 뇌가 끊임없이 활동한다는 개념으로 연결시키는 것은 그 의미를 지나치게 확대해서 적용하는 것이므로 ①은 오답이다. 또한, 뇌가 손상되었다는 내용이 반복해서 언급되지만 치료와 관련된 내용 또는 뇌 건강과 관련된 내용은 언급되지 않았으므로 ③, ⑤ 역시 정답이 아니다.

어휘 evidence 증거 / examination (의사의) 진찰, 검사 / dramatically 극적으로 / physiologist 생리학자 / severe 심각한, 심한 / disorder 장애 / damage 손상, 피해 / specific 특정의 / function 기능 / sensory 감각의 / logical 논리적인

구문 [2~3행] A famous case / was Phineas P. Gage, *a railroad worker* [**who** in 1848 survived *an accident* / [**that** destroyed much of his left front part of his brain]].
♦ who와 that 둘 다 주격 관계대명사이다. who ~ his brain은 a railroad worker를 수식하며, that ~ his brain은 an accident를 수식한다.

4 ②

해석 철학은 논쟁의 가정들을 검증한다. 20세기 철학자 칼 포퍼는, 과학이 진보하는 방식을 연구함에 있어서, 만약 한 이론이 진정 과학적이라면, 그것은 틀린 것으로 증명될 수 있어야만 한다는 사실을 강조했다. 과학은 지속적으로 이론이 성립되는 사례들을 만들어내는 것이 아니라, 이론이 실패하는 사례들을 발견함으로써 진보된다. 한 이론의 실패는 그다음 이론을 낳는데, 철학에서도 마찬가지였다. 각 세대의 철학자들은 현존 이론들의 한계를 증명함으로써 새로운 사상을 발전시키기 위해 노력해 왔다. 최종 해답을 원하는 사람들에게 철학은 좌절감의 원천일 것 같다. 질문을 제기하고 자신의 관점을 시험하고 수정할 준비가 된 사람들에게, 철학은 매혹의 원천이며 생각을 향상시키는 수단이다.
① 단순한 이론으로 연구를 행함
③ 이전 이론들의 가정을 따름
④ 시험할 수 있으며 현실적인 이론들을 만듦
⑤ 그 기간의 널리 인정된 모든 이론을 부정함

◆ based ~ uncovered는 삽입구이다.

◆ that은 이하는 declared의 목적어로 쓰인 명사절이다.

Unit 05 빈출순 **어법 POINT**   p. 45

관계대명사 (= 접속사+대명사)

which | 대부분의 교수들은 자신들이 수년간의 연구로 얻은 학생들을 능가하는 전문적인 권위가 있는 위치에 있다고 본다.

어휘 authority 권위(자); 권한

Quiz

1 whose | 이곳에 오기 전에는, 나는 모국어가 영어인 사람들과 말할 기회가 없었다.

해설 people을 선행사로 취하고 뒤의 명사 native language와 함께 관계대명사절의 주어 역할을 할 수 있는 소유격 관계대명사 whose가 알맞다.

어휘 opportunity 기회 / native language 모국어

2 which | 많은 상점들이 평균적인 심장 박동보다 훨씬 더 느린 리듬으로 음악을 연주하는데, 그것은 당신이 쇼핑에 더 많은 시간과 돈을 쓰게 만든다.

해설 콤마(,) 뒤에서 앞 문장 전체를 보충 설명하는 계속적 용법의 관계대명사절이므로 which가 적절하다. 관계대명사 that은 선행사를 보충 설명하는 역할로 쓰이지 않는다.

어휘 heartbeat 심장 박동

‖ Practice ②

해설 스포츠에서의 참여는 육체적, 심리적, 사회적 요인들의 복합적인 상호작용을 포함한다. 어떤 어린이들은 경쟁의 스트레스에 자연스럽게 대처하고, 그들의 스포츠 참여는 고양된 자부심과 개인적 성장으로 이어진다. 다른 어린이들은 서툴게 대처하고, 심리적으로 고생할 뿐만 아니라 부상을 입기도 더 쉽다. 명백히, 어른들의 중재는 아이에게 감정적 스트레스를 유발하는 그러한 상황에서 필수적일지도 모른다. 하지만 스포츠를 둘러싼 지극히 중요한 사회적 정황을 결정하는 것은 바로 우리 어른이다. 어른들은 스포츠가 배우는 경험이며, 승리가 유일한 목적이 아니라는 것을 명심해야 한다. 어린이들은 스포츠의 기본 원칙을 배우고, 다른 아이들과 교류하고, 무엇보다도 즐거운 시간을 보내도록 장려되어야 한다.

해설 ② 선행사가 사물(those cases)이므로, 사람 선행사와 어울려 쓰이는 주격 관계대명사 who는 which나 that이 되어야 한다.

오답분석 ① 주어가 their participation이므로 동사는 3인칭 단수형인 leads가 적절하다. 전명구인 in sports는 수식어구이다. ③ 선행사가 사물(the all-important social context)이고, 뒤에는 주어가 빠진 불완전한 구조가 이어지므로 주격 관계대명사인 which는 바르게 쓰였다. ④ keep in mind의 목적어절인 두 개의 that절(that ~ experience, that ~ objective)이 and로 연결된 병렬구조이므로 접속사 that은 적절하다. ⑤ to learn, (to) interact with와 and로 연결된 병렬구조이므로 (to) have는 알맞다. 이때 to는 대부분 생략된다.

어휘 factor 요인 / cope with ~에 대처하다 / enhanced 고양된; 높인, 강화한 / self-esteem 자부심 / intervention 중재; 개입, 간섭 / all-important 지극히 중요한 / context 정황; 맥락 / sole 유일한; 혼자의 / objective 목적; 객관적인 / fundamental 기본 원칙; 근본적인 / youngster 어린이; 젊은이

구문 [3~5행] ~; others cope poorly, / and **not only *are they*** likely

_____A_____

to suffer psychologically, / **but (also)** they are more likely to

_____B_____

become injured.

◆ 「not only A but (also) B(A뿐만 아니라 B도)」는 B를 더 강조하는 표현이다. 부정어 포함 어구(not only)가 and로 연결되는 문장의 문두에 오면서 「조동사(are)+주어(they)」의 어순으로 도치된 구조이다.

해설 빈칸 문장을 보면 철학자들이 새로운 사상을 발전시키는 '방법'을 파악해야 함을 알 수 있다. 빈칸 문장 앞에서, 과학이 진보해 온 방식은 기존 이론들의 오류를 증명하여 새로운 이론을 만들어내는 것인데 철학도 이와 마찬가지라고 했으므로 이 내용을 말 바꿈한 것이 빈칸에 들어갈 답이다. 즉 과학의 오류에 상응하는, 기존의 철학 이론들의 한계를 증명함으로써 발전시켜 나간다는 내용의 ② '현존 이론들의 한계를 증명함'이 들어가는 것이 알맞다.

오답분석 ③은 기존 이론의 한계를 통해 철학이 발전한다는 글의 내용과 정반대로 오답이다. 실패하는 사례들을 발견함으로써 이론은 진보한다는 글의 내용으로 보아, 모든 이론을 부정하라는 ⑤는 글의 내용과 무관하다.

어휘 examine 검증하다; 조사하다 / assumption 가정, 추정 / lay stress on ~을 강조하다 / be capable of ~을 할 수 있다 / give birth to A A를 낳다 / frustration 좌절감 / modify 수정하다 / fascination 매혹; 매력 / means 수단   [선택지 어휘] existing 현존의 / former 이전의

구문 [2~3행] ~, laid stress on **the fact that** a theory, (**if it is truly**

scientific), must be capable of being proved false.

◆ that 이하는 the fact의 동격절이다.

◆ 부사절 if ~ scientific이 that절 안에 삽입되었다.

[8~10행] For *those* [**who** ask questions **and are prepared** to

              V'1   and   V'2

test and modify their own views], / it is a source of fascination

                                     = philosophy

and a means of improving the mind.

◆ 주격 관계대명사 who가 이끄는 절이 선행사 those를 수식한다.

◆ ask와 are prepared는 관계사절 내의 동사로 and로 병렬구조를 이룬다.

5 ①

해석 현실은 물론 관찰자와 독립적으로 존재하지만, 실재에 대한 우리의 인식은 우리가 그것(실재)을 검증하는 법에 대한 틀을 짓는 다양한 것들에 의해 영향을 받는다. 무엇보다도, 이론이 실재에 대한 지각을 형성한다는 것은 양자 물리학에서뿐만 아니라 이 세상의 모든 관찰에도 적용된다. 콜럼버스가 신대륙에 처음 도착했을 때, 그는 자신이 아시아에 있다는 이론을 가졌고 계속해서 신대륙인 아메리카를 그렇게 인식했다. 계피는 귀중한 아시아 향신료였고, 신대륙에서 계피 냄새가 나는 첫 번째 관목은 계피라고 단언되었다. 콜럼버스가 서인도 제도에서 향기가 나는 감람과의 나무를 접했을 때, 그는 그 나무가 지중해에 있는 유향나무와 비슷한 아시아 종이라고 결론 내렸다. 그는 또한 신대륙의 견과가 마르코 폴로가 묘사한 코코넛과 일치했다고 확신했다. 콜럼버스의 의사는 심지어 선원들이 캐낸 몇 개의 카리브 해의 식물 뿌리에 근거해서 중국의 고유한 식물을 발견했다고 선언했다. 비록 콜럼버스가 아시아에서 지구 반 바퀴나 떨어져 있었다 할지라도 아시아에 대한 이론은 아시아의 관찰을 만들어냈다. 이것이 바로 이론의 힘이다.

② 관찰자의 눈은 현실에 근거한다
③ 무지를 인식하는 것이 탐험을 이끈다
④ 세심한 관찰이 강력한 현실을 수립한다
⑤ 가설은 이론과 과학과 별개이다

해설 자신이 아시아에 있다는 이론을 가졌던 콜럼버스가 신대륙인 아메리카에 도착했음에도 그곳에서 관찰한 모든 것을 아시아와 관련된 것으로 결론 내렸다는 내용이므로 정답은 ① '이론이 실재에 대한 지각을 형성한다'이다.

오답분석 관찰자는 현실에 근거하는 것이 아니라 자신의 이론에 근거해서 세상을 바라본다는 것을 콜럼버스의 사례를 통해 알리고 있으므로 ②는 오답이다. 또한 콜럼버스는 관찰한 내용과는 무관하게 이론에 근거해서 현실을 판단했으므로 ④ 역시 정답이 될 수 없다.

어휘 independent of ~와 독립적인 / perception 인식, 지각 / frame 틀을 짓다 / above all 무엇보다도 / quantum physics 양자 물리학 / observation 관찰 / cinnamon 계피 / spice 향신료 / encounter 접하다, 만나다 / be matched with ~와 일치하다 / description 묘사, 설명 / uncover 캐다, 발굴하다

구문 [10~11행] Columbus's surgeon even *declared*, (based on

                                  S   V

some Caribbean roots his men uncovered), // **that** he had found

                                                        O

•「it is[was] ~ that ... (…하는 것은 바로 ~이다)」 강조 구문에서 we adults가 강조되고 있으며, 강조하는 어구가 사람이므로 that 대신 who가 쓰였다.

Unit 06   빈칸 추론(3)

해결전략 1   Warm Up ①

해석 인내가 항상 가장 중요하다는 것을 기억해라. 사과가 받아들여지지 않을 때, 그 사람이 당신에게 진정으로 중요하다면, 그 사람에게 치유되는 데 필요한 시간과 공간을 주는 것이 가치 있다. 그 사람이 즉시 평상시처럼 행동하는 것으로 바로 돌아갈 것이라고 기대하지 마라.
① 인내   ② 정직

전략적용 1   ③   Q1 A social change   Q2 As people moved ~ denser there.

해설 Q1 빈칸 문장 뒤에 나오는 세부 사항들을 통해 빈칸 문장(A social change ~.)이 주제문임을 알 수 있다.
Q2 글의 후반부의 '사람들이 시내로 이주함에 따라서 시내의 인구 분포 밀도가 더 높아졌다(As people moved ~.)는 내용에서 빈칸의 내용을 추론할 수 있다.

해석 교통의 개선이 이끌어낸 사회 변화는 우리가 분산된 사회에서 밀집된 사회로 이동했다는 것이다. 우리가 이미 알고 있는 것처럼, 교통의 초기 개선은 무역과 노동의 전문화를 그 어느 때보다 더 가능하게 했다. 하지만, 교통은 여전히 발전의 초기 단계에 머물러 있어서 산업은 상대적으로 근접한 위치에 있어야만 했을 것이다. 그래서 무리를 이루는 것에 대한 초기 단계가 시작되었고 사람들은 시내의 도시화된 공동체에서 함께 모여 가까이 사는 것의 가치를 인식하기 시작했다. 사람들이 시내로 이주함에 따라서, 그곳의 인구 분포 밀도가 더 높아지게 되었다. 시내는 도시로 발전했고, 시골에서 도시 환경으로 이동하는 이러한 경향은 계속되어서 2007년에는 인류 역사상 처음으로 농촌 지역보다 도시에 더 많은 사람이 살고 있었다.
① 우리 자신의 본업에 푹 빠졌다
② 직업이 영구적이 아니라 일시적이라고 생각했다
④ 가능한 한 자유롭게 이동하는 개념을 창출해냈다
⑤ 이전보다 서로에게 덜 의존하게 되었다

해설 무역과 노동의 전문화를 이끈 교통의 개선으로 인해 사람들이 가까이 살게 되면서 도시의 인구 밀도가 높아졌다고 했으므로 정답은 ③ '분산된 사회에서 밀집된 사회로 이동했다'이다.

오답분석 교통의 개선으로 인해 무역과 노동의 전문화가 가능해졌다고 했을 뿐, 사람들이 자신의 본업에 몰두했다거나 직업을 일시적으로 생각했다는 내용은 언급되지 않았으므로 ①, ②는 오답이다. 또한 도시에 사는 사람들이 서로에게 덜 의존하는 경향이 있다고 추론할 수는 있으나 이와 관련된 직접적인 내용이 언급되지 않았으므로 ⑤도 정답이 아니다.

어휘 transportation 교통 / specialization 전문화 / industry 산업 / be located 위치하다 / relatively 상대적으로 / proximity 근접 / urbanized 도시화된 / distribution 분포, 분배 / dense 밀집한, 빽빽한

구문 [9~12행] Towns developed into cities $\fbox{and}$ this trend of
_{S1} _{V1}
moving from rural to urban environments has continued such
_{S2} _{V2}
that in 2007, / for the first time ever in human history, / more people lived in urban than rural communities.

해결전략 2   Warm Up ②

해석 다른 집단과 장소는 각기 다른 관습과 믿음을 가진다. 그러나 한 개인의 태도, 관심, 다른 특성들은 종종 그들이 속한 집단의 그것과 상당히 다르다. 따라서 한 문화와 각 성별의 특성을 알고 존중하는 것이 중요하긴 하지만, 개인에 대해 추측하는 것은 조심해야 한다.

① 문화들 간의 다양한 변화를 받아들여야
② 개인에 대해 추측하는 것은 조심해야

어휘 characteristic 특성 / gender 성별   [선택지 어휘] variation 변화 / beware of 조심하다 / assumption 추측

전략적용 2   ③   Q1 silence   Q2 침묵은 다양한 장점들을 가진 의사소통 수단이다.

해설 Q1 침묵(silence)의 다양한 역할에 대한 글이다.
Q2 의사소통에 있어서 침묵이 가지고 있는 다양한 장점들에 대해서 글 전체에서 설명하고 있고, 빈칸 문장이 글의 결론에 해당한다.

해석 말로 하는 반응에 관여하고 싶지 않다면, 여러분은 의견 또는 감정을 숨기기 위해 침묵을 사용할 수 있다. 연습을 하면, 여러분은 침묵(응답하기 전에 긴 침묵을 함으로써, 긴장감을 쌓고 이어지는 말에 대한 무게감을 더해줌)으로 관심을 끌 수 있거나 또는 침묵(마치 여러분이 정신이 나간 것처럼)함으로써 관심을 피할 수 있다. 침묵은 친밀감을 쌓을 수도 있다. 단지 사람들이 서로를 잘 모를 때는, 말을 하는 와중에 생기는 침묵으로 인해 불편을 느낀다. 서로 친밀한 사람들은 침묵을 생각의 교감으로 이해한다. 편안한 침묵은 여러분에게 지금까지 한 말에 대해 되돌아보고, 결정을 내리고, 주제를 바꾸고, 과거로부터 심리적 거리를 만들고, 정신적으로 나아갈 준비를 할 시간을 준다. 침묵은 매우 다재다능한 의사소통 수단이다.
① 친밀한   ② 추상적인   ④ 속이는   ⑤ 자발적인

해설 빈칸이 있는 문장은 침묵이 특정한 장점을 가진 도구라는 뜻으로, 빈칸에는 '특정한 장점'을 설명할 수 있는 형용사가 와야 한다. 침묵은 감정을 숨기는 데도 효과적이고 동시에 친밀감을 쌓는 데도 효과적이라는 등 침묵의 다양한 역할을 언급하고 있으므로 빈칸에 들어갈 말로 가장 적절한 것은 ③ '다재다능한'이다.

오답분석 감정을 숨기거나 친밀감을 쌓는데 침묵이 효과적이라는 것은 침묵의 역할을 구체적으로 언급한 것이므로 ②는 정답이 될 수 없다. 또한 침묵이 남을 속이거나 침묵이 자발적으로 이루어진다는 등의 내용은 언급되지 않았으므로 ④, ⑤도 오답이다.

어휘 commit oneself with ~에 관여하다 / oral 말로 하는, 말의 / response 반응 / mask 숨기다, 가리다 / gain 얻다 / pause 멈춤, 중지 / suspense 긴장감 / intimacy 친밀감 / exchange 대화, 얘기를 나눔 / communion 교감 / reflect on 되돌아보다, 반성하다   [선택지 어휘] intimate 친밀한 / abstract 추상적인 / versatile 다재다능한 / deceptive 속이는, 기만하는 / spontaneous 자발적인; 즉흥적인

구문 [6~8행] **Only** when people don't know each other well / **are**
_V
they uncomfortable with silence / between their exchanges.
_S

• only가 이끄는 부사절이 문장의 맨 앞에 위치함으로써, 주어와 동사가 도치되었다.

Make it **Yours**

1 ⑤   2 ②   3 ③   4 ②   5 ②

1   ⑤

해석 시간이 흐름에 따라서, 인간을 컴퓨터 알고리즘으로 대체하는 것이 점점 더 쉬워지는데, 이것은 단지 알고리즘이 더 영리해지기 때문만이 아니라, 인간이 전문화하고 있기 때문이기도 하다. 고대의 수렵 채집인들은 생존하기 위해서 매우 다양한 기술을

습득했는데, 이것이 수렵 채집 로봇을 설계하는 것이 굉장히 어려운 이유이다. 그런 로봇은 부싯돌로 창끝을 준비하는 방법, 숲에서 식용 가능한 버섯을 찾는 방법, 맘모스를 추적하는 방법, 다수의 다른 사냥꾼들과 협력하는 방법과 어떤 상처에도 붕대를 감기 위해 약초를 사용하는 방법을 알아야 할 것이다. 하지만, 택시 운전사 또는 심장병 전문의는 수렵 채집인보다 훨씬 더 좁은 분야를 전문으로 하고 있어서, 이로 인해 이들을 인공지능(AI)으로 대신하는 것이 더 쉽다. 인공지능은 인간과 비슷한 존재라고 할 수 없지만, 인간의 자질과 능력의 99%는 대부분의 현대적 직업의 수행을 위해 그저 불필요한 것이다. 인공지능이 인간을 고용 시장에서 밀어내기 위해서는, 특정한 직업이 요구하는 특정한 능력에서 그것(AI)이 단지 우리 인간을 능가하기만 하면 된다.
① 멸종하는 ② 무능한 ③ 디지털화하는 ④ 협력적인

[해설] 빈칸이 있는 문장은 알고리즘이 인간을 대체하기가 더 쉬워지는데, 이는 인간의 속성이 변하기 때문이라는 내용이므로, 변화된 인간의 속성에 해당되는 것이 빈칸에 들어가야 한다. 다양한 기술을 습득해야 했던 원시 시대의 인간과는 달리 현대의 인간은 훨씬 더 좁은 분야를 전문적으로 수행하고 있다고 했으므로 정답은 ⑤ '전문화하는'이다.

[오답분석] 디지털화가 현대 사회의 특징이기는 하지만, 글에서 직접적으로 언급되지 않았으므로 ③은 정답이 될 수 없다. 인간이 더 좁은 분야를 전문적으로 수행한다는 내용만 나왔을 뿐, 인간이 서로 협력한다거나 인간이 무능하다는 내용은 언급되지 않았으므로 ②, ④ 역시 오답이다.

[어휘] not merely A but also B A뿐만 아니라 B까지도 / hunter-gatherer 수렵 채집인 / immensely 굉장히 / spear 창 / flint stone 부싯돌 / edible 식용 가능한 / track down ~을 추적하다 / coordinate 협력하다 / bandage 붕대를 감다 / cardiologist 심장병 전문의 / niche 분야, 영역 / redundant 불필요한, 쓸모없는 / squeeze out ~을 밀어내다 / outperform 능가하다

[구문] [11~12행] For AI to squeeze humans out of the job market / it need only outperform us / in *the specific abilities* [(which[that]) a particular profession demands ●].

* a particular profession demands는 앞에 목적격 관계대명사 which[that]이 생략된 관계대명사절로 선행사 the specific abilities를 수식한다.

2 ②

[해설] 경쟁 시장에서 기업들은 사업을 위해 경쟁하고 낮은 가격을 제공한다. 반대로, 독점은 더 적게 생산하고 더 많이 청구해서 더 높은 수익을 낸다. 더 높은 수익을 내기 위해 경쟁하는 회사가 함께 하나가 되어서 독점 기업처럼 행동하면 어떻게 될까? 그러한 합의를 카르텔이라고 하고, 이것은 많은 국가에서 불법이다. 하지만 산유국들의 유명한 카르텔인 석유 수출국 기구(OPEC)와 같이 일부 카르텔은 국제적 차원을 띤다. 카르텔은 '집단행동' 문제에 직면해 있다. OPEC 국가들이 생산을 제한해서 석유 가격을 올린다고 가정해보자. 이제 개별 산유국인 베네수엘라를 예로 들면 더 높은 가격으로 석유를 팔기 위해 석유를 더 많이 생산할 장려책을 가지고 있다. 만약 베네수엘라가 이러한 장려책에 직면한다면, 다른 산유국들도 마찬가지일 것이다. 만약 그러한 국가들이 모두 생산을 증가한다면, 석유 가격은 하락하고 OPEC 회원국들은 원래의 목표보다 저가에 팔 것이다. 이것이 바로 카르텔이 불안정해지기 쉬운 이유이다.
① 자주 형성되는
③ 지역적 차원을 띠는
④ 그 어느 때 보다 더 높은 이익을 얻는
⑤ 기꺼이 함께 협력하는

[해설] 서로 경쟁하는 회사들이 더 높은 수익을 내기 위해 서로 결탁을 하는 것을 카르텔이라고 하는데, 석유 카르텔에 속해 있지 않은 국가가 석유를 더 많이 생산하면 석유 가격이 인하되고, 따라서 석유 카르텔에 속해 있는 회원국도 자신들이 애초에 설정했던 목표 가격보다 더 낮은 가격에 석유를 팔게 된다는 것이 글의 주요 내용이다. 이를 통해 카르텔이 결성되었다 할지라도 그 상태가 불안정해질 수 있음을 추론할 수 있으므로 정답은 ② '불안정해지기 쉬운'이다.

[오답분석] 중동의 석유 수출국 기구(OPEC)는 카르텔이 불안정하다는 것을 나타내기 위한 사례로 들었을 뿐 카르텔이 지역적 차원을 띠는 것과는 크게 관련이 없으므로 ③은 오답이다. 카르텔이 불안정하게 되면 카르텔에 속한 국가는 협력하기를 꺼리게 될 것이므로 ⑤는 정답이 될 수 없다.

[어휘] firm 기업, 회사 / monopoly 독점 / conversely 반대로, 역으로 / charge 청구하다 / profit 수익, 이익 / arrangement 합의 / cartel 카르텔, 기업 연합 / illegal 불법의, 위법의 / take on ~을 띠다 / dimension 차원, 관점 / prominent 유명한 / collective 집단의, 단체의 / boost 촉진시키다 / incentive 장려책 / undercut ~보다 저가에 팔다

[구문] [9~10행] If Venezuela faces the incentive, // then so do other oil-producing countries.
<small>so+동사+주어(~): ~도 마찬가지이다</small>

* 앞에서 언급된 긍정문의 내용에 대해 '~도 마찬가지이다'라는 동의의 표현을 나타내고자 할 때 「so+동사+주어 ~」의 어순을 따른다. 이때 긍정문의 동사가 be동사이면 「so+be동사+주어 ~」, 조동사이면 「so+조동사+주어」, 일반동사이면 「so+do[does/did]+주어 ~」로 나타낸다.

3 ③

[해설] 확고한 정체성을 지닌 사람과 그렇지 않은 사람의 기본적인 차이점 중 하나는 전자는 자신이 추구하고 있는 목표가 무엇이든 간에 선택한 사람은 바로 자신이라는 것을 알고 있다는 것이다. 이 사람이 하는 일은 마구잡이이거나 외부의 결정을 내리는 힘의 결과물이 아니다. 이 사실은 외견상 정반대의 두 가지 결과를 낳는다. 한편으로는 결정에 대한 소유권을 느끼기 때문에, 이 사람은 본인의 목표를 맹렬히 지킨다. 행동은 믿음직하게 되고 내적으로 통제된다. 다른 한편으로는 목표가 자신의 것이라는 것을 알기 때문에, 이 사람은 목표를 지키는 이유가 더는 타당하지 않을 때마다 더 쉽게 목표를 수정할 수 있다. 이런 식으로 스스로 결정하는 사람의 행동은 더 일관되면서 더 유연하다.
① 본인의 목표에 집중한다
② 항상 다른 이들과 조화를 이룬다
④ 예측할 수 없고 쉽게 영향을 받지도 않는다
⑤ 상황과 환경에 민감하다

[해설] 빈칸 문장을 보면 스스로 결정하는 사람의 행동이 '어떠한지' 파악해야 함을 알 수 있다. In this way에서 나타나듯 빈칸 문장 이전에 근거가 있다. 확고한 정체성을 가진 사람은 두 가지 상반된 결과를 낳는다고 했으므로 이를 종합해야 하는데, 한편으로는 본인의 결정이므로 목표를 굳건히 지켜나가고, 다른 한편으로는 목표를 지키는 이유가 타당하지 않을 때마다 그것을 쉽게 수정한다는 것이다. 따라서 빈칸에는 이 두 가지 상반된 특성, 일관성과 유연성을 종합할 수 있는 ③ '더 일관되면서 더 유연하다'가 들어가는 것이 알맞다.

[오답분석] ①은 확고한 정체성이 있는 사람의 첫 번째 특성(자신의 목표를 맹렬히 지킴)과 연관되나 두 번째 특성을 포함하고 있지 않으며, ⑤는 반대로 두 번째 특성(목표를 쉽게 수정함)과 연관되어 보이나 첫 번째 특성을 포함하고 있지 않으므로 답이 될 수 없다. 빈칸에는 두 가지 상반된 결과를 모두 포함하는 내용이 들어가야 한다.

[어휘] identity 정체성 / pursue 추구하다 / seemingly 외견상, 겉보기에 / ownership 소유권 / stick to A A를 지키다, A를 고수하다 / reliable 믿을 수 있는 / internally 내적으로 / controlled 통제된 / preserve 지키다 / self-determined 스스로 결정하는 [선택지 어휘] consistent 일관성 있는 / flexible 유연한

[구문] [1~2행] One of *the basic differences* (between *a person* (with a strong identity)) and one (without one)) is // **that** the former knows / **that** it is *she* **who** has chosen whatever *goal* [(that[which])] she is pursuing ●].
<small>= a person (with a strong identity) / = a person / = a strong identity</small>

* 두 개의 that은 모두 명사절을 이끄는 접속사로 쓰였다.
* 「it is ~ that ... (…하는 것은 바로 ~이다)」 강조 구문에서 she가 강조되고 있으며, 강조 대상이 사람이므로 that 대신 who가 쓰였다.
* she is pursuing은 goal을 선행사로 하는 관계대명사절이며, 목적격 관계대명사 that 또는 which가 생략된 형태이다.

[3행] **What** this person does is not random, // **nor** *is it* the result (of outside determining forces).
<small>= what this person does</small>

* 관계대명사 what이 이끄는 절이 문장의 주어 역할을 한다.
* 「nor+V+S (S도 역시 그러하다)」 구문이 쓰였으며 부정어 nor가 앞으로 나오면서 주어와 동사가 도치된 형태이다.

4 ②

해석 인공지능(AI)의 급속한 발달 속도를 고려하면, 일부 미래학자들은 이러한 발전 속도가 인간이 인공지능에 의해 추월당하거나 인공지능과 합병되는 순간을 촉발할 수 있다고 예상했다. 하지만 예상이 반드시 신뢰할 수 있는 것은 아니었다. 예를 들어, 영국의 수학자이자 컴퓨터 과학자였던 앨런 튜링은 나중에 튜링 테스트라고 이름 붙여진 테스트를 개발했다. 이 테스트는 기계가 인간의 지능을 능가할 수 있는지의 여부를 결정하는 믿을 수 없을 정도로 간단한 방법이었다. 만약 기계가 기계임이 발각되지 않은 채 인간 조사관과 대화를 나눌 수 있다면, 이것은 이 기계가 시험을 통과하는 것이고 인간의 지능보다 더 우수하다는 것을 의미한다. 사실, 앨런 튜링은 지적인 기계가 어려움 없이 이 실험을 통과할 수 있고 그래서 그것이 인간을 대체할 수 있다고 예상했다. 하지만 튜링 테스트의 통과에 근접한 컴퓨터는 없었다.

① 인공지능은 더 이상 스스로 발전하지 않는
③ 인공지능 로봇은 보편적이거나 또는 쉽게 사용되는
④ 발전의 속도는 인공지능을 파멸로 이끄는
⑤ 과학자들은 인간을 위한 인공지능 연구를 포기하는

해설 빈칸이 있는 문장은 미래학자들이 '어떠한' 순간이 만들어질 수 있다고 예상했다는 것으로, 빈칸에는 미래학자들이 예상한 '어떠한' 순간에 해당하는 내용이 들어가야 한다. 바로 이어지는 문장에서 미래학자들의 이러한 예상이 신뢰할 만한 것이 아니었고, 기계가 인간의 지능을 능가할 수 있는지의 여부를 묻는 튜링 테스트를 컴퓨터에 시행해 본 결과 이 시험을 통과한 컴퓨터가 없었다는 구체적인 내용이 계속해서 언급되었으므로 빈칸에 들어갈 말로 가장 적절한 것은 ② '인간이 인공지능에 의해 추월당하거나 인공지능과 합병되는'이다.

오답분석 인간이 인공지능에 의해 추월될 것이라는 예상이 신뢰할 수 없다고 했을 뿐, 인공지능이 더 이상 발전하지 않는다는 ①이나 과학자들이 인공지능 연구를 포기한다는 ⑤는 글에서 직접적으로 언급되지 않았으므로 오답이다.

어휘 given ~을 고려하면 / artificial intelligence 인공지능(AI) / futurist 미래학자 / predict 예상하다 / trigger 촉발하다 / reliable 신뢰할 수 있는 / deceptively 믿을 수 없을 정도로; 현혹시키게 / exceed 능가하다 / engage in ~에 관여하다 / substitute for ~을 대체하다 **[선택지 어휘]** surpass 능가하다, 뛰어넘다 / universal 보편적인; 일반적인

구문 [3~5행] For example, Alan Turing, an English mathematician and computer scientist, developed *a test* [**which** was named the Turing Test later].
S = V
◆ which ~ later는 a test를 선행사로 하는 주격 관계대명사절이다.

5 ②

해석 고전적 조건화는 자극과 중립적 신호의 반복적인 조합이 결국 조건부 반응을 일으킬 것이라는 파블로의 발견에 기초를 두었다. 비록 그 뒤에 이어진 행동주의 심리학자들이 이러한 생각을 다듬고 확장시켰다 할지라도, 연상을 촉진시키기 위해서는 반복이 필수적이라는 것이 널리 받아들여졌다. 하지만 모든 행동주의자들이 동의한 것은 아니었다. 쥐를 이용한 수많은 실험을 한 후에, 에드윈 거스리는 쥐가 단지 한 번 방문한 후에 음식이 발견되었던 최초의 장소에 돌아갈 것이라는 점을 지적했다. 또 다른 미로 상자 실험에서, 그는 고양이들이 메커니즘을 활성화해서 탈출하는 것 사이에서 즉각적인 연상을 한다, 다시 말해 고양이들이 '1회 학습'을 반복한다는 것을 알아챘다. 거스리는 이를 '움직임'을 배우는 것으로 설명했는데, 관련된 움직임의 조합이 행동이 되고, 이러한 행동들이 함께 행위를 이룬다는 것이었다. 그래서 그는 행동과 행동의 결과 사이의 연상은 그 연상이 처음 만들어질 때 확립될 수 있다고 결론 내렸다. 정말로 반복은 결과를 가진 움직임의 연상을 강화하기 위해서 반드시 필요한 것은 아니다.

① 반복적인 훈련에 의해 조작될
③ 행동하기 어려운 움직임을 이끌
④ 행위자의 학습 기술에 이익이 될
⑤ 무의미한 움직임을 야기해서 반복적으로 발생하게 할

해설 빈칸이 있는 문장은 행동과 행동의 결과 사이에 존재하는 연상이 '어떠하다'고 결론 내렸다는 것이다. 쥐가 음식이 있는 장소를 처음 방문한 후에도 그 장소를 찾아가고, 고양이는 1회 학습을 반복한다는 실험 내용을 언급했다. 이러한 내용을 통해 행동

과 행동의 결과 사이의 연상이 최초의 행동을 할 때 확립된다고 추론할 수 있으므로 정답은 ② '그 연상이 처음 만들어질 때 확립될'이다.

오답분석 처음에 이루어진 행위로 인해 연상이 이루어진다는 말은 반복적인 행위가 불필요하다는 내용이므로 ①은 오답이다. 또한 무의미한 행위를 야기한다거나 행동의 결과가 행위자의 학습 능력에 도움을 준다는 내용은 글 전체의 흐름과 크게 관련이 없으므로 ④, ⑤도 정답이 될 수 없다.

어휘 classical conditioning 고전적 조건화(무조건 자극과 조건 자극을 결합하여 조건 자극만으로 반응을 유발할 수 있을 때까지 이를 반복 행하는 조건 부여) / combination 조합 / stimulus 자극, 자극제 / neutral 중립적인 / subsequent 그다음의, 차후의 / behaviorist 행동주의자(의) / immediate 즉각적인 / activate 활성화하다 / constitute 이루다, 구성하다 / outcome 결과 / reinforce 강화하다

구문 [8~10행] *Guthrie explained this as learning 'a movement'*: //
explain A as B: A를 B라고 설명하다
a combination of related movements becomes an act / and,
S1　　　　　　　　　　　　　　　V1
together, acts constitute behavior.
S2　V2
◆ 콜론(:)이하(a combination ~ behavior)는 앞의 문장 전체를 부연 설명한다.

Unit 06　빈출순 어법 POINT　　　　　　　　p. 51

형용사 vs. 부사

forcefully | 우리는 예술가들이 재료의 선택과 표현 방식으로 자신을 보통 상당히 강제적으로 제한한다는 것을 알고 있다.

어휘 forceful 힘 있는, 강력한

Quiz

1 truly | 음식 광고가 진정 효과적이기 위해서는 남녀 모두의 관심을 끌어야 한다.

해설 형용사 effective를 수식하는 '진심으로, 정말로'라는 뜻의 부사 truly가 와야 한다.

어휘 advertisement 광고 / appeal 관심[흥미]을 끌다

2 free | 멋진 하루였다. 학교는 끝났고 나는 특별히 해야 할 일도 없었다. 나는 새처럼 자유로웠다.

해설 동사 felt의 보어 자리이므로 형용사 free가 적절하다.

어휘 in particular 특(별)히 / as free as a bird 새처럼 자유로운

▮ Practice　②

해석 광고는 지속적으로 우리 문화의 핵심적인 믿음, 즉 우리는 우리 자신을 재창조할 수 있고, 우리 자신을 변화시킬 수 있다는 믿음을 고취시킨다. 몇 대에 걸쳐서 우리는 우리가 충분히 열심히 노력한다면 이것(우리 문화의 핵심적인 믿음)이 성취될 수 있다고 믿었다. 오늘날 광고가 하는 약속은 복권에 당첨되거나, 약을 복용하거나, 차나 청량음료를 구매함으로써 우리가 우리의 삶을 노력하지 않고 변화시킬 수 있다는 것이다. 우리가 더 많은 물건을 사고, 우리에게 같은 정보를 반복해서 주는 패션 잡지를 읽도록 몰아가는 것은 그런 변화가 가능하다는 바로 이 신념이다. 어떤 면에서는 우리도 그것이 잘못되었다는 것을 안다. 하지만 다른 면에서 우리는 계속해서 애쓰고, 이번만은 다를 것이라고 계속 믿는다. 우리가 자신을 바꿀 수 있다는 이 믿음은 그렇지 않으면(이런 믿음이 없으면) 그러할 것보다 광고 이미지를 훨씬 더 강력하게 만든다.

해설 (A) 문맥상 '노력하지 않고 변화시킬 수 있다'라는 의미이므로 동사 change를 수식하는 부사 effortlessly가 알맞다.
(B) 문장의 전체적인 구조를 파악하여 적절한 답을 골라야 한다. It is와 that을 생략한 나머지 부분이 완전한 문장이므로 「It is[was] ~ that ....」 강조 구문임을 알 수 있다. 따라서 that이 적절하다.
(C) 「make+목적어(advertising images)+목적격보어」 구조에서의 목적격보어 자리이므로 형용사인 powerful이 와야 한다. 부사는 보어가 될 수 없음에 주의한다.

어휘 advertising 광고(업) / promote 고취[촉진]하다; 승진시키다 / core 핵심(적인); (사과 등의) 속 / transform 변화시키다 *cf.* transformation (완전한) 변화 /

generation 세대(비슷한 연령층) / effortless 노력하지 않는

구문 [5~7행] It is *this belief that such transformation is possible* //
that drives us to buy more stuff, and to read *fashion magazines*
[that give us the same information / over and over again].

- 「it is[was] ~ that ....」 강조 구문에서 주어인 this belief ~ is possible이 강조 대상인 문장이다. 여기서 that such ~ possible은 this belief와 동격을 이루는 절이다.
- 「drive+목적어+to-v(~가 v하도록 몰아가다)」에서 to buy와 to read가 and로 병렬구조를 이룬다.
- magazines 다음의 that 이하는 fashion magazines를 선행사로 하는 주격 관계대명사절이다.

Unit 07 요약문 완성

해결전략 1 Warm Up ⓐ

해석 같은 종류의 사고의 (A) 반복이 사고를 바라보는 놀라움을 (B) 감소시켰다.

어휘 [선택지 어휘] repetition 반복 / prevention 예방, 방지

전략적용 1 ③ Q1 엑스레이를 볼 수 없지만 믿는 것

Q2 When you accept / Likewise, we believe

해설 Q1 밑줄 친 doing that은 바로 앞에 나온 'we believe in X-rays even though we don't see them'을 가리킨다.

Q2 과학 분야의 원자 이론과 엑스레이에 대한 예시를 통해 눈으로 볼 수 없는 것이라도 믿어야 그것에 대한 설명이 가능하다는 내용으로, 글의 중반부(When you accept ~ the physical world.)와 마지막 문장(Likewise, we believe ~ your hand.)에 글의 요지가 잘 나타나 있다.

해석 우리 자신의 감각으로 관찰할 수 없는 것들의 존재를 우리는 어떻게 증명할 수 있는가? 이것은 과학 분야에서는 흔한 문제인데, 예를 들어, 이 분야에서는 개별적인 원자를 확실히 볼 수 없다. 하지만 원자 이론이 사물을 설명하기 때문에 원자를 믿는 것은 합리적이다. 특정한 구조와 상호작용하고 결합하는 특정한 방식을 가진 원자의 존재를 받아들일 때, 당신은 갑자기 물질세계에 대한 온갖 것들을 설명할 수 있다. 이것이 확실한 형태가 없는 사물을 다룰 때 우리가 항상 사용하는 일종의 추론이다. 마찬가지로 우리는 엑스레이를 볼 수 없지만 믿는데, 그렇게 하는 것이 우리로 하여금 예를 들면 손의 뼈와 같은 대상 내부의 사진 이미지가 어떻게 있을 수 있는가를 설명하게 해주기 때문이다.

↓

우리는 다른 방법으로는 (B) 설명할 수 없는 것들을 이해하기 위해 (A) 보이지 않는 것들을 기꺼이 믿으려 한다.

(A)	(B)
① 불가능한	…… 설명할 수 없는
② 불가능한	…… 모호한
④ 보이지 않는	…… 확인되는
⑤ 예기치 않은	…… 확인되는

해설 요약문과 선택지를 보면, 우리가 '어떤' 것들을 기꺼이 믿는지, 이는 '어떠한' 것들을 이해하기 위해서인지에 관한 내용임을 짐작할 수 있다. 원자와 엑스레이를 예시로 들며, 눈에 보이지 않더라도 그것을 믿어야 그 대상과 관련된 설명이 가능하다고 했으므로, (A)에는 invisible이, (B)에는 unexplainable이 적절함을 알 수 있다. 따라서 정답은 ③이다.

어휘 existence 존재 / atom 원자 / reasonable 합리적인 / reasoning 추론 / definite 확실한 / photographic 사진의 / otherwise 다른 방법으로; 그렇지 않으면
[선택지 어휘] ambiguous 모호한, 여러 가지로 해석할 수 있는

구문 [9~11행] Likewise, we believe in X-rays // even though ~, //
because doing that allows us / to explain how there can be
photographic images of the insides of objects – ~.

- 「주절+even though 부사절+because 부사절」의 구조이다.
- 여기서 의문사 how는 explain의 목적어 역할을 하는 명사절을 이끈다.

해결전략 2 Warm Up proverbs, common / ①

해석 우리는 속담을 한 국민의 공통된 양상을 표현하는 것으로 볼 때 주의해야 한다. 하지만 어떤 속담을 자주 사용하는 것은 공통된 개념을 형성하기 위해 다른 문화적 지표들과 함께 사용될 수 있다.

→ 공통적으로 사용되는 속담들은 한 문화에 대한 일반적인 사고의 시작점이 될 수 있다.

어휘 aspect 양상; 측면 / indicator (일의 현황 등을 나타내는) 지표, 척도

전략적용 2 ④ Q1 (A): creative, creativity (B): pressure, the feeling of burden

해설 요약문이 '우리에게 가장 큰 제약이 가해질 때, 가장 창의적일 수 있다.'는 내용이므로 빈칸 (A)에는 creative(창의적인), (B)에는 constraints(제약)가 적절하다. 그러므로 (A)와 관련된 표현에는 creative, creativity가, (B)와 관련된 표현에는 pressure, the feeling of burden이 알맞다.

해설 대부분의 사람들은 유명한 어린이 책인 〈Green Eggs and Ham(여러분이 이 책을 읽지 않았다면, 읽어 보아라. 정말로 빨리 읽을 수 있다.)〉에 대해 들었거나 읽었다. 여러분이 모르는 것은 출판사가 이 책의 작가에게 50단어 이하로 같은 단어를 사용해서 어린이 책을 쓰도록 하게 한 후에 그 작가가 심한 압박을 느끼면서 이 책을 썼다는 것이다. 이것은 매우 성공적이었던 재밌고 창의적인 작은 책이다. 우리는 일반적으로 창의성이 난데없이 터져 나오고, 단지 작가, 작곡가 또는 예술가가 자유롭게 자신들의 생각을 할 수 있도록 많은 시간을 허용될 때만 창의성이 나온다고 생각한다. 사실, 이것은 사실이 아닌 것처럼 보인다. 노래 또는 교향곡이 아주 짧은 시간에 완성되어야만 한다는 말을 작곡가들이 들었을 때 유명한 뮤지컬 작품들이 많이 만들어졌다. 이들이 자신들의 일을 하도록 한 것은 바로 부담감이었다. 많은 사람들이 '적당한' 도구의 부재로 무언가를 할 수 없어 매우 좌절한 후 아주 창의적인 해결책을 떠올림으로써 스스로 놀란다는 것은 정말로 사실이다.

↓

우리의 마음이 자유로울 때가 아니라 우리에게 가장 큰 (B) 제약이 가해질 때, 우리는 가장 (A) 창의적일 수 있다.

(A)	(B)
① 부지런한	…… 기대
② 창의적인	…… 선택
③ 압박을 느끼는	…… 기대
⑤ 압박을 느끼는	…… 선택

해설 요약문을 보면 '무언가'가 우리에게 가해질 때 우리가 가장 '어떻게' 될 수 있다고 하였다. 사람들은 자유롭게 생각할 때 창의적일 것이라는 일반적인 생각과는 달리, 〈Green Eggs and Ham〉의 저자, 작곡가, 예술가들의 사례에서처럼, 사람들이 창의적인 일을 할 수 있도록 이끄는 것은 그들이 느끼는 부담감이라고 했으므로, (A)에는 creative가, (B)에는 constraints가 적절하다. 따라서 정답은 ④이다.

오답분석 (A) pressured는 '압박을 받는, 부담을 느끼는'이라는 뜻으로, 이러한 의미가 사용되기에 적절한 곳은 (A)가 아니라 (B)이다. 따라서 (A)에 pressured가 들어가 있는 ③, ⑤는 정답이 될 수 없다.

어휘 extremely 정말로, 극도로 / author 작가 / publisher 출판사, 출판인 / dare 감히 ~하다, ~할 엄두를 내다 / burst 터지다, 폭발하다 / composer 작곡가 / complete 완성하다, 완료하다 / burden 부담, 짐 / frustrated 좌절한, 절망하는 /

come up with 떠올리다, 생각해내다 **[선택지 어휘]** industrious 부지런한, 근면한 / expectation 기대; 예상 / pressured 압박을 받는, 부담을 느끼는 / constraint 제약, 구속

구문 **[3~5행]** <u>**What** you may not know</u> is **that** the author wrote the
S V C
book under serious pressure // [after his publisher dared him to write a children's book / using the same fifty words or less].

◆ What은 선행사를 포함한 관계대명사로 '(~하는) 것'이란 뜻을 나타내며, that은 명사절을 이끄는 접속사이다.

◆ after ~ less는 때를 나타내는 부사절이다.

[12~15행] It's true, indeed, // that many people have been really
가주어 진주어
frustrated at not being able to do something // **because they didn't have the "right" tools** and // then they surprised themselves by coming up with a really creative solution.

◆ It이 가주어, that ~ solution이 진주어이다.

◆ because ~ tools는 이유를 나타내는 부사절이다.

Make it **Yours**
p. 54

1 ① **2** ④ **3** ③ **4** ② **5** ⑤

1 ①

해석 버클리 대학에서 쉔펠드 교수가 문제 해결에 관한 강의를 하는데, 그가 말하기를, 그 강의의 전체적 핵심은 학생들이 대학에 오기까지 익힌 수리적인 습관을 잊게 하는 것이다. 우리는 때때로 수학을 잘하는 것은 타고난 재능이라고 생각한다. 당신은 '그것(수학적 재능)'을 가지고 있거나 가지고 있지 않다. 하지만 쉔펠드 교수에게는 중요한 것은 재능이라기보다는 태도이다. 당신이 기꺼이 노력한다면 당신은 수학에 통달할 수 있다. 성공은 노력과 투지, 그리고 대부분의 사람들이 이미 포기했을 때 계속해서 열심히 노력하려는 의지와 상관관계에 있다. 올바른 사고방식을 지닌 한 무리의 학생들을 교실에 넣고, 그들에게 스스로 수학을 탐험할 공간과 시간을 주어라, 그러면 당신은 그 결과를 보고 놀라게 될 것이다.

↓

타고난 (A) 재능에 초점을 맞추는 것이 유혹적이지만, 수학에 있어 발전의 비결은 (B) 노력이다.

(A) (B)
② 성향 ...... 노출
③ 재능 ...... 지원
④ 성향 ...... 노력
⑤ 태도 ...... 노출

해설 요약문을 먼저 읽고, 타고난 '무엇'에 초점을 맞추게 되지만 수학에서의 발전 비결은 '무엇'을 말하는지 찾는다. 우리는 수학을 잘하는 것을 타고난 재능이라고 생각하지만, 쉔펠드 교수에 따르면 수학에서는 재능보다 노력하는 태도가 더 중요하다는 내용의 글이므로 (A)에는 talent, (B)에는 effort가 적절하다. 글에 나오는 a natural ability, ability가 요약문에서 talent로 말 바꿈 되었으며, 글 중반부의 You master mathematics ~ given up.의 내용을 가장 잘 압축한 단어인 effort가 요약문에 들어갔다고 볼 수 있다. 따라서 정답은 ①이다.

오답분석 ②, ④ 요약문의 빈칸 (A)의 문맥만 따져봤을 때 타고난 '성향'이 그럴듯해 tendency를 고르지 않도록 한다.

어휘 unlearn (배운 것을) 잊다 / pick up 익히게 되다 / not so much A as B A라기보다는 B인 / a function of ~와 상관관계인 / determination 투지; 결심 / willingness 기꺼이 하려는 마음 / a bunch of 한 무리의, 다수의 / mindset 사고방식 / tempting 유혹적인; 솔깃한 / inborn 타고난

구문 **[1~3행]** At Berkeley, <u>a professor</u> (named Schoenfeld) /
S
<u>teaches</u> <u>***a course on problem solving***</u>, // [the entire point of
V O

which, (he says), is / **to get his students to unlearn** / *the mathematical habits* [they picked up ● on the way to university]].

◆ which는 a course on problem solving을 선행사로 하는 계속적 용법으로 쓰인 관계대명사이고, he says는 삽입절이다.

◆ to get ~ 이하가 which 관계사절 내에서 보어 역할을 하고 이때 「get+목적어+to-v (~를 v하게 하다)」 구문이 쓰였다.

◆ they ~ to university는 앞의 the mathematical habits를 선행사로 하는 목적격 관계대명사절로 앞에 which 또는 that이 생략되었다.

2 ④

해석 부모님들이 믿음직하게 우리에게 집중하고 우리의 감정에 관심을 가질수록, 우리는 우리 자신과 우리를 둘러싸고 있는 세상을 신뢰할 능력을 얻었다. 안정적으로 보살펴주는 관계는 우리에게 안전을 느끼고 우리를 사랑하는 사람들을 신뢰할 수 있는 안전한 환경을 제공한다. 우리의 신뢰는 우리가 그것(붙잡히는 것)을 필요로 했을 때 붙잡히는 것뿐만 아니라 우리가 그것(놓아주는 것)을 필요로 했을 때 놓아주는 것을 통해서도 성장한다. 이것의 정반대는 무관심과 포기이다. 만약 그런 일이 우리에게 일어났다면, 나중에 다른 사람들을 신뢰하는 것이 어려워진다. 만약 우리가 사랑받기 위해 특정한 역할을 할 필요를 느꼈다면, 우리는 우리 자신을 신뢰하지 못할지도 모른다. 조건적인 사랑은 우리에게 결코 사랑이 아니라 기대를 만족시킨 것에 대한 보상처럼 보인다. 우리는 우리가 있는 그대로의 모습으로 사랑스러운지를 의심할지도 모른다. 우리 마음속의 그 해답 없는 질문은 자존감을 죽이고, 그로 인해, 자기 신뢰도 죽이는 것이다.

↓

(A) 지속적으로 사랑받은 아이들은 다른 사람들을 더 잘 신뢰할 수 있는 반면에, 그렇지 않은 아이들은 관계와 자기 자신을 (B) 의심하게 된다.

(A) (B)
① 특별히 ...... 의심하게
② 조건적으로 ...... 신뢰하게
③ 특별히 ...... 오해하게
⑤ 지속적으로 ...... 신뢰하게

해설 요약문은 '어떻게' 사랑받는 아이들은 타인을 더 잘 믿고, 그렇지 못한 아이들은 자신과 자신을 둘러싼 관계를 '어떻게' 하게 되는지에 관한 내용이다. 부모님에게 믿음직하고 안정적인 사랑을 받고 자란 아이들은 자기 자신이나 주변 사람들을 쉽게 신뢰할 수 있으나 그 반대의 경우 쉽게 신뢰하지 못하게 된다고 했다. 따라서 요약문의 (A)는 consistently, (B)는 doubting이 적절하며, 정답은 ④이다.

오답분석 ⑤ 빈칸 (B) 앞의 부정어 don't를 놓치면 글에 반복적으로 등장하는 핵심어 trusting을 고를 수 있으므로 요약문 해석에 주의한다.

어휘 dependably 믿음직하게 / stable 안정적인 / let go of (쥐고 있던 것을) 놓다 / abandonment 포기 / conditional 조건부의 / meet (필요 등을) 충족시키다; 만나다 / lovable 사랑스러운 / self-esteem 자존감, 자존심 / self-trust 자기 신뢰 / end up v-ing 결국 v하게 되다 **[선택지 어휘]** exceptionally 특별히, 유난히

구문 **[4~5행]** <u>Our trust</u> <u>grows</u> / **not only** from being held when we
S V A
needed it / **but also** from being let go of when we needed that.
= to be held B = to be let go of

◆ 「not only A but also B」는 'A뿐만 아니라 B도'라는 뜻으로, A와 B에는 문법적으로 대등한 형태가 온다.

3 ③

해석 '체화된 인지'라는 개념이 존재하는데, 이 개념하에서 여러분의 신체는 여러분의 생각에 강력하게 영향을 끼칠 수 있다. 조스트만, 라켄스, 그리고 슈베르트는 다소 직접적인 연구를 수행했다. 그들은 질문 몇 개를 생각해내서 학생들에게 이 사안이 얼마나 중요한지 평가해 달라고 요청했다. 예를 들어, 학생들은 대학의 의사 결정 과정에서 학생회가 발언권을 가지는 것이 얼마나 중요한가에 관한 질문을 받았다. 캠퍼스를 돌아다니며 학생 참가자들은 멈추어서 그들이 설문지를 작성하는 동안 클립보드를 들고 있으라고 요청받았다. 여러분이 가벼운 클립보드를 들고 있을 때보다 무거운 클립보드를 들고 있을 경우, 여러분은 그 사안이 더 중요하다(1에서 7 사이의 범위에서)고 생각할 것이라고 연구원들은 예상했다. 그리고 무거운 클립보드를 들고 있던 학생들의 점수의 평

균이 5.27이고 가벼운 클립보드를 들고 있던 학생들의 점수의 평균이 4.21이라는 것을 그들은 밝혀냈다. 그들은 학생들이 도시에 대해서, 도시에서의 삶의 질에 대해서 얼마나 만족하는지 그리고 시장에 대해서 얼마나 만족하는지와 같은 다른 질문에서도 비슷한 결과를 발견했다.

↓

학생들이 들고 있는 클립보드의 (A) 무게는 일련의 설문 조사에서 학생들의 의견에 (B) 영향을 주는 것으로 드러났다.

(A)　　　　(B)
① 물질 …… 통합하는
② 모양 …… 통합하는
④ 물질 …… 영향을 주는
⑤ 무게 …… 통합하는

해설 요약문이 학생들이 들고 있는 클립보드의 '무언가'가 학생들의 의견을 '어떻게' 한다는 의미이므로, 글을 통해서 '무언가'와 '어떻게'를 찾아야 함을 알 수 있다. '체화된 인지'라는 개념과 관련해서, 가벼운 클립보드보다 무거운 클립보드를 들고 있는 학생들이 학생회의 발언권과 관련된 사안을 더 중요하게 생각했다고 했으므로, 이를 통해 클립보드의 무게가 학생들의 의견에 영향을 주었음을 추론할 수 있다. 따라서 (A)에는 weight, (B)에는 sway가 적절하며, 정답은 ③이다.

오답분석 학생들이 가벼운 클립보드를 들고 있느냐, 무거운 클립보드를 들고 있느냐에 따라서 학생들의 의견이 달라질 수 있다는 것이 이 글의 핵심 내용이다. '가볍고 무거운' 것은 클립보드의 무게를 나타내는 것일 뿐, 물질이나 모양과는 아무런 관련이 없으므로 ①, ②, ④는 정답이 될 수 없다.

어휘 exist 존재하다 / embodied cognition 체화된 인지 / conduct 수행하다 / rather 다소 / straightforward 직접적인 / come up with 생각해내다, 떠올리다 / rate 평가하다 / student body 학회 / decision-making process 의사 결정 과정 / participant 참가자 / fill out 작성하다 / questionnaire 설문 [선택지 어휘] material 물질; 재료 / unify 통합하다 / sway ~에 영향을 주다; 흔들다

구문 [3행] They came up with some questions / and asked students to rate **how important the issue was**.
◆ how ~ was는 to rate의 목적어 역할을 하는 간접의문문이다. 간접의문문의 어순은 「의문사+주어+동사」이다.

[5~6행] Student participants were stopped as they walked across campus / and (were) asked to hold a clipboard // while they filled out the questionnaire.
◆ were stopped와 (were) asked는 and로 병렬구조를 이룬다.

4 ②

해석 아무리 두뇌가 신체적으로 언어를 간신히 습득할지라도, 어떠한 언어도 듣지 않은 아이는 언어를 배울 수 없으며, 아이는 자신의 주변 환경에서 쓰이는 언어만을 배운다고 오늘날 알려져 있다. 하지만 아이는 단지 발화된 언어를 듣기만 하는 것으로 언어를 배우지 않는다. 정상적인 청각을 지녔지만 영어 수화로 의사소통하는 청각장애 부모를 둔 한 소년은 영어를 배울 수 있도록 매일 텔레비전에 노출되었다. 그 아이는 아파서 집을 떠날 수 없었기 때문에 오직 집에 있는 사람들과 교류했는데, 그곳에선 그의 가족과 모든 방문객들이 수화로 의사소통을 했다. 세 살 무렵 그는 수화에는 능통했지만 영어는 이해하지도 말하지도 못했다. 아이가 언어를 배우기 위해서는 그 언어를 사용하는 실제 사람들과 소통할 수 있어야만 하는 것으로 보인다. 텔레비전은 언어 학습에 있어 단일 매체로 기능할 수 없는데, 텔레비전이 질문은 할 수 있어도 아이의 대답에 반응할 수 없기 때문이다.

↓

아이는 자신의 (A) 환경에 언어가 존재하고, 다른 사람들과 (B) 의사소통하기 위해 그 언어를 사용할 수 있어야만 언어를 발달시킬 수 있다.

(A)　　　　(B)
① 두뇌 …… 상호작용하기
③ 학업 …… 질문하기

④ 두뇌 …… 학습하기
⑤ 환경 …… 경쟁하기

해설 요약문을 통해 언어가 아이의 '어디'에 내재되어 있고, 다른 사람들과 '무엇을 하기' 위해 언어를 사용할 때에만 그 언어를 발달시킬 수 있는지 찾아야 함을 알 수 있다. 청각장애 부모가 있는 한 아이의 사례를 통해, 아이는 언어가 쓰이는 환경에 노출되어 있고 그 언어를 사용하는 사람들과 상호작용을 할 때만 언어 학습이 가능하다는 것을 설명하고 있다. 따라서 (A)에는 environment, (B)에는 글에 반복 사용된 핵심어 communicate가 적절하며, ②가 정답이다.

오답분석 ① 초반에 brain에 관한 언급을 보고 빈칸 (A)에 들어갈 말로 brain을 고르지 않도록 한다. 뇌가 언어를 습득할 능력이 되어도 주변 환경에서의 언어 사용이 중요하다고 했다. ④ 글의 소재 '아이의 언어 학습'과 연관 지어 빈칸 (B)에서 learn을 고르면 안 된다. 글의 내용을 보면, 아이가 언어를 학습하는(learn) 것은 빈칸 (A), (B)에 해당하는 두 가지 조건이 충족된 뒤에 가능함을 알 수 있다.

어휘 hearing 청각 / deaf 청각장애가 있는 / sign language 수화 / fluent (언어가) 능통한, 유창한 / medium ((pl. media)) 매체, 수단 / employ 사용하다; 고용하다 [선택지 어휘] inquire 질문을 하다

구문 [4~6행] A boy [(with normal hearing) but (with deaf parents [who communicated by American Sign Language]) / was exposed to television every day // so that he would learn English.
◆ with로 시작하는 두 개의 전명구가 but으로 연결된 병렬구조이다.
◆ 여기서 so that은 '~하기 위해서, ~하도록(= in order that)'이라는 의미로 목적을 나타낸다.

5 ⑤

해석 학습이 체계적이며 논리적이고 계획적이어야 한다는 통념은 학교에서 학습되는데, 그곳에서는 수업이 교과 과정이나 강의 계획서, 즉 한 과목을 학습하기 위한 완전한 계획을 항상 갖추고 있다. 이러한 행동 방침은 우리가 학습 과정을 시작하기 전에 확립되고, 우리는 그저 주어진 계획을 따른다. 모든 과정에 그것만의 계획이 있기 때문에, 우리는 자연히 무언가를 배울 때마다 맨 처음 할 일은 미리 상세하게 학습에 대해 계획을 세우는 것이라고 생각하게 된다. 그러나 현재 연구에 따르면 이것이 교실 밖에서 학습이 일어나는 방식은 아니라는 것이 밝혀졌다. 일상 세계와 작가, 예술가, 교사, 그리고 상위 수준의 사업가와 같은 최고 학습자의 삶 속에서, 학습은 자유롭게 진행된다. 요약하면, 어떠한 과목이라도 시작할 다양한 부분과 당신이 그것을 끝마칠 수 있는 다수의 방식이 있다. 각각의 성인 학습자의 학습 과정은 어떤 방향과 주제가 그 개인에게 가장 흥미롭고 유용한가를 기초로 하는 독특한 것이다.

↓

학교에서 학습은 (A) 미리 결정된 계획을 따르지만, 가장 좋은 학습은 당신 자신의 관심사와 자료의 유용성에 대해 (B) 유연하다.

(A)　　　　(B)
① 복잡한 …… 체계적인
② 독특한 …… 합리적인
③ 미리 결정된 …… 체계적인
④ 독특한 …… 유연한

해설 먼저 요약문을 보면 학교에서의 학습은 '어떠한' 계획을 따르지만 가장 좋은 학습은 '어떠한지'를 찾아야 함을 알 수 있다. 학교는 학습을 시작하기 전에 이미 완전한 계획을 가지고 있고 우리는 그것을 따른다고 했으므로 (A)에는 predetermined가 적절하다. 글의 초반부의 given이 요약문의 predetermined로 말 바꿈 되었다. 중반부의 But 이후로 내용이 전환되어, 최고 학습자의 학습은 자유롭고 자신에게 흥미로운 주제를 기초로 하여 각기 독특하다고 했으므로 (B)에는 flexible이 적절하다. 따라서 정답은 ⑤이다.

오답분석 ①, ③ 빈칸 (B)의 systematic은 정해진 계획을 따르는 학교에서의 학습 방식을 나타내는 단어이므로, 가장 좋은 학습에 대해 서술하는 (B)에 들어갈 수 없다.

어휘 myth 통념, 속설 / systematic 체계적인 / logical 논리적인 / curriculum 교과 과정 / given 주어진, 정해진 / assume (사실로) 추정하다 / plan out ~에 대해 상세하게 계획을 세우다 / in advance 미리 / in detail 상세하게 / work one's way through 끝까지 해내다 / appealing 흥미로운, 매력적인 / with regard to A A에 대하여, A와 관련하여 / interest 관심(사); ((*pl.*)) 이익 [선택지 어휘] complicated 복잡한 / predetermined 미리 결정된 / flexible 유연한; 융통성 있는

구문 [1~3행] **The myth that** learning must be systematic, logical, and planned / is learned in *school*, // **where** our classes always have *a curriculum or syllabus* — **a complete plan for learning a subject**.

◆ that ~ planned는 The myth와 동격을 이루는 절이다.
◆ where는 선행사인 school을 보충 설명하는 계속적 용법의 관계부사이다.
◆ 대시(—) 이하는 a curriculum or syllabus를 보충 설명하고 있다.

Unit 07 빈출순 어법 POINT   p. 59

대명사의 성, 수, 격 일치

those | 일이 왜 발생하는지에 관해 생각하는 능력은 인간의 능력을 지구상의 거의 모든 다른 동물의 그것들(능력)과 구분 짓는 핵심적인 능력 중의 하나이다.

어휘 key 핵심적인; 열쇠 / separate A from B A와 B를 구분 짓다

Quiz

1 Its | 총체적인 헌신은 성공한 사람들의 공통점이다. 그것의 중요성은 매우 크다.

해설 앞에 나온 Total commitment를 대신하는 것이므로 단수대명사 Its가 적절하다. 바로 앞의 successful people을 대신하는 것이 아님에 유의한다.

어휘 commitment 헌신

2 his | 요한 볼프강 폰 괴테는 다른 사람들이 행동에 옮기도록 고무시키기 위해 "당신이 할 수 있거나 할 수 있다고 꿈꾸는 어떤 일이든 시작하라. 대담함은 그 안에 천재성, 능력, 그리고 마법이 있다."는 그의 유명한 진술을 남겼다.

해설 단수명사 Johann Wolfgang von Goethe를 받으면서 뒤의 명사구 (famous statement)를 수식해야 하므로 단수형인 his가 알맞다.

어휘 boldness 대담함 / inspire 고무하다, 격려하다 / take action 행동에 옮기다

▌Practice ⑤

해석 의심할 바 없이 여러분은 우리가 우리 두뇌의 10%만 사용한다고 들어왔지만 이것은 전혀 사실이 아니며 우리는 두뇌를 모두 사용한다. 이 (잘못된) 통념의 기원은 알려져 있지 않지만, 그것이 잘못된 것임을 드러내는 여러 계통의 증거들이 있다. 아마도 사람들이 의미하는 것은 신경세포의 10%만이 필수적이거나 주어진 시간에 사용된다는 것일 수 있지만 이 역시도 사실이 아니다. 뇌영상 기법은 우리가 많은 활동에 참여하는 동안 두뇌는 그저 앉아 있지 않는다는 것을 확실히 보여준다. 진화론적 관점에서 생각해보라. 즉 두뇌는 몸 전체 질량의 5%만으로 구성되지만, 신체의 산소와 포도당의 20%를 소비한다. 어떤 생물의 종이 크기가 크고 에너지를 갈구하는 신체 기관의 10%만 사용하기 위해서 발전시키는 것은 생존의 이치에 거의 맞지 않는다.

해설 ⑤ a large, energy-hungry organ은 여기서 뇌를 나타내므로 이것을 받는 대명사는 their가 아니라 단수인 its가 되어야 한다.

오답분석 ① that 관계사절에서 주어는 앞의 선행사 several lines ~이므로 동사는 복수형인 expose가 알맞다. ② what people mean은 불완전한 절을 이끄는 관계대명사 what절이며, 주어 역할을 하고 있으므로 알맞다. ③ 접속사 while은 여기서 '~하는 동안'의 의미이며 뒤에 완전한 절이 나오므로 올바르다. ④ 주어는 the brain이고, comprises와 but으로 병렬연결되어 있으므로 consumes는 적절하다.

어휘 myth 통념, 속설 / expose 드러내다 / neuron 신경세포, 뉴런 / brain imaging techniques 뇌영상 기법 / evolutionary 진화론적인 / perspective 관점 / mass 질량; 덩어리 / energy-hungry 에너지를 갈구하는; 에너지를 소비하는 / organ 신체 기관 / capacity 능력; 용량; 수용력

구문 [7~9행] It makes little survival sense *for a species* to develop a large, energy-hungry organ / to use only 10% of its capacity.

◆ It이 가주어, to-v 이하가 진주어이며 to-v의 의미상 주어는 for a species이다.

Unit 08   밑줄 함의 추론   p. 60

해결전략 1 Warm Up ③

해석 부족과 과잉 둘 다를 피하는 것이 최상이다. 최상의 방법은 행복을 극대화하는 'sweet spot'에 머무르는 것이다. 아리스토텔레스는 미덕은 너무 관대하지도 너무 인색하지도, 너무 두려워하지도 너무 무모하게 용감하지도 않은 중간 지점에 있다고 말한다.

① 행복 ② 미덕 ③ 중간 지점

어휘 maximize 극대화하다 / virtue 미덕 / midpoint 중간 지점 / stingy 인색한 / recklessly 무모하게

전략적용 1 ① Q1 기계 속의 영혼 Q2 body and mind

해설 Q1 ghost가 '영혼(soul)'의 의미를 나타내어 글자 그대로 '기계 속의 영혼'이라는 뜻이다.

Q2 마지막 문장의 'body and mind ~ but interdependent'에서 육체와 정신은 뚜렷이 구분은 되지만 상호의존적이라는 글의 중심 생각을 알 수 있으며 이를 바탕으로 'a ghost in the machine'의 함축된 의미를 파악할 수 있다.

해석 세계의 많은 문화권에서, 인간은 육체와 독립적으로 존재하는 (종종 불멸하는) 영혼을 가지고 있다는 믿음이 있다. 그리스 철학자들에게, 영혼, 즉 정신은 또한 우리가 오늘날 정신이라고 부르는 사고할 수 있는 능력의 근원이라고도 간주되었다. 아리스토텔레스와 그의 추종자들이 육체와 영혼을 불가분의 관계로 보았던 반면에, 플라톤은 정신이 우리의 육체가 살고 있는 물질적 세계와는 별개로, 영원한 사상의 세계에 속해 있

다고 믿었다. 후에 이슬람의 학자 아비켄나는 비물질적인 정신과 물질적인 육체는 완전히 별개의 실체라고 말했다. 이것은 1949년 길버트 라일에 의해 이의가 제기되었는데, 그는 이러한 생각을 묵살하고 기계 속의 영혼이라는 새로운 개념을 공표했다. 최근에는, 컴퓨터 기술이 길버트를 지지하는 좀 더 유용한 비유를 제시했는데, 육체와 정신은 하드웨어와 소프트웨어의 관점에서 바라볼 수 있으며 이들은 뚜렷이 구별은 되지만 상호의존적이라는 것이다.

① 영혼은 육체와 관계가 있다.
② 영혼과 육체 모두 가상의 존재이다.
③ 영혼을 완전히 이해하는 것은 불가능하다.
④ 모든 인간은 다른 영혼과 육체를 가지고 있다.
⑤ 육체는 영혼보다 더 기계처럼 작동한다.

해설 길버트 라일은 비물질적인 정신과 물질적인 육체가 별개의 실체라는 아비켄나의 이론을 묵살하면서 '기계 속의 영혼'이라는 새로운 개념을 발표했는데, 이 개념이 뚜렷하게 구별되지만 상호의존적인 컴퓨터의 하드웨어와 소프트웨어의 관점에서 설명될 수 있다고 했으므로 정답은 ① '영혼은 육체와 관계가 있다.'이다.

오답분석 영혼과 육체의 관계를 설명하고 있는 글로서, 영혼과 육체가 가상의 존재라거나 육체가 영혼보다 더 기계처럼 작동한다는 내용은 언급되지 않았으므로 ②, ⑤는 정답이 될 수 없다. 또한 길버트 라일이 이의를 제기한 것은 정신과 육체가 완전히 별개의 것이라는 이론이므로, 이를 잘못 판단해서 인간이 다른 영혼과 육체를 가지고 있다는 ④를 정답으로 선택해서는 안 된다.

[어휘] immortal 불멸의, 죽지 않는 / independently 독립적으로 / philosopher 철학자 / psyche 정신, 마음 / follower 추종자 / inseparable 불가분의, 분리될 수 없는 / eternal 영원한 / separate 별개의, 분리된 / material world 물질세계 / inhabit 살다, 거주하다 / propose 말하다, 제의하다 / immaterial 비물질적인 / entity 실체 / challenge 이의를 제기하다 / dismiss 묵살하다 / analogy 비유 / back 지지하다, 후원하다 / in terms of ~의 관점에서 / distinct 뚜렷이 구별되는 / interdependent 상호의존적인 **[선택지 어휘]** have something to do with ~와 관계가 있다 / virtual 가상의

[구문] **[1~2행]** ~ there is the belief **that** humans have *a soul* (often immortal) [**that** exists independently of the body].

◆ 첫 번째 that은 동격절을 이끄는 접속사로 the belief와 동격을 이루고, 두 번째 that은 앞의 a soul을 보충 설명하는 관계대명사이다.

[9~11행] It was challenged by *Gilbert Ryle* in 1949, // **who** dismissed the idea and made public *a new concept* (called a ghost in the machine).

◆ who는 계속적 용법의 관계대명사로 and he(= Gilbert Ryle)로 바꾸어 쓸 수 있다.

◆ called ~ the machine은 a new concept를 후치 수식하는 과거분사구이다.

해결전략 2 Warm Up ①

[해석] 추돌을 막는 유일한 방법은 우리 차와 우리 앞에 있는 차 사이에 여분의 공간을 두는 것이었을 것이다. 이 공간은 완충 지대로 작용한다. 그것은 우리에게 다른 차들의 갑작스러운 움직임에 반응하고 적응할 시간을 준다. 마찬가지로, 우리는 단지 완충 지대를 만듦으로써 우리의 일과 삶에서 필수적인 일을 할 때의 마찰을 줄일 수 있다.
① 항상 예상치 못한 사건에 대비하는 것
② 새로운 것을 배울 때 충분한 시간을 가지는 것

[어휘] extra 여분의 / essential 필수적인

전략적용 2 ⑤ **Q1** When taxes are, Now it's time

Q2 ① 떨어진다 ② 줄어든다

[해설] **Q1** 세금이 너무 높으면 생산량이 떨어져서 정부의 세입이 줄어든다는 설명과 함께 정부가 높은 세율에서 낮은 세율로 입장을 바꿀 때가 되었다는 내용으로, 글의 중·후반부(When taxes are ~ their wish. Now it's time ~ themselves.)에 중심 생각이 잘 나타나 있다.

Q2 Laffer 곡선에 따르면 세금이 너무 높아지면 사람들의 노동 의욕 감소로 생산량이 떨어지고 정부의 세입이 줄어든다고 하였다.

[해석] 정부는 자신들의 일을 효율적으로 수행하기 위해 충분한 세금을 걷고, 그래서 일부 정부는 가능한 세율을 높게 유지하려고 한다. 여러분은 이것이 좋은 방향이라고 생각하는가? 미국 경제학자 아서 래퍼는 Laffer 곡선이라고 알려진 세율과 정부 수입 사이의 관계를 제시했다. 사람들은 세율 인하가 정부의 수입을 줄일 것이라고 예상할지 모른다. 하지만 Laffer 곡선은 이것이 사실 항상 들어맞지는 않을 수 있다는 것을 시사한다. 세금이 매우 높아지면, 사람들은 일할 의욕이 줄어들어서 경제적 생산량이 제한을 받게 되고, 이는 정부의 바람과는 달리 더 적은 세입으로 이어진다. 이제 정부가 자신들을 위해서 높은 세율에서부터 낮은 세율로 입장을 바꿀 때이다. (세율 인하로 인해) 촉진된 생산량의 증가가 세율 인하보다 더 커서, 의도된 결과를 배양한다.
① 사람들로 하여금 세금 납부를 거부하게 하다
② 정부가 제대로 하지 못하는 것을 수행하다
③ 경기를 신장시키는데 더 적은 세금을 쓰다
④ 노동자의 생산성을 점진적으로 제한하다
⑤ 정부를 위한 전반적인 세입을 늘리다

[해설] 정부는 세금을 충분히 걷기 위해서 세율을 높이려고 하지만, 세율이 높으면 사람들의 노동 의욕 감소로 생산량이 떨어져서 정부의 세입이 줄어든다는 Laffer 곡선 이론을 언급하면서, 충분한 세금이 필요한 정부가 높은 세율에서부터 낮은 세율로 방침을 바꾸어야 할 때라고 했으므로 정답은 ⑤ '정부를 위한 전반적인 세입을 늘리다'이다.

[오답분석] 정부 입장에서 사람들로 하여금 세금을 많이 내게 할 수 있는 방안에 관한 글이므로, 세금 납부 거부나 세금 사용과 관련된 ①, ③은 정답과는 거리가 멀다. 노동자

의 생산성은 Laffer 곡선의 의미를 설명하기 위해 언급된 것이므로, ④는 오답이다.

[어휘] efficiently 효율적으로 / tax rate 세율 / revenue 수입; 세입 / come to ~하게 되다 / be known as ~로 알려지다 / curve 곡선 / incentive 의욕, 열의; 우대책 / output 생산량, 산출량 / restrict 제한하다 / outweigh ~보다 더 크다, ~보다 대단하다 / stimulate 촉진시키다, 자극하다 / incubate 배양하다 / intended 의도된 **[선택지 어휘]** boost 신장시키다, 북돋우다

[구문] **[3~5행]** American economist Arthur Laffer proposed *a relationship* (between the tax rate and government revenue) [**that** came to be known as the Laffer curve].

◆ that은 주격 관계대명사로 that ~ curve는 a relationship ~ revenue를 수식한다.

[6~7행] ~, but in fact the Laffer curve **suggests** this **might** not always **be** the case.

◆ suggest가 '제안하다'의 뜻으로 쓰일 경우 「suggest+(that+)주어+(should+)동사원형」의 어순을 따른다. 하지만 suggest가 '시사하다, 암시하다'라는 뜻으로 사용되는 경우 목적어로 사용되는 that절의 동사는 「(should+)동사원형」이 아니라 글의 흐름에 맞게 다양한 형태로 사용될 수 있다.

Make it **Yours** p. 62

1 ①   **2** ①   **3** ⑤   **4** ②   **5** ①

1 ①

[해석] 비록 현재 우리가 암을 정복한다 할지라도, 이것은 단지 모든 사람들이 90세까지 살 것이라는 것을 의미할 것이지만, 500세는 말할 것도 없이 150세에 도달하기에 충분하지 않을 것이다. 이를 위해서, 의학은 인체의 과정을 다시 조작해서 인체 기관과 조직을 재생시키는 방법을 발견할 필요가 있다. 우리가 2100년까지 결코 이것을 할 수는 없을 것이다. 그럼에도 불구하고, 죽음을 정복하기 위해 시도되었던 모든 실패는 우리를 그 목표에 조금 더 가깝게 데려다주고, 이것은 더 큰 희망을 불어넣고 사람들에게 훨씬 더 큰 노력을 할 수 있도록 격려할 것이다. 비록 현대 의학이 제때 죽음을 해결해서 구글의 공동 창업자인 세르게이 브린을 불멸로 만들지는 못하겠지만, 이것은 아마도 세포 생물학과 유전 의학에 대해 중요한 발견을 할 것이다. 따라서 다음 세대의 의학은 새롭고 더 나은 위치에서 죽음에 대한 공격을 시작할 수 있을 것이다. '불멸'을 부르짖는 과학자들은 늑대를 부르짖는 소년과 같다. 머지않아, 늑대가 실제로 나타난다.
① 인간은 죽음을 정복할 것이다
② 우리는 불멸의 노예가 될 것이다
③ 사람들은 사회적이지 않고 독립적이다
④ 의학은 인간을 파멸로 이끌 것이다
⑤ 미래 세대는 우리보다 덜 강력하다

[해설] 현대 의학이 사람을 불멸의 존재로 만들 수는 없지만 다음 세대의 의학은 현대 의학의 실패를 기반으로 더 유리한 지점에서 죽음을 공략할 수 있을 것이라고 했으므로 정답은 ① '인간은 죽음을 정복할 것이다'이다.

[오답분석] 실패에도 불구하고 끊임없는 인간의 노력으로 인간이 영원한 삶을 살게 될 것이라는 요지의 글이므로, 인간이 불멸의 노예가 된다는 것을 의미하는 ②는 정답이 될 수 없다. ④는 글 전체에 의학(medicine)이 핵심어이지만, 해당 내용이 언급되지 않았으므로 오답이다.

[어휘] overcome 정복하다, 패배시키다 / let alone ~은 말할 것도 없이, ~은 고사하고 / reengineer 다시 조작하다, 다시 설계하다 / regenerate 재생시키다 / organ (신체) 기관 / tissue (신체) 조직 / inspire 불어넣다; 영감을 주다 / co-founder 공동 창업자 / immortal 불멸의, 죽지 않는 *cf.* immortality 불멸, 영생 / genetic 유전의 **[선택지 어휘]** slave 노예 / destruction 파멸, 파괴

[구문] **[1~2행]** ~, it would only mean **that** everyone will get to live to be ninety — ~.

◆ that은 mean의 목적어 역할을 하는 명사절을 이끄는 접속사이다.

[10~11행] *The scientists* [**who** cry "immortality"] are **like** *the boy*
　　　　　　　　　 S 　　　　　　　　　　 V
[**who** cried wolf]: ~.

◆ who cry "immortality"와 who cried wolf는 각각 선행사 The scientists
　와 the boy를 수식하는 주격 관계대명사절이다.

◆ like는 '~처럼, ~와 같은'이란 뜻의 전치사이다.

2 ①

해석 사람들은 자신들이 가지고 있는 스마트폰의 조언을 따르거나 의사가 처방해주는
약이라면 아무 약이나 먹으면서 행복해하지만, 그들이 미래의 초인간에 대해 들으면,
그들은 "나는 그런 일이 일어나기 전에 죽기를 바라요."라고 말한다. 일전에 내 친구는
나에게 미래를 맞이하는 것에 대해 자신이 가장 두려워하는 것은 무관한 존재가 되어
서, 자신을 둘러싼 세상을 이해하지 못하거나 그것에 기여하지 못하는 향수에 젖은 늙
은 여성으로 변하게 되는 것이라고 나에게 말했다. 초인간에 대해 들을 때, 이것이 종으
로서 우리가 집단적으로 두려워하는 것이다. 그러한 세상에서 우리의 정체성, 우리의
꿈, 심지어 우리의 두려움은 아무런 관련이 없을 것이고, 세상에 기여할 것은 아무것도
없을 것이라는 점을 우리는 깨닫게 된다. 현재 당신이 어떤 사람이든 – 종교적인 프로
야구 선수든 아니면 야망을 가진 언론인이든 – 초인간으로 가득 찬 미래의 세상에서
당신은 월스트리트에 있는 네안데르탈인 사냥꾼처럼 느껴질 것이다. 당신은 아무 데도
속하지 못할 것이다.

① 아무것도 할 수 없는 무능한 사람
② 오직 돈에만 집중하는 주식 중개인
③ 미래를 예측할 두려움 없는 학자
④ 용기 있게 미래를 맞이하는 용감한 사냥꾼
⑤ 미래를 어두운 사회로 간주하는 염세주의자

해석 미래를 맞이하는 것과 관련해서 미래의 세상과 무관한 존재 즉, 미래의 세상을 이
해하지 못하게 될 것을 두려워한다는 필자의 친구를 언급하면서, 사람들이 미래의 세상
에 기여할 것이 아무것도 없을 것이라는 점을 깨닫게 된다고 했으므로 정답은 ① '아무
것도 할 수 없는 무능한 사람'이다.

오답분석 ②는 Wall Street가 전 세계 주식 시장과 경제의 중심지라는 배경지식에
근거하여 만든 오답이며, ③은 학자들뿐만 아니라 일반 사람에 대한 설명에 해당하므로
오답이다. 또한 미래를 예측하거나 맞이하는 방식에 관한 것이 아니라, 초인간들이 존
재하는 미래에 인간이 겪게 될 무능함을 기술하고 있으므로 ④, ⑤ 역시 정답이 될 수
없다.

어휘 prescribe 처방하다 / superhuman 초인간, 초인 / irrelevant 무관한, 관련
없는 / turn into ~로 변하다 / nostalgic 향수에 젖은, 향수의 / contribute to ~에
기여하다 / collectively 집단적으로 / sense 깨닫다, 알아차리다 / identity 정체(성);
주체성 **[선택지 어휘]** broker 중개인 / courage 용기 / pessimist 염세주의자

구문 [8~10행] **Whatever** you are today — **be it a religious pro-**
　　　　　　　　　　 부사절
baseball player |**or**| **an ambitious journalist** — in the future
　　　　　A 　　　　　　　　　　　　　B
world full of superhumans // you will feel like a Neanderthal
　　　　　　　　　　　　　　　　 S 　　 V
hunter on Wall Street.

◆ whatever는 부사절을 이끄는 복합관계대명사이다.
◆ 「be+주어+A or B」는 '주어가 A이건 B이건 간에'라는 의미의 양보 부사절이다.

3 ⑤

해석 소설가들은 심지어 최악의 등장인물이라 할지라도 믿을 수 있으려면 적어도 한
가지 좋은 특성은 가지고 있어야 한다는 것을 알고 있다. 그렇지 않으면 서평가들은 그
등장인물을 비현실적인 인물이라고 말한다. 은행 강도는 길 건너에 있는 작은 할머니를
도와주고, 폭력적인 남편은 가족을 위해 가끔 일을 하고, 도둑은 마지막 남은 50달러를
고아에게 준다. 그 누구도 완전히 나쁠 수 없고 아직은 믿을만하다. 여러분의 과제는 여
러분이 좋아하지 않는 사람에게서 한 가지 긍정적인 것을 찾는 것이다. 그가 마감 시한
을 지키는가? 그가 세부 사항에 집중하는가? 그가 부드러운 목소리로 손님들을 상대해
서 손님들이 화가 날 때 그들을 진정시킬 수 있는가? 그 기술, 태도, 또는 특성을 찾아

서 그것에 집중하라. 그것과 관련이 있는 그 사람의 의견을 구하라. 그러한 의견 또는
기술이 여러분, 여러분의 팀, 또는 여러분의 조직에 장기적으로 어떻게 이익이 되는지
생각해보라. 그와 함께하기 위해서, '그 한 가지 임무'에 대해 여러분의 의사소통과 관심
을 유지하라.

① 한 번에 오직 한 가지 기술을 정복하는 것
② 비현실적인 등장인물을 현실적인 등장인물로 개선하는 것
③ 미래의 이익을 위해 현재의 입장을 고수하는 것
④ 한 팀에 있는 동료 직원들로 하여금 여러분과 친하게 지내게 하는 것
⑤ 각 개인이 갖추고 있는 긍정적인 특징을 찾는 것

해석 소설에서 최악의 등장인물이라 할지라도 한 가지 긍정적인 면은 가지고 있다는
것을 예를 들어 설명하면서, 사람들이 해야 할 일은 자신들이 싫어하는 사람이라 할지
라도 그 사람에게서 긍정적인 면을 찾는 것이라고 했으므로 정답은 ⑤ '각 개인이 갖추
고 있는 긍정적인 특징을 찾는 것'이다.

오답분석 싫어하는 사람이라 할지라도 그 사람의 긍정적인 면을 찾게 되면 그 결과 그
사람과 친한 관계가 될 수 있을 것이라고 추론을 할 수는 있지만, 이와 관련된 내용이
글에는 나와 있지 않으므로 ④는 오답이다. 한 번에 한 가지 기술만 정복하라는 ①이나
현재의 입장을 고수하라는 ③ 또한 글에서 언급되지 않았으므로 정답이 될 수 없다.

어휘 novelist 소설가 / character 등장인물 / trait 특성, 특질 / book reviewer 서
평가 / unrealistic 비현실적인 / robber 강도 / orphan 고아 / believable 믿을만한 /
probe 찾다, 조사하다 / deadline 마감 기한; 최종 기한 / detail 세부 사항 / relating
to ~와 관련된 / get along 어울리다; 사이좋게 지내다

구문 [5~6행] Your challenge is to probe for that one positive thing
　　　　　　　　 S 　　　　　 V 　　　　 C
in *a person* [(whom[that])] you don't like ●].

◆ you don't like는 앞에 목적격 관계대명사가 생략된 관계대명사절로, 선행사 a
　person을 수식한다.

[10행] To get along, / **keep** your communication and attention /
　　　　　　　　　　 부사적 용법(목적)
on "the one mission."

◆ 주어 You가 생략된 명령문이다.

4 ②

해석 학생들이 시험 점수를 받을 때, 성적이 좋은 학생들은 그것이 자신들이 열심히 공
부한 결과라고 생각하지만, 점수가 좋지 않은 학생들은 강사 또는 시험 문제에 대해 불
평한다. 연구원들이 소논문에 대한 출판 허가를 받을 때, 그들은 이것을 자신들 덕분으
로 보고, 논문이 기각되면, 그들은 자신들이 아닌 편집자와 평론가들을 비난한다. 도박
사들이 내기에서 이기면, 그들은 자신들의 솜씨에 경탄을 하고, 그들이 지면 거의 승리
할 뻔한 것을 패배로 바꾸어 버린 요행수를 비난한다. 사람들은 자존감이 높건 낮건, 자
신의 결과를 공개적으로 설명하든 사적으로 설명하든, 또는 솔직해지려고 하거나 좋은
인상을 남기려고 하든지 간에, 실패에 관해 이야기를 할 때는 '공통된 편견'을 쓰는 것
을 좋아한다.

① 성공은 수없이 많은 실패의 열매이다.
② 사람들은 실패로부터 자신들을 멀리 떨어뜨린다.
③ 실패는 게으름이 아니라 노력에서 비롯된다.
④ 좋은 결과를 만든 사람들은 열심히 일하지 않을 것이다.
⑤ 정직한 사람들은 성공보다는 실패할 가능성이 더 크다.

해석 학생들, 연구원들, 도박사들이 긍정적인 결과에 대해서는 자신들 덕분이라고 생각
하지만, 결과가 안 좋은 경우는 자신들을 배제하고 외부에 책임을 전가하므로 정답은
② '사람들은 실패로부터 자신들을 멀리 떨어뜨린다.'이다.

오답분석 ①, ③은 글의 마지막 문장에 언급된 '실패(failure)'가 구체적으로 언급되었
다는 점을 이용하여 만든 오답이고, 좋은 결과를 낸 사람들은 좋은 결과를 자신들 때문
이라고 생각했을 뿐 열심히 일하지 않을 것이라는 내용은 없으므로 ④ 또한 정답이 될
수 없다. ⑤는 밑줄 친 common bias 바로 앞에 try to be honest가 나와 있어
서 이를 이용하여 만든 오답이다.

어휘 mark 점수, 평점 / instructor 강사 / article 소논문, 기사 / editor 편집자 / win
a bet 내기에서 이기다 / marvel at ~에 대해 경탄하다 / self-esteem 자존감 /
publicly 공개적으로 / bias 편견, 선입견 / when it comes to ~에 관한 말하자면

[선택지 어휘] countless 셀 수 없이 많은, 무수한 / distance 멀리 떨어 놓다, 간격을 두다 / laziness 게으름

구문 [1~2행] When students receive exam marks, // those [who do well] think (that) it was the result of their hard work.
부사절 · S · V · O

◆ When은 때를 나타내는 부사절을 이끄는 접속사이다.
◆ it은 지시대명사이며, 앞에는 목적어 역할을 하는 명사절을 이끄는 접속사 that이 생략되었다.

[6~9행] Whether people **have** high or low self-esteem, / **explain**
부사절
their own outcomes publicly or in private, 「or」 **try** to be honest 「or」 (try) to make a good impression, // they like to use "common bias" / when it comes to talking about failure.

◆ 등위접속사 or에 의해 have, explain, try가 병렬구조를 이룬다.
◆ to be와 to make는 두 번째 나오는 or로 연결된 병렬구조이다.

5 ①

해석 서점의 육아 섹션에서, 당신은 주의력 결핍 장애가 있는 어린이, 학습 장애가 있는 어린이, 영재 어린이, 까다로운 어린이, 의지가 강한 어린이 등을 양육하는 방법에 관한 책을 찾을 수 있을 것이다. 부모들은 자녀를 올바르게 키우기 위해서는 먼저 자신의 자녀가 어떤 유형의 어린이인지 파악해야 한다고 믿게 되었다. 만약 당신 스스로 자녀의 유형을 파악할 수 없다면, 당신은 결정을 내리기 위해 시간당 100달러의 비용을 전문가에게 지불할 것이다. 이제 당신은 당신 자신의 맞춤형 육아 키트를 가지게 되었고 이를 당신의 자녀 전문가들과 함께 공유한다. 그들은 자녀의 어린 시절 '전체'를 가지고 와서 그것을 더 얇은 부분으로 나누어서 각각의 부분을 심리학적 분석의 빛으로 비춘다. 분석해서 이론화하는 이 모든 과정에서, 전문가와 부모 모두 그 또는 그녀의 접두사에 관계없이 어린이가 첫 번째이고 그 자체로 중요하다는 사실을 잊어버렸던 것처럼 보인다.
① 당신의 자녀가 어떻게 분류되든지 간에
② 심리적 분석을 신뢰할 수 있는 한
③ 모든 어린이는 양육하기 어렵다는 사실에도 불구하고
④ 부모가 자녀의 유형을 알아내지 못한다 할지라도
⑤ 전문가들이 어린이의 행동을 올바로 교정하지 못한다면

해설 자녀를 올바로 키우기 위해서 자신의 자녀가 어떤 유형의 어린이인지 알고 있어야 한다고 믿고 있는 부모들이 전문가들에게 비용을 지불하면서까지 자녀의 유형을 파악한다고 했으므로 정답은 ① '당신의 자녀가 어떻게 분류되든지 간에'이다.

오답분석 심리적 분석과 어린이 행동 교정과 관련된 ②, ⑤는 '어린이의 유형을 분류하려는 부모와 전문가 모두 어린이가 중요하다는 사실을 잊어버린다.'라는 글의 핵심 요지와는 무관하므로 오답이 된다. 부모는 전문가들에게 비용을 지불하면서까지 자녀의 유형을 파악한다고 했으므로 ④ 역시 정답이 아니다.

어휘 section 섹션, 구분 / rear 양육하다, 기르다 / attention deficit disorder 주의력 결핍 장애 / learning disability 학습 장애 / gifted 뛰어난 지능을 가진; 재능이 있는 / strong-willed 강한 의지의 / properly 올바르게, 적절하게 / figure out 파악하다, 알아내다 / determination 결정; 결심 / customized 맞춤형의, 개개인의 요구에 맞춘 / slice 나누다, 가르다 / psychological analysis 심리학적 분석 / dissect 분석하다, 해부하다 / theorize 이론화하다 / lose sight of ~을 잊어버리다 / regardless of ~에 관계없이 / prefix 접두사 / foremost 가장 중요한 [선택지 어휘] reliable 신뢰할 만한 / correct 교정하다, 수정하다

구문 [9~10행] ~ both professionals and parents seem **to have**
S · V
lost sight of the fact **that** a child, (regardless of his or her prefix), is first and foremost himself or herself.

◆ to have lost는 완료부정사로 동사의 시제인 seem보다 한 시제 앞선 것을 나타낸다.
◆ that은 동격절을 이끄는 접속사로 that ~ herself는 the fact와 동격을 나타낸다.

능동태 vs. 수동태

preferred | 그 주제에 관한 모든 역사에서, 초기 인류가 살코기보다는 동물의 지방과 장기에 있는 고기를 선호했다는 증거가 드러났다.

어휘 organ (생물의) 장기, 기관 / muscle meat 살코기

Quiz

1 occupied | 금은 종종 인간에 의해 발견된 최초의 금속이라고 여겨졌고, 인간의 역사에서 중심적인 역할을 차지해 왔다.

해설 타동사 occupy가 뒤에 목적어(a central role)를 취하고 있으므로 능동태인 occupied가 적절하다.

어휘 occupy 차지하다 / central 중심적인, 주요한

2 be replaced | 재생 가능 자원 산업은 벌목, 어업, 그리고 농업을 포함한다. 그것들은 그 자원이 대체될 수 있기 때문에 재생 가능하다고 불린다.

해설 그 자원(the resource)이 '대체되는' 것이므로 수동태인 be replaced가 알맞다.

어휘 renewable 재생 가능한 / agriculture 농업 / replace 대체하다, 대신하다

‖ Practice ②

해석 개선되어야 할 필요가 있는 열대 우림에 관한 몇 가지 심각한 문제들이 있다. 열대 우림들은 너무나 급격히 잘려 나가고 있다. 인공위성의 조사는 웨스트버지니아 정도 크기의 지역이 매년 없어지고 있음을 보여준다. 한 지역의 땅에서 나무를 없애는 과정인 그러한 삼림 벌채의 장기적 결과는 불확실하지만, 식물들은 대기 중의 이산화탄소의 균형을 유지하고 이산화탄소는 태양으로부터의 열을 가두는 (소위 온실효과라 하는) 것으로 알려져 있다. 녹색 식물의 총 크기가 줄어든다면, 이산화탄소의 수준은 올라갈 것이다. 그러므로 열대림의 광범위한 파괴는 더워지는 기후, 녹는 얼음, 상승하는 해수면의 한 원인일지도 모른다.

해설 ② 웨스트버지니아 정도 크기의 지역이 '없어지는' 혹은 '없어지고 있는' 것이므로 주어(an area about the size of West Virginia)와 동사(clear)는 수동 관계이다. 따라서 clearing은 is cleared 또는 is being cleared가 되어야 한다.

오답분석 ① 열대 우림이 '잘려 나가고 있다'란 문맥이므로 「be being p.p.」 형태의 진행형 수동태가 알맞게 쓰였다. ③ 전명구 of such deforestation이 수식하는 복수명사 The long-term consequences가 주어이므로 복수동사인 are는 적절하다. deforestation과 동격을 이루는 어구의 마지막 명사(land)를 주어로 착각하지 않도록 주의한다. ④ 녹색 식물의 총 크기가 '줄어든' 것이므로 수동태 형태가 알맞다. ⑤ 뒤의 melting, rising과 and로 연결된 병렬구조이므로 현재분사인 warming은 알맞다.

어휘 concerning ~에 관하여 / rain forest 열대 우림 / consequence 결과 / deforestation 삼림 벌채 / carbon dioxide 이산화탄소 / so-called 소위, 이른바 / greenhouse effect 온실효과 / mass 크기; 대량의; 덩어리 / destruction 파괴 / tropical forest 열대림 / sea level 해수면

구문 [3~6행] The long-term consequences of such **deforestation,**
the process of removing the trees from an area of land, are unclear, // but it is known / **that** plants maintain the balance of carbon dioxide in the atmosphere / 「and」 (that) carbon dioxide traps heat from the Sun (the so-called greenhouse effect).

◆ deforestation 뒤의 콤마(,)가 동격을 나타내며 the process of ~ of land는 명사(deforestation)에 대한 구체적인 설명을 제공한다.
◆ but으로 시작하는 절에서 that plants ~ the atmosphere와 carbon dioxide ~ greenhouse effect)는 and로 연결된 병렬구조이다.

01   ②

해석 뉴욕에서 37명의 사람들이 한 젊은이의 살해를 목격했지만, 단지 한 명만이 나중에 이를 경찰에 신고했다. 이 사건은 심리학자인 빕 라타네와 존 달리로 하여금 왜 사람들이 종종 도움을 제공하지 않거나 관여되길 원하지 않는지에 대해 조사하도록 자극했다. 이들은 구경꾼이 많으면 많을수록, 도움이 제공될 가능성이 더 낮아진다는 '구경꾼 효과'를 발견했다. 사회적 빈둥거림에 대한 라타네의 이론과 비슷하게, 다른 사람들이 더 많이 있으면, 사람들은 개별적으로 책임감을 덜 느끼는 것처럼 보인다. 라타네와 달리는 구경꾼 개입에 선행하는 인지 행동적 과정을 확인했다. 먼저, 책임의 정도가 평가되고 행동 방침이 결정되기 전에 상황이 인지되고 비상상황임이 인식된다. 구경꾼들은 또한 도움을 요구하는 사람의 특징에 대해 판단한다. 만약 분명히 나이가 들었거나 장애가 있는 사람이라면 그 사람은 포도주 한 병을 들고 있는 사람보다 도움을 받을 가능성이 더 크다.
① 모방하는   ③ 평가하는   ④ 촉진하는   ⑤ 모순되는

해설 빈칸이 있는 문장은 일명 '구경꾼 효과'라고 알려진 구경꾼 개입과 관련된 '어떠한' 인지적 행동을 확인했다는 것으로, 빈칸에는 이런 인지적 행동에 해당하는 말이 들어가야 한다. 구경꾼이 개입하기 전에, 자신의 책임이 어느 정도인지 평가하고, 비상 상황인지를 인식하고, 도움을 요구하는 사람의 특징에 대해 판단한다는 등, 구경꾼 효과가 발생하기 전에 사람들은 다양한 인지 행동을 먼저 하고 있으므로 정답은 ② '선행하는'이다.

오답분석 특정 상황에 대해 구경꾼이 개입하기 전에, 그 상황과 관련된 다양한 평가와 판단을 구경꾼이 먼저 하지만 이러한 인지 행위가 그 상황을 모방하거나, 촉진시키는 것과는 관련이 없으므로 ①, ④는 오답이다.

어휘 witness 목격하다 / murder 살해, 살인 / incident 사건, 사고 / prompt 자극하다 / assistance 도움 / get involved 관여하다, 참여하다 / bystander 구경꾼, 행인 / cognitive 인지적인, 인지의 / behavioral 행동의, 행동에 관한 / intervention 개입 / emergency 비상사태 / recognize 인식하다, 인정하다 / assess 평가하다, 사정하다 / obviously 분명히

구문 [3~5행] The incident prompted psychologists Bibb Latane (S)(V)(O) and John Darley to examine / why **it is that** people often do not (C) offer assistance or want to get involved.

◆ why ~ get involved는 to examine의 목적어 역할을 하는 간접의문문으로, 「it is ~ that ....」구문이 why를 강조하고 있다.

02   ②

해석 변호사들은 단지 법의 조건만을 제공하도록 훈련을 받는다. 많은 경우, 변호사들은 어떤 회사의 행위가 법을 위반하지 않는다는 점에서 옳은 의견을 제공한다. 법에 근거한 그들의 행위가 윤리적인지 아닌지는 또 다른 문제이다. 예를 들어, 백악관의 변호인단은 이라크의 죄수들은 엄밀히 따지면 전쟁 포로가 아니었기 때문에 국제법은 이라크에서 죄수들의 고문을 금지하지 않는다고 결론 내렸다. 하지만 이라크에 있는 감옥에서 발생한 죄수 학대 사진이 나왔을 때, 대중과 세계의 반응은 매우 달랐다. 법의 해석을 뛰어넘는 도덕적 분석은 조약 기준의 준수 여부와는 관계없이 고문과 학대가 잘못되었다는 것이었다. 학대 스캔들 이후, 미국 정부는 죄수를 심문하기 위한 새로운 기준을 채택했다. 변호사들이 자신들의 법적 시스템 안에서는 완벽하게 옳다 할지라도, 그 법적 시스템은 사람과 사람 사이의, 그리고 조직적인 학대라는 도덕적 위반을 다루지는 않았다.
① 법 자체는 완벽하고 결함이 없는지
③ 그들은 항상 모든 사람에게 똑같은 법을 적용하는지
④ 강력한 정치인은 그들에게 영향을 끼치는지
⑤ 변호사의 해석은 대중에 의해 조작되는지

해설 빈칸이 있는 문장은 '어떠한' 내용이 법이 가진 또 다른 문제라는 의미이므로, 빈칸에는 이에 해당하는 법의 구체적 내용이 들어가야 한다. 이라크 죄수들을 고문하는

것이 국제법에 따르면 아무런 문제가 되지 않지만, 일반 사람들은 죄수를 고문하는 것이 도덕적으로 잘못된 행위라고 생각한다는 구체적 사례가 제시되었다. 이러한 사례를 통해 글자 그대로 법을 적용했을 때, 사람들이 그러한 법 적용에 도덕적, 윤리적 정당성을 부여하지 않을 수 있다고 추론할 수 있으므로 정답은 ② '법에 근거한 그들의 행위가 윤리적인지'이다.

오답분석 변호사의 엄격한 법 해석이 대중들에게 잘못된 것으로 판단될 수 있다는 점이 법 자체가 완벽하지 않다는 것을 어느 정도 나타내고 있는 것이므로 ①은 정답이 될 수 없다. 법을 있는 그대로 해석하는 경우 대중이 윤리적으로 잘못된 법 적용이라고 생각할 수 있다고만 했을 뿐, 대중에 의해 변호사의 법 해석이 조작된다는 내용은 언급되지 않았으므로 ⑤는 오답이다.

어휘 lawyer 변호사 / violate 위반하다 / conclude 결론 내리다 / ban 금지하다 / torture 고문 / technically 엄밀히 말하자면 / abuse 학대, 남용; 남용하다 / emerge 나오다, 드러나다 / moral 도덕적인, 도덕의 / analysis 분석 / interpretation 해석 / regardless of ~에 관계없이 / compliance 준수 / treaty 조약 / interrogation 심문, 질문 / breach 위반, 파기 / interpersonal 사람과 사람 사이의

구문 [5~8행] For example, a team of White House lawyers (S) concluded / **that** international law did not ban torture of prisoners (V) (O) in Iraq // because they were technically not prisoners of war.

◆ that 이하는 목적어 역할을 하는 명사절이다.

03   ②

해석 별들이 하루에 백만 마일 이상을 이동할지라도, 우리는 움직이고 있는 별들을 보지 못한다. 우리는 움직임을 무시하는 경향이 있고 흔히 불편하게, 우리 세상의 지속적인 변화에 놀란다. 이것은 사업 세계에서도 마찬가지인데, 변하지 않는 사업과 시장에 대한 우리의 개념을 흔들기란 어렵다. 이런 이유로 그렇게 많은 사업들이 원시적인 과거에 속해 있는 것 같다. 많은 기업들이 자신이 항상 알아 왔던 방식을 고수한다. 그 기업들은 과거에 그랬던 것처럼, 모든 사람들에게 모든 것이 되려고 종종 노력한다. 그러한 회사들보다 더 효과적이지 못한 것은 거의 없다. 당신의 사업을 위해 효과적인 새로운 아이디어를 얻기 위해서, 당신은 자신의 사업이 무엇인지, 그리고 무엇이어야만 하는지를 이해해야 한다. 이것들을 알아야만 당신은 변화하는 사업 세계에 적응할 수 있다.
① 그들의 근원과 정체성을 알고 있는
③ 이전에 제시된 아이디어를 간과하는
④ 유행을 좇는 데 집착하는
⑤ 새로운 투자의 중요성을 무시하는

해설 빈칸 문장을 통해 많은 기업이 '어떠한' 것 같은지 찾아야 함을 알 수 있다. 빈칸 문장이 This is why ~ (이것이 ~한 이유이다)로 시작하므로 빈칸 앞 문장을 먼저 보면 사업이 변하지 않는다는 개념에 변화를 주기란 어렵다는 것을 알 수 있다. 또한, 빈칸 뒤의 문장에서 과거의 방식을 고수하는 회사들의 비효율성을 지적하고 있으므로 이를 달리 표현한 ② '원시적인 과거에 속해 있는'이 정답이다.

오답분석 빈칸 문장은 많은 기업들이 어떻게 보이는지 문제점을 서술하는 세부 사항이므로 '새로운 아이디어를 얻으려면 사업의 성격을 이해해야 한다'라는 글 후반부의 주제문처럼 보이는 ①을 고르지 않도록 주의한다. 또한 많은 기업이 이전의 방식을 고수하는 행태에 대해 지적하고 있는 글이므로 ③은 글에 서술된 기업의 특징에 부합하지 않는다.

어휘 in motion 움직이고 있는 / notion 개념 / adapt 적응하다; 맞추다 [선택지 어휘] primitive 원시적인 / yesterday 과거; 어제 / overlook 간과하다 / previously 이전에 / propose 제안하다 / be obsessed with ~에 집착하다

구문 [11행] **Few** things are **less effective than** such companies. (= Such companies are **the most ineffective** things.)

◆ 「부정어+비교급+than ~」은 '~보다 더 …한 것은 없다'라는 최상급의 의미로 해석한다.

[14~15행] **Only** by knowing these things / **can you adapt** to the changing business world.

◆ Only가 이끄는 어구가 문두에 위치하면서 「조동사+주어+동사」 순으로 도치되었다.

04 ②

해석 우리는 모두 돈이 우리 생활의 전반에 있어서 필수적인 요소이지만, 그 영향은 긍정적이거나 부정적일 수 있다는 것을 알고 있다. 예를 들어 돈에 대한 생각이 한 사람의 행동에 어떤 영향을 미치는지 생각해 보라. 이 질문에 답하기 위해, 심리학자 캐슬린 보즈와 그녀의 동료들은 특정한 참가자들에게 여러 이미지를 보여주는 연속된 아홉 가지 실험을 했다. 어떤 참가자들은 몇 분 뒤에 수면 아래에서 반짝거리는 물고기 또는 수면 아래에서 반짝이는 동전이 화면보호기로 나타나는 컴퓨터로 작업을 했다. 잠시 후에 실험실 조수가 필통을 떨어뜨리고 도움이 필요한 척했을 때, 동전의 이미지에 노출된 사람들이 훨씬 더 적게 (필통을) 주었다. 어떤 목록에서 행동을 선택하라고 요청을 받았을 때, 그들은 혼자서 일하고 노는 것을 선택할 가능성이 훨씬 더 많았다. 그리고 그들이 면접용 의자를 배치하라고 들었을 때, 그들은 자신과 다른 사람들 사이에 물리적으로 더 큰 거리를 두는 것을 선택했다.

↓

캐슬린 보즈의 연구에 따르면, (A) 돈에 대한 생각은 (B) 협동적인 행동에 부정적인 영향을 미치는 것으로 보인다.

(A)	(B)
① 일 ……	독립적인
③ 동료 ……	독립적인
④ 일 ……	협동적인
⑤ 돈 ……	독립적인

해석 요약문을 먼저 보고 '무엇'에 대한 생각이 '어떠한' 행동에 부정적인 영향을 주는지 생각하며 글을 읽는다. 언급된 실험에서 동전의 이미지에 노출된 참가자들이 그렇지 않은 참가자들에 비해 남을 돕거나 다른 사람과 어울리는 일을 기피한다는 결과가 나왔으므로, 돈에 대한 생각이 다른 사람과의 협동적인 행동에 부정적인 영향을 미친다는 것을 알 수 있다. 따라서 (A)는 money, (B)는 cooperative가 적절하며, ②가 정답이다.

오답분석 ⑤ 필통을 주워 주지 않거나 다른 사람들과의 거리를 두려는 실험 결과의 일부를 보고 예의 바른 행동이 아니라는 판단으로 빈칸 (B)에 decent를 고르지 않는다. '혼자서 하는 행동을 선택했다'는 결과도 포함하면 실험의 전체적인 결론은 협동에 초점이 맞춰져 있다는 것에 유의한다.

어휘 impact 영향; 충격; 영향[충격]을 주다 *cf.* have an impact on ~에 영향을 미치다 / psychologist 심리학자 / colleague 동료 / a series of 연속된; 일련의 / participant 참가자 / sparkle 반짝거리다 / lab 실험실 (= laboratory) / assistant 조수 / pretend to-v v인 체하다 / elect 선택하다; (선거로) 선출하다 **[선택지 어휘]** independent 독립적인 / cooperative 협동적인

구문 **[7~10행]** Some participants worked on / *computers* [which, (after a few minutes), showed *a screen saver* [that was either fish sparkling underwater or coins sparkling underwater]].

◆ that이 이끄는 주격 관계대명사절 안에 「either A or B(A이거나 B인)」 구문이 쓰였다.

05 ④

해석 최초의 유전자 조작된 아기를 만들었다고 주장하는 연구원들의 실험은 선구적인 업적으로 기억될 것이다. 그러나 전체로서의 그 분야는 이러한 유전자 조작의 사용을 비윤리적이고 범죄적으로 본다면 태만한 것이라고 비난했다. 비록 그렇다 할지라도, 이 사건은 과학자들이 거울 속에 비친 모습(즉, 자신들의 모습)을 살펴보도록 촉구해야만 한다. 선구자가 되려는 욕구는 과학적 문화의 일부분이다. 처음이 되는 것은 영광, 명성, 그리고 권위로 보상을 받는다. 사람들은 여러분이 좋은 판단을 하든 그렇지 않은 간에 여러분의 말을 듣는다. 규칙과 윤리적으로 행해져야만 하는 것에서 벗어나는 것은 지식 추구의 자산으로서 여겨질 수 있다. 조사 보고서는 영웅과 첫 번째가 되고자 하는 욕구와 결합된 이익의 충돌들이 비록 그러한 실험이 비윤리적인 것으로 기억될지라도 어떻

게 그곳의 연구원들로 하여금 유전자 치료의 인간 실험을 서두르게 유도했는지를 보여주었다.

↓

최초의 유전자 조작된 아기와 같은 실험이 (A) 비윤리적으로 간주된다 할지라도, (B) 선구자가 되는 것은 과학적 문화의 일부이다.

(A)	(B)
① 비현실적인 ……	지도자
② 비현실적인 ……	안내자
③ 비윤리적인 ……	후원자
⑤ 바람직하지 않은 ……	행위자

해설 요약문은 최초의 유전자 조작된 아기와 같은 실험이 '어떻게' 간주된다 할지라도, '무엇'이 되는 것이 과학 문화의 일부라는 내용이다. 글의 초반에는 최초의 유전자 조작된 아기를 탄생시켰던 실험이 비윤리적이라고 비난을 받았다는 내용이 언급되고, 계속해서 무언가를 제일 처음 하는 것은 영광이나 명성 등으로 보상을 받는다고 하면서, 선구자가 되려는 것은 과학적 문화의 일부라고 했다. 따라서 (A)에는 unethical, (B)에는 pioneer가 적절하며, ④가 정답이다.

오답분석 (A)의 자리에 '비윤리적인'을 확대 해석해서 '바람직하지 않은'이라는 뜻의 ⑤ undesirable이 적절하다고 생각될 수도 있다. 하지만 (B)의 performer는 '행위자'라는 뜻인데, 이 글에서 전달하고자 하는 메시지는 '선구자가 되려는 것이 과학 문화의 일부'라는 것이므로 performer는 (B)에 들어갈 수 없다.

어휘 experiment 실험 / gene-edited 유전자 조작의, 유전자 편집의 / condemn 비난하다 / unethical 비윤리적인 / negligent 태만한 / prompt 촉구하다; 재촉하다 / be rewarded with ~로 보상받다 / fame 명성, 명예 / authority 권위 / asset 자산 / pursuit 추구; 추적, 추격 / investigative report 조사 보고서 / gene therapy 유전자 치료 **[선택지 어휘]** impractical 비현실적인 / guider 안내자 / pioneer 선구자 / undesirable 바람직하지 않은 / performer 행위자

구문 **[10~12행]** **Deviating** from the rules and what must be done ethically / can be regarded / as an asset in the pursuit of knowledge.

◆ Deviating ~ ethically는 동명사구로, 문장의 주어 역할을 한다.

[12~17행] Investigative reports showed / how *conflicts of interest with the desire* (**to be a hero and the first**) drove the researchers there to rush human trials of gene therapy, // even if such an experiment would be remembered as unethical.

◆ how ~ therapy는 동사 show의 목적어 역할을 하는 명사절이다.
◆ to be ~ the first는 형용사적 용법으로 the desire를 수식한다.

06 ④

해석 긍정적인 사고는 불행에 치우친 유전적 성향을 타고난 사람들조차도 삶에 대한 더 긍정적이면서도 낙천적인 태도를 키워나갈 수 있도록 도움을 줄 수 있다. 그리고 이것은 동시에 이루어지는 간단한 행위에 의해서 더 강화될 수 있다. "긍정 심리학"을 세상에 알린 한 획기적인 연구에서, 35세에서부터 54세에 이르는 광범위한 성인들은 매일 밤 자신들에게 순조롭게 진행되었던 세 가지 일을 적고 그 이유를 간단하게 기술하라는 요청을 받았다. 그다음 3개월 동안, 그들의 행복 만족도는 계속해서 상승했고, 우울한 기분은 계속 줄어들었다. 행복을 연구하는 많은 연구원들 또한 사람들이 무수히 많은 인생의 문제에 직면할 때 연필을 잡음으로써 사람들이 더 빠르게 회복력을 키워나갈 수 있다고 말한다. 정말로, 힘이 들지 않는 이 멋진 마술을 통해, 우리는 전반적인 행복을 키워나가고 더 충만한 삶으로 들어갈 수 있다.

① 인생의 문제를 즉시 스스로 극복하는 것
② 부정적인 것에서 긍정적인 것으로 우리의 생각을 바꾸는 것
③ 우리가 결국 행복해질 것이라고 믿는 것
④ 자신에 대해 긍정적인 무언가를 쓰는 것
⑤ 일상생활에서 다양한 단순한 행동을 고수하는 것

해설 순조롭게 진행되었던 일 세 가지를 매일 밤 쓴 성인들의 우울한 감정이 줄어든 반

면에 행복감이 증가했고, 또한 어려운 문제에 접한 사람들이 연필을 잡음으로써(무언가를 씀으로써) 회복력을 더 빨리 키워나갈 수 있었다고 했으므로 정답은 ④ '자신에 대해 긍정적인 무언가를 쓰는 것'이다.

오답분석 글의 전체적인 내용이 인간의 행복 추구에 관한 것이기는 하지만 인간이 결국 행복해질 것이라고 믿는다는 내용은 글에서 언급되지 않았으므로 ③은 정답이 될 수 없다. 또한 글을 쓰는 단순한 행위를 통해서 행복을 더 키워나갈 수 있다고 했을 뿐, 일상에서 단순한 행동을 고수하라고 하지는 않았으므로 ⑤는 오답이다.

어휘 positive thinking 긍정적인 사고 / propensity 성향, 경향 / optimistic 낙천적인 / reinforce 강화하다 / simultaneously 동시에 / landmark 획기적인 / put A on the map A를 세상에 알리다 / resilience 회복력; 탄력 / be faced with ~에 직면하다 / effortless 힘이 들지 않는, 수월해 보이는 / enhance 향상시키다 / overall 전반적인 / fulfilling 충만한 [선택지 어휘] get over 극복하다 / instantly 즉시 / stick to ~을 고수하다

구문 [1~4행] Positive thinking can help even *people* [**who** are born
　　　　　　　　　　　 S　　　 V 　　　　　O
with a genetic propensity toward unhappiness] **to build** a better
　　　　　　　　　　　　　　　　　　　　　　　　　 C
and more optimistic attitude toward life.

• who ~ unhappiness는 people을 수식하는 관계대명사절이다.
• help는 목적격보어로 to부정사와 원형부정사 둘 다 올 수 있으므로 to build를 build로 바꾸어 쓸 수 있다.

07 　⑤

해석 유리 겔라가 십 대였고 사이프러스에 살고 있을 때, 그가 가장 좋아하는 취미 중 하나는 학교 위 언덕에 있는 동굴을 탐험하는 것이었다. 어느 날, 겔라는 혼자 탐험을 하러 갔다가 동굴 속 깊은 곳에서 길을 잃었다. 그는 춥고 몸이 다 젖었고 낯익은 것이 하나도 보이지 않았다. 설상가상으로, 손전등의 건전지가 막 떨어지려고 했다. 겔라는 반 친구 두 명이 동굴에서 길을 잃어 굶어 죽었다는 것을 알고 있었다. 그는 겁에 질려 거의 희망을 포기하고 있었는데, 그때 그의 가슴에 작은 발 두 개가 닿는 것을 느꼈다. 그것은 그의 개, 아다였다! 겔라는 그녀가 그가 어디에 있는지, 그를 찾아내야 한다는 것을 어떻게 알았는지 전혀 알 수 없었다. 그러나 아다는 그에게 나가는 곳을 알려줬고, 오직 그것만이 중요했다.

해설 ⑤ 개가 그를 찾은 것이므로 문맥상 그는 '발견될 필요가 있다'란 수동의 의미가 적절하다. 따라서 be found가 되어야 한다.

오답분석 ① was의 보어 역할을 하는 to부정사가 바르게 쓰였다. ② '~하게 보이다'라는 의미의 looked 다음은 보어 자리이므로 형용사 familiar가 적절하다. ③ 동사 knew의 목적절을 이끄는 that이 올바르게 쓰였다. ④ 놀란 대상이 he(= Geller)이고 이처럼 주어가 감정을 느끼는 주체일 때 감정동사는 과거분사 형태로 쓴다.

어휘 pastime 취미 / worse still 설상가상으로 / run out (물자, 돈 등이) 떨어지다, 다되다 / starve to death 굶어 죽다 / terrify 겁나게 하다 / all but 거의

구문 [11~12행] Geller had no idea / how she knew / **where** he
　　　　　　　　　　　　 V 　　　　　　　 V'　　　　 O'1
would be and **that** he needed to be found.
　　　　　　　　　　　　 O'2

• 의문사 where와 접속사 that이 이끄는 두 개의 명사절이 and로 연결되어 병렬구조를 이루며 knew의 목적어로 쓰였다.

08 　④

해석 만약 직업이나 사업 분야에 영향을 줄 만한 변화가 다가오는 것을 예상할 수 있다면, 그 변화가 닥쳤을 때 훨씬 더 유리한 위치에 있을 것이다. 시대에 뒤처지지 않기 위해서, 경영 잡지를 읽고 참석할 수 있는 모든 회의에 참석하라. 사내에서는 친구를 사귀는 것이 그 어느 때보다 중요한데, 고위직의 힘 있는 사람들만 사귀라는 것은 아니다. 보좌인들이 가장 중요하고 놀라운 일을 알고 있는 경우가 자주 있다. 예를 들어, 그들은 새로운 소프트웨어 프로그램에 대해 알게 해줄 수도 있다. 또한, 요즘 회사에서 가장 바람직하다고 생각하는 능력에 대한 감을 잡기 위해 구인 광고를 읽기 시작하라. 고용주의 웹사이트에 실린 중요한 발표를 주시하고 경쟁사의 웹 사이트도 검토하라.

해설 ④ 「consider A B(A를 B로 여기다[생각하다])」 구조로서 A는 목적어, B는 목

적격보어가 되어야 한다. 그러므로 목적어는 the skills, 목적격보어는 부사인 desirably가 아닌 형용사 desirable이 와야 한다.

오답분석 ① 앞의 any approaching change를 가리키는 대명사 자리로 단수명사를 대신하는 it은 적절하다. ② 「it(가주어) ~ to부정사(진주어)」 구문이다. ③ 문맥상 '알게 해준다'는 사역동사 let 뒤의 목적격보어 자리이므로 동사원형 know는 적절하다. ⑤ 앞절의 동사 keep과 examine은 and로 병렬구조를 이루고 있으므로 적절하다.

어휘 approach ~에 다가가다, 접근하다 / convention (대규모의) 회의; (사회의) 관습 / mighty 힘이 있는, 강력한 / assistant 보좌인, 조수; 도움이 되는 / desirable 바람직한 / keep an eye on ~을 주시하다, 감시하다 / competitor 경쟁자

구문 [10~12행] Also, start reading job ads / to get a sense of *the skills* [(*that[which]*) **your office considers ● most desirable these days**].

• your office ~ days는 앞의 the skills를 수식하는 목적격 관계대명사절로, 절의 목적어는 선행사 the skills에 해당한다.

CHAPTER 3　글의 흐름대로 배열하기

해결전략 1 Warm Up 1. ③　2. ②

1. 해석 역사나 신화에서 주제를 고른 이전의 화가들과는 달리, 인상파 화가들은 자신들 주위의 일상 세계를 그렸다.

어휘 previous 이전의 / artist 화가 / impressionist 인상파 화가

2. 해석 아시아인들과 여러 아메리카 원주민 문화는 침묵을 사회적 상호작용의 중요하고 적절한 부분이라고 여긴다.
① 침묵은 화자가 한 말을 알고, 그것에 대해 생각하고, 검토해 볼 시간으로 여겨진다.
② 침묵은 분열과 분리를 유발하고, 관계에 있어 심각한 문제를 일으킨다.

어휘 native 원주민(의) / view ~라고 여기다 / silence 침묵

전략적용 1　②　Q1 Students need to　Q2 실패

해석 Q1-Q2 학생들은 실패를 통해서 배우고 성장해야 한다는 것이 글의 주제로, 첫 문장(Students need to ~.)이 주제문이다.

해석 학생들은 그들의 다양한 실패로부터 배우고 성장할 필요가 있다. ① 어떤 학생이 과제를 잘하지 못한다고 해서 그것을 공책 뒤쪽에 숨기는 것은 어리석다. ② 학생들은 그들의 능력에 대해 좀 더 자신감을 가지면 과제를 더 잘 해낸다. ③ 실수는 배우고 발전할 중대한 기회를 주지만 행동이 필요하다. ④ 현명한 교사(또는 조직의 리더)는 학생(또는 단체의 구성원)이 그 자리에서 바로 실수로부터 배우는 것을 분명히 가치 있게 만들 것이다. ⑤ 실패를 성공을 향한 긍정적인 발걸음으로 만들기 위해서는 당신이 실패한 노력들에서 결점을 완전히 이해할 때까지, 당신은 작업을 수정하고, 다시 노력하고, 더 노력하고, 도움을 구해야 한다.

해석 이 글의 주제는 첫 문장에서 언급되었듯 학생들은 실패를 통해서 배우고 성장해야 한다는 것이므로 학생들이 자신의 능력에 자신감을 가질 때 과제를 더 잘 해낸다는 내용의 ②는 전체 글의 흐름과 어울리지 않는다. 앞에서 나온 단어인 assignments가 ②에서도 반복되어 나오는 것에 현혹되지 않도록 주의한다. 같은 단어를 써도 문장의 문맥은 전혀 다를 수 있다는 것을 명심해야 한다.

오답분석 주제문 뒤의 ①은 실수를 숨기는 것이 아니라 그것으로부터 배워야 한다는 내용을 도출하기 위해 예를 든 문장이다.

어휘 assignment 과제; 배정 / bury 숨기다; (땅에) 묻다 / present 주다, 제공하다 / instructor 교사, 강사 / organizational 조직의 / worthwhile 가치 있는 / revise 수정하다 / seek 구하다; 찾다 / defect 결점

구문 [5~8행] The wise instructor (or organizational leader) will make **it** clearly worthwhile **for a student (or member of the** 〔가목적어〕 〔의미상 주어〕 **group)** — right then and there — **to learn from the mistakes.** 〔진목적어〕

◆ 진목적어 to learn from the mistakes의 의미상 주어인 for 전명구가 to부정사구 앞에 위치한다.

[8~11행] **To make** failure *a positive step* (toward success), / you 　　　　　V　　　　O　　　　　　C
need **to revise your work**, **try again**, **try more**, and **seek help** // until you've completely understood / *the defects* (in your failed efforts).

◆ To make는 to부정사의 부사적 용법 중 목적을 나타낸다.
◆ to-v를 목적어로 삼는 동사 need 뒤에 네 개의 to부정사구가 and로 병렬구조를 이룬다. to-v가 병렬될 경우 두 번째부터는 to를 생략할 수 있다.

해결전략 2 Warm Up ① ○　② ○　③ ✕

해석 초기 미국 원주민들은 그들이 필요한 모든 것을 만들어야 했다.
① 각 부족이 연장과 음식을 만드는 데 사용하는 종류의 것들은 그들이 주위에서 발견한 것들에 의존했다.
② 그들이 만든 것들은 자신들의 생활 방식에 잘 맞았다.
③ 대부분의 미국 원주민들은 자신들만의 언어를 사용했다.

어휘 [선택지 어휘] tribe 부족 / depend upon ~에 의존하다 / lifestyle 생활 방식

전략적용 2　④　Q1 artificial plants　Q2 ① 물, 공기, 햇빛을 필요로 하지 않는다 ② 원하는 곳 어디든 둘 수 있다 ③ 곤충 및 해충의 공격에 대해 걱정할 필요가 없다

해설 Q1 실내외 공간에 살아 있는 식물이 아닌 인공 식물(artificial plants)을 놓는 것에 대한 이점에 대한 글로, 주제와 관련된 핵심어는 artificial plants가 적절하다.
Q2 세 번째 문장(It's because ~) 이하의 모든 문장에서 인공 식물의 이점에 대해서 설명하고 있다.

해설 살아 있는 식물이 표준이었던 시대는 갔고, 오늘날 인공 식물이 실내외 공간으로 진출하고 있다. 집주인들은 진짜처럼 보이도록 디자인되고, 모양이 만들어지고 색깔이 칠해진 플라스틱 또는 실크 식물을 선택할 수 있다. ① 이것은 인공 식물이 기르기 쉽기 때문인데, 인공 식물은 생존하기 위해 물, 공기, 그리고 햇빛을 필요로 하지 않는다. ② 그래서 여러분이 휴가 중이거나 직장을 갈 때, 여러분은 인공 식물에게 물을 줄 걱정을 할 필요가 없다. ③ 인공 식물이 햇빛을 필요로 하지 않기 때문에, 어두운 방이건 또는 햇빛이 최소로 들어오는 방이건 간에 여러분이 원하는 곳 어디든 인공 식물을 둘 수 있다. ④ 일부 인공 식물은 더욱 진짜 식물처럼 보이게 만들기 위해 비싼 합성 물질로 만들어지기 때문에 가격이 많이 나간다. ⑤ 여러분은 또한 방에 있는 인공 식물의 완벽함과 성장을 망칠 곤충 및 해충의 공격에 대해 걱정할 필요도 없다.

해설 인공 식물은 햇빛과 물을 필요로 하지 않고, 곤충이나 해충의 공격에 대해서도 걱정할 필요가 없는 등 인공 식물의 이점으로 인해 사람들이 인공 식물을 많이 이용한다는 내용이므로, 비싼 합성 물질로 만들어진 일부 인공 식물의 가격에 대해 언급한 ④가 글의 흐름에 일치하지 않는다.

오답분석 인공 식물이 곤충 및 해충의 공격에 대해 걱정할 필요가 없다는 ⑤ 또한 인공 식물의 이점에 대한 내용이므로 글의 흐름과 일치한다.

어휘 norm 표준, 기준 / artificial plant 인공 식물 / opt for 선택하다 / minimal 최소의, 아주 적은 / synthetic material 합성 물질 / authentic 진짜의, 진정성 있는 / pest 해충, 유해 동물 / spoil 망치다

구문 [1행] Gone are *the days* [**when live plants were the norm**], ~. 　　　　　C　　V　　　　　　　　　　　　　　　　　　S

◆ 보어 Gone이 도치된 문장이다.
◆ when ~ the norm은 관계부사절로 선행사 the days를 수식한다.

[4~5행] **It's because** artificial plants are easy to keep; ~. 　　　　　　　　　　　　　　　　　　　　　　〔부사적 용법(~하기에)〕

◆ 「It's because 주어+동사 ~」는 '이것은 (주어)가 ~하기 때문이다'라는 의미이다.

Make it **Yours**
p. 74

1 ④　2 ③　3 ③　4 ③　5 ④

1　④

해석 베푸는 것이 당신의 건강에 위험할 수 있을까? 다른 사람들에게 너무 많이 주고 우리 자신에게 충분히 주지 않는 습관은 인생의 가장 필수 과업, 즉 꿈을 좇는 것을 방해할 수 있다. ① 연구자들은 여성의 역할이 전통적으로 육아와 그들의 의무를 이행하는 데 묶여 왔기 때문에 여성들은 자주 자신들의 꿈을 좇는 것을 보류하는데, 그것이 가족이나 친구들에게 해가 될 것을 두려워하기 때문이라고 지적한다. ② 마찬가지로 남성

들은 그들의 가족이 부양과 보호를 필요로 한다고 생각한다면 자신의 꿈을 좇는 것을 거부할지도 모른다. ③ 그런 희생이 우리가 사랑하는 이들에게 도움이 된다는 생각은 착각이다. ④ 희생은 진심에서 우러나올 때 아름다운 덕목이다. ⑤ 우리의 개인 여정을 희생하거나 다른 사람이 우리를 말리는 것을 받아들임으로써 우리는 그들을 돕는 것이 아니라, 자기 발견의 기회를 포기함으로써 우리 자신에게 상처를 입히고 있다.

해설 '베푸는 것'이 건강에 위험할 수 있는지에 대해 첫 문장에서 의문을 제기한 후, 자신이 사랑하는 사람들에게 도움이 된다는 착각으로 행해지는 자기희생이 자신의 꿈을 좇는 것을 방해한다는 것이 이 글의 요지이다. 따라서 희생은 진심에서 우러나와야 한다는 상식적인 내용의 ④는 글의 흐름과 어울리지 않는다.

어휘 get in the way of 방해하다 / essential 필수적인; 근본적인 / point out 지적하다 / nurturing 육아 / fulfill 이행하다; 달성하다 / support 부양(하다); 지지하다 / protection 보호, 방어 / sacrifice 희생; 희생하다 / illusion 착각, 환상 / virtue 덕목; 선행 / self-discovery 자기 발견

구문 [1~3행] The habit (of giving too much to others and not
enough to ourselves) can get in the way of *our most essential
task (in life)*, // **which** is following our dreams.

* which 이하는 our most essential task in life를 부연 설명하는 계속적 용법으로 쓰인 관계대명사절이다.

[7행] **The idea that** such sacrifices are helping our loved ones is
an illusion.

* that ~ ones는 The idea를 설명하는 동격절이다.

2 ③

해석 여러분이 학교에서 60%의 확률에 가깝게 시험에 떨어진다면, 여러분은 낙제점을 받는 학생이다. 하지만 어떤 맥락에서는, 그런 수준의 성과가 여러분을 슈퍼스타로 만들어줄 것이다. ① 예를 들어, 60% 확률로 실패한, 즉 타율이 4할인 메이저 리그 야구 선수는 매우 뛰어날 것이다. ② 현존하는 선수 중 그렇게 잘하는 사람은 없고, 따라서 야구에서 모든 선수들은 50%를 훨씬 넘게 실패한다. ③ 안정되고 빠르며 효율적인 야구 스윙을 개발하는 데는 몇 년이 걸린다. ④ 과학자나 수학자들에게는 더욱 심한데, 그들이 평생에 정말 중대한 단 한 문제만이라도 답한다면 당연히 엄청난 존경을 받게 될 것이기 때문이다. ⑤ 다시 말해서, 성공적인 것이 반드시 100%로 성공함에 관한 것은 아니다.

해설 학교 시험 점수, 야구 선수, 과학자나 수학자의 예시를 들어 성공은 반드시 100% 확률의 성공은 아니라는 주제를 말하고 있다. 효과적인 야구 스윙법을 개발하는 데 시간이 걸린다는 내용의 ③은 글의 흐름과 관계가 없다.

오답분석 ① 이후는 야구 선수를, ④에서 과학자나 수학자의 상황을 예로 들어 100% 성공의 확률에 대해 반박하고 있으므로 둘 다 글의 흐름과 관련이 있다.

어휘 performance 성과; 공연 / major league (야구) 메이저 리그 / batting average 타율 / extraordinary 뛰어난, 비범한 / sound 안정된; ~인 것 같다 / efficient 효율적인; 유능한 / mathematician 수학자 / rightly 당연히; 옳게 / regard (어떤 감정·태도를 가지고) ~을 보다, 대하다 / esteem 존경(하다) / significant 중대한; 상당한 / not necessarily 반드시 ~은 아닌

구문 [2~4행] For instance, / *a major league baseball player* [who failed 60% of the time] — that is, [who had a batting average of .400] — would be very extraordinary.

(= For instance, **if there were** a major league baseball player ~ a batting average of .400 — **he/she** would be very extraordinary.)

* 주어에 조건의 뜻이 함축되어 있어 가정을 나타내는 문장이다.

3 ③

해석 많은 사회가 신생아들은 악령의 영향을 쉽게 받는다고 믿기 때문에, 주술에서 아이에게 사용되지 못하도록 아이 이름을 때때로 비밀로 하거나 아예 지어주지 않는다. ① 아이티와 나이지리아 문화권에서는 아기들이 태어나면 두 개의 이름을 지어준다.

② 부모는 그중 하나를 비밀로 하고, 아이가 스스로 이름을 지키기에 충분한 나이가 됐다고 여겨질 때가 돼야 아이에게 이름을 알려준다. ③ 어떤 부모들은 아이가 태어나기 전에 이름을 지어서 다른 사람들과 그 이름을 공유하는 것은 그들이 아이에게 유대감과 친밀감을 더 느끼도록 도와준다고 생각한다. ④ 마찬가지로 태국에서 신생아는 악령의 관심에서 벗어나기 위해 별명(보통 동물 이름)으로 자주 불린다. ⑤ 신생아에게는 나중에 선생님들과 고용주들과 공식적인 경우에 주로 사용하는 2음절 이름을 지어준다.

해설 첫 문장에서 알 수 있듯이 많은 사회에서 악령을 피하기 위해 신생아들의 이름을 비밀로 하거나 아예 지어주지 않는다는 글의 내용으로, 그 예시로 여러 나라의 사례를 들고 있다. 따라서 아이 이름을 미리 지어서 다른 사람들과 공유하는 것이 유대감과 친밀감 형성에 도움이 된다는 내용의 ③은 글의 전체 흐름과 어울리지 않는다.

오답분석 두 개의 이름을 지어준다는 예시를 든 ①의 내용은 이어지는 ②를 보면 진짜 이름이 알려지는 것을 보호하기 위한 전략임을 알 수 있다.

어휘 newborn 신생아, 갓난아이 / evil spirit 악령 / spell 주술, 주문; 마법 / birth 출생, 탄생; 시작, 출현 / be referred to (as) (~라고) 불리다 / nickname 별명 / mainly 주로 / formal 공식적인; 형식적인

구문 [1~3행] **Since** many societies believe / that newborns are easily influenced by evil spirits, // a baby's name is sometimes **kept** secret or **not given** at all **so (that) it** can't be used against the child in spells.
    = a baby's name

* 여기서 since는 이유를 나타내는 접속사로 쓰였다.
* kept와 not given은 is 뒤에 or로 연결되는 병렬구조를 이룬다.
* 「so (that)+S+V ~」는 '~하기 위해서, ~하도록'의 의미로 목적을 나타낸다. 여기서는 부정어 not이 사용되었으므로 '~하지 않도록'의 의미이다.

[4~5행] The parents keep one of them a secret, // and they do **not** share it with the child / **until** he is considered old enough to
                                        A   B
guard the name for himself.

* 「not A until B」는 'B하고 나서야 비로소 A하다'의 의미이다

4 ③

해설 NASA에서 일하는 본조는 발사 시 우주 왕복선의 무게는 연료가 95%를 차지한다고 설명한다. 연료가 필요 없어지게 된다면, 우주 왕복선이 얼마나 가벼워질지 생각해보라. 돛을 사용하는 것이 해답일 수 있다. ① 햇빛이 가하는 압력을 이용하여, 태양 돛은 이론상으로 영원히 이동할 수 있는데 이는 태양 돛이 공급이 제한되어 있는 연료에 의존하지 않기 때문이다. ② 게다가, 꾸준한 햇빛의 힘은 궁극적으로 전통적인 로켓보다 다섯 배 더 빨리 태양 돛을 갖추고 있는 우주 왕복선을 나아가게 할 수 있다. ③ 다른 유형의 제트 엔진과 비교해보면, 로켓 엔진은 가장 가볍고 가장 높은 추진력을 가지고 있지만 제트 엔진보다 효율성은 더 낮다고 말하여진다. ④ 그리고 이를 실행하기 위해서 필요한 모든 것은 돛을 만들 수 있는 고반사적이고 가벼운 물질이다. ⑤ 만약 대량으로 생산된다면, 이러한 물질은 가정용 알루미늄 포일과 거의 같은 비용으로 만들어질 수 있을 것으로 기대된다.

해설 태양 돛은 우주 왕복선의 무게를 획기적으로 줄여주기 때문에, 태양 돛을 갖춘 우주 왕복선은 전통적인 로켓보다 다섯 배나 더 빨리 이동할 수 있다는 내용이므로, 로켓 엔진과 제트 엔진을 비교하고 있는 ③이 글의 전체적인 흐름과 일치하지 않는다.

오답분석 대량으로 생산되는 경우, 저렴한 비용으로 생산될 수 있다는 ⑤ 또한 태양 돛에 관한 내용이므로 글의 흐름과 일치한다.

어휘 space shuttle 우주 왕복선 / launch 발사 / eliminate 없애다, 제거하다 / exert 가하다, 행사하다 / solar sail 태양 돛 / theoretically 이론상으로 / be reliant on ~에 의존하다 / propel 나아가게 하다 / carry out 실행하다; 수행하다 / highly-reflective 고반사의 / in bulk 대량으로 / manufacture 만들어내다, 제조하다

구문 [8행~9행] And *all* [**that** is required to carry out this] / is *a*
                              S
highly-reflective and lightweight material (with which to make the
                                           C
sail).

* that ~ this는 주어 all을 수식하는 관계대명사절이다.
* with ~ the sail은 앞에 있는 명사 a highly-reflective ~ material을 수식한다.

[9행~11행] If (it is) produced in bulk, // it is expected **that** such
material can be manufactured / for about the same cost / as
household aluminum foil.

◆ produced 앞에는 it(= such material) is가 생략되었다.
◆ it은 가주어이고 that 이하가 진주어인 문장이다.

5 ④

해석 어떤 사람이 당신에게 거짓말을 한다고 생각한다면, (그 사람이 하는) 모든 말을
믿는 것처럼 행동하라. 그러면 그 사람은 자신의 행동을 과신하게 되어서 결국 스스로
를 배신할 것이다. ① 우선, 당신이 거짓말쟁이라고 믿는 그 사람에게 당신에게 한 말을
다시 한번 말하도록 요청하라. ② 거짓말을 잘하는 사람들은 자신들의 대답을 연습했기
에 정확하게 똑같은 반응으로 다시 말할 수 있다. ③ 다음으로, (거짓말을 했다고 생각
되는) 용의자에게 자신이 거짓말에서 빠져나갔다고 생각할 수 있도록 약 1~2분 동안
잠시 멈추고 그 사람에게 자신이 한 말을 세 번째로 반복해 줄 것을 공손하게 요청하라.
④ 만약 그렇게 해 달라고 그 사람에게 요청하는 방식이 공손하다고 여겨지지 않는다
면, 그 사람은 당신이 함께 일하기에는 상당히 무례한 사람이라고 생각할지 모른다.
⑤ 세 번째의 재청을 기대하지 않은 채 느긋한 상태에 있기 때문에, 그 사람은 일반적
으로 이전의 반응들과 똑같은 반응을 하지 않는데, 이를 통해서 당신은 그가 거짓말을
했다고 결론을 내릴 수 있다.

해설 거짓말을 한다고 생각되는 사람에게 같은 거짓말을 세 번 반복하도록 요청함으로
써, 그 사람이 거짓말을 하고 있음을 파악할 수 있다는 내용의 글이므로, 거짓말을 하고
있다고 생각되는 사람에게 공손한 방식으로 요청하지 않는 경우, 그 사람이 당신을 함
께 일하기에 무례한 사람으로 생각한다는 ④가 글의 흐름에 일치하지 않는다.

오답분석 ⑤는 거짓말을 했다고 의심되는 사람에게 세 번째로 같은 말을 하도록 요청
했을 때의 결과를 설명하는 내용이므로 글의 전체적인 흐름과 관계가 있다.

어휘 eventually 결국, 마침내 / betray 배신하다 / overconfident 과신하는 /
identical 똑같은, 동일한 / pause 잠시 멈춤, 중지 / suspect 용의자 / get away
with 빠져나가다; 탈출하다 / encore 재청, 앙코르 / previous 이전의 / make a
conclusion 결론을 내리다

구문 [1~2행] ~, **act** / as if you believe every word // **and** eventually
they'll betray themselves / **as they become overconfident in
their performance**.

◆ act는 주어 you가 생략된 명령문으로, 다음에 나오는 and와 이어져서 '~해라, 그
러면 …할 것이다'라는 뜻을 나타낸다.
◆ as they ~ their performance는 이유를 나타내는 부사절로, as는 이유나 원
인을 나타내는 접속사로 '~해서, ~ 때문에'라는 뜻이다.

[9~10행] ~, they usually don't give the same identical response as
the previous ones, / by **which** you can make a conclusion // **that**
they lied to you.

◆ which는 앞 문장 they usually ~ ones를 가리킨다.
◆ that은 동격절을 이끄는 접속사로, that 이하는 a conclusion과 동격을 이룬다.

| Unit 09 | 빈출순 **어법 POINT** | p. 77 |

수식받는 주어의 수일치

were ㅣ 애완동물들은 노인들이 과거에 어떤 사람이었는지에 대한 기억이 전혀 없
으며 그들이 마치 어린이들인 것처럼 그들을 반긴다.

어휘 memory 기억(력) / greet 반기다, 환영하다

Quiz

1 is ㅣ 학생들이 그 시험들에서 높은 점수를 받지 못한 이유는 그들이 그것들(시험
들)이 쉬울 것이라고 기대했기 때문이다.

해설 주어는 The reason이므로 단수 취급하여 단수동사인 is가 적절하다.
why students ~ tests는 주어 The reason을 수식하는 관계부사절이다.

2 have ㅣ 이 섬에 사는 마을 사람들은 수십 년 동안 관광객들에게 서비스를 제공
해 왔다.

해설 주어는 The villagers이므로 복수동사 have가 알맞다. 주어이자 선행사
인 The villagers를 관계대명사 who가 이끄는 절(who ~ island)이 수식하
고 있다.

▌Practice ①

해석 우리가 필기에 사용하는 도구들에 대한 흥미로운 점은 그것들이 여러 다양한 체
계와 언어에서 그림들, 기호들, 글자들을 형성하는 데 사용될 수 있는 반면, 도구 자체
는 똑같을 수 있다는 것이다. 그것들은 시간에 따라 변하지만, 문화 간에 달라지지는 않
는다. 따라서 갈대 펜은 오래전에 라틴어나 고대 프랑스어로 된 문서를 옮겨 적는 데 사
용되었을지도 모르고, 후에 깃펜이 영어나 스페인어로 쓰인 문서를 옮겨 적는 데 사용
되었을 수도 있다. 필기도구가 시간이 지나면서 변하게 만드는 요인들 중에는 소재(갈
대, 깃대, 금속)의 이용 가능성과 제조법이 있었다. 깃펜을 일상적으로 사용하는 현대인
은 거의 없지만, 각각의 이러한 방법들은 당신이 무엇인가를 쓰고 싶다면 여전히 기능
을 한다. 펜이 칼보다 더 강할지 아닐지는 모르지만, 그것은 확실히 집고 잡기는 더 쉽
다.

해설 (A) 주어는 전명구(about ~ writing)의 수식을 받는 The interesting
thing으로 단수 취급해야 하므로 단수동사인 is가 적절하다.
(B) 전명구(Among ~ time)가 문두에 쓰여 주어와 동사가 도치된 구조이다. 주어는
동사 뒤에 나오는 both the availability ~ manufacturing methods이므로
복수동사인 were가 알맞다.
(C) 「each of+복수명사」는 항상 단수 취급하므로 단수동사인 works가 적절하다.

오답분석 (B) 동사 바로 앞에 오는 Among이 이끄는 전명구 끝의 명사인 time을 주
어로 오해하여 단수동사인 was를 고르지 않도록 주의한다.
(C) 동사 앞의 명사인 these methods에 수를 일치시켜 복수동사인 work를 고르
지 않도록 주의한다. each와 「each+단수명사」, 「each of+복수명사」는 항상 단수
로 취급한다.

어휘 text 문서, 글; 본문 / document 문서; 기록하다 / factor 요인 / manufacture
제조하다; 제조 / on a daily basis 일상적으로, 매일

구문 [1~3행] *The interesting thing* (about *the tools* [(*which[that]*)
we use ● for writing]) is // that **while** they can **be used to** form
pictures, ~ languages, / the tools themselves can be the same.

◆ we ~ writing은 the tools를 선행사로 하는 목적격 관계대명사절로 앞에
which 또는 that이 생략되었다.
◆ 여기서 while은 '~하는 데 반해'라는 뜻의 대조를 나타내는 접속사이다.
◆ 「be used to-v」는 'v하는 데 사용되다'로 해석하며, 「be used to v-ing(v하는
데 익숙하다)」와의 구별에 주의한다.

[3~5행] Thus, a reed pen **might have been used** / to copy *texts*
(in Latin or Old French) long ago, // and later a quill pen *(might
have been used to copy)* documents (in English or Spanish).

◆ 「might have p.p.」는 '어쩌면 ~했을지도 모른다'라는 뜻으로 과거에 대한 불확실
한 추측을 나타낸다.
◆ 동일한 어구의 반복을 피하고자 두 번째 나오는 might have been used to
copy는 생략되었다.

해결전략 1 Warm Up (B)

해석 한 연구는 미국에서 매년 병원과 관련된 질병 사례의 평균 수치가 170만 건이나 된다는 것을 보여준다. 이것은 그저 충격적인 수치이다. 그러므로 의학 센터들이 이렇게 증가하는 건강 문제와 싸우는 것이 매우 중요하다.

어휘 shocking 충격적인 / issue 문제; 발행; 발행하다

전략적용 1 ④ Q1 However Q2 At 2

해설 Q1 역접의 연결어 However로 보아 주어진 문장 앞에는 낮에 너무 시끄러워서 울새가 밤에 운다는 최근의 연구 내용과는 대조되는 것이 오는 것을 알 수 있다.

Q2 ④ 앞에는 울새들이 인공 불빛에 속아서 밤에 노래한다는 내용이, ④ 뒤에는 울새들이 새벽에 사람들이 잠들고 소음이 그친 뒤의 조용한 거리를 이용해서 노래한다는 내용이 이어지므로 어색하다.

해석 울새는 말 그대로 벌레를 잡는 일찍 일어나는 새이다. 울새는 가장 먼저 일어나는데 지렁이가 이른 아침에 토양 표면에 가장 가까이 있기 때문이다. 하지만 무엇이 그 새들을 한밤중에 노래하게 하는가? 때때로 새들이 큰 소음에 깨어나기도 하겠지만 그것이 이렇게 널리 퍼진 현상을 설명해 주지는 않는다. 많은 보도들이 마을이나 가로등이 있는 지역에서 나오고 있다. 처음에는 밤에 노래하는 그 새들이 인공 불빛에 '속아서' 노래했던 것으로 추정되었다. 하지만 최근의 연구는 도시와 마을이 낮에는 너무 시끄럽기 때문에 울새가 실제로 밤에 울기를 선택한다고 시사하고 있다. 새벽 두세 시에 비로소 대부분의 사람들이 잠들고 소음을 내는 것을 그쳤던 것이다. 밤에 노래함으로써 울새는 자신들의 소리가 들리도록 조용한 거리를 이용하는 것인데, 그때는 오직 밤 부엉이만 여전히 깨어서 그 새들의 노래를 감상한다.

해설 주어진 문장은 역접의 However로 시작하여, 최근의 연구에서는 낮에 너무 시끄럽기 때문에 울새가 밤에 운다는 내용을 밝히고 있으므로 기존의 추정을 다룬 내용이 나온 뒤에 반론으로 이어지는 것이 적절하다. 도입부에서 일찍 일어나는 울새를 소개한 후에, 왜 밤에 우는지 의문을 제기한다. 이후 ④의 앞에는 인공 불빛에 낮인 줄 착각해서 노래를 부른다는 기존의 울새에 관한 추정이 나오고, 뒤에는 새벽에 비로소 사람들이 잠들고 소음이 그친다는 설명이 나온다. 따라서 ④의 자리가 적절하다.

어휘 earthworm 지렁이 / motivate 동기를 부여하다. 유발하다 / widespread 널리 퍼진 / phenomenon 현상 ((pl.)) phenomena / artificial 인공의, 인조의 / take advantage of ~을 이용하다 / appreciate 감상하다; 가치를 인정하다; 감사하다

구문 [9~11행] At first **it** was assumed / **that** the birds (**singing at night**) had been 'tricked' into singing by the artificial light.
가주어   진주어

◆ it은 가주어이고 that 이하가 진주어인 문장이다.
◆ singing at night은 앞의 주어(the birds)를 후치 수식하는 현재분사구이다.

해결전략 2 Warm Up 1. (A) 2. ②

해석 한 연구는 스트레스에 대한 반응으로 여성이 더 침착한 상태를 유지하고 여성의 혈압이 남성보다 덜 오른다는 것을 알아냈다. (A) 연구자들은 여성이 일반적으로 삶에 대해 더 넓은 관점을 취하기 때문에 여성이 종종 더 스트레스를 느낀다는 것을 알아냈다. (B) 예를 들어, 많은 남성들은 다음 문제로 넘어가기 전에 자신들의 문제를 조직화해서 한 문제에만 초점을 맞추지만, 여성은 한 번에 많은 것들에 대해 걱정할 수도 있다.

어휘 blood pressure 혈압 / response 반응 / generally 일반적으로 / organize 조직(화)하다. 구성하다 / focus on ~에 초점을 맞추다

전략적용 2 ① Q1 in this regard Q2 To see how

해설 Q1 주어진 문장의 in this regard(이런 점에서)가 가리키는 것은 첫 문장(It is sometimes ~ falls apart.)의 내용이다.

Q2 첫 문장의 내용으로 보아 ① 다음에는 에너지 소비가 공급보다 많으면 사회가 붕괴한다는 것이 어떻게 그런지에 대한 내용이 와야 하는데 우편물에서 이메일로의 전환이 에너지 비용 절감에 유익하다는 내용이 나오므로 글의 흐름이 끊기고 논리적 비약이 일어난다.

해석 때때로 사회의 건강함은 에너지의 관점에서 볼 수 있다는 주장이 있는데, 에너지 소비가 공급보다 많으면 사회는 붕괴한다는 것이다. 인터넷은 이런 점에서 우리에게 도움이 될 수 있다고 밝혀졌다. 어떻게 그러한지 보기 위해서, 전통적인 우편물에서 이메일로 전환한 데서 온 커다란 이익을 고려해 보자. 수십 년 전만 해도 정보는 컴퓨터가 아니라 무수한 종잇장 위에 저장되었다. 편리함을 넘어서 종이에서 컴퓨터로의 기술적 이행은 미래에 중요할지 모른다. 물론 인터넷을 실행하는 수천 대의 컴퓨터에 드는 에너지 비용이 있다. 하지만 이 비용은 종이 저장으로 얻어지는, 같은 양의 정보를 위해 희생되는 삼림과 대량의 원유 비용보다 훨씬 적다.

해설 우선 주어진 문장은 '이런 점에서(in this regard)' 인터넷이 우리에게 도움이 된다고 말하는 내용이다. 글의 첫 문장은 에너지의 소비가 공급보다 많으면 사회가 무너질 수 있다는 설명을 하고 있다. ① To see how 뒷부분은 문맥상 ① 앞의 내용(에너지 소비가 공급보다 많아서 사회가 무너지는 것)이 어떻게 그러한지에 관한 내용이 나와야 옳은데, 우편물에서 인터넷으로의 전환이 에너지 비용 절감 면에서 유익하다는 내용으로 논리의 비약이 일어났다. 또한, 주어진 문장의 in this regard(이런 점에서)가 가리키는 것이 첫 문장의 내용이므로 ①에 주어진 문장이 위치하는 것이 적절하다.

어휘 in this regard 이런 점에서 / in terms of ~의 관점에서 / consumption 소비 / fall apart 붕괴하다. 무너지다 / switch 전환하다. 바꾸다; 스위치 / store 저장하다; 상점 cf. storage 저장(소) / shift 이행. 이동. 변화; 이동하다 / quantity 양; 수량

구문 [10~12행] But these costs are **far** *less* than *the forests of trees and lakes of oil* [**that** would be sacrificed / for *the same quantity of information* (**achieved with paper storage**)].

◆ far는 비교급을 강조하는 부사로 '훨씬'이라는 의미이다. far 이외에 much, even, still, a lot도 비교급을 강조하는 부사로 쓰인다.
◆ that 이하는 the forests of trees and lakes of oil을 선행사로 하는 주격 관계대명사절이다.
◆ 관계대명사절 내에서 achieved 이하가 the same ~ information을 수식한다.

Make it **Yours** p. 80

1 ④   2 ③   3 ②   4 ⑤   5 ④

1 ④

해석 만일 목제 테라스나 파티오 정원을 만들 공간이 있다면, 하나를 설치하는 것이 식료품 쇼핑을 더 쉽게 만들어줄 뿐 아니라 당신의 삶에 아주 큰 만족감을 보태줄 것이다. 예를 들어 나는 몇 년 전에 토마토가 필요할 때마다 시장으로 달려가기보다는 그들의 목제 테라스에서 식물을 재배하는 데 시간을 보내기로 결정한 부부를 알고 있다. 그들은 자신의 식탁에 오르는 많은 산물의 출처가 되고 있다는 점에서 커다란 만족을 얻는다. 그들이 이 소박한 정원을 가꾸는 데 들이는 얼마 안 되는 수고가 그들에게 많은 즐거움을 주어, 그들은 자연과 접하는 느낌을 사랑한다. 또한 그들은 반드시 십 대 아들을 그들의 정원 일에 참여하도록 했다. 그는 그들에게 큰 도움이 됐을 뿐 아니라, 정원 일을 하지 않았다면 가지지 못했을 식물과 자연에 감사하는 마음을 가지게 되었다. 그들은 모두가 즐기는 활동에 가족으로서 함께 일할 기회를 소중히 여기게 되었다.

해설 주어진 문장은 Also라는 연결어 다음에 they가 정원 일에 아들을 참여시키기로 했다는 내용이다. 문맥상 예시로 들고 있는 부부(they)가 정원에서 얻는 만족과 즐거움을 설명한 다음에 이어질 내용임을 파악할 수 있다. ④ 뒤에 등장하는 he는 주어진 문장의 their teenage son을 지칭하고, 뒤이어 그의 도움이 컸고 그가 식물과 자연에 감사하는 마음을 가지게 됐다는 아들에 관한 설명으로 전환되고 있으므로 정답은 ④가 적절하다.

어휘 make a point of v-ing 반드시[애써] ~하다 / garden 정원을 가꾸다; 정원 / deck 목제 테라스; 갑판 / a great deal of 많은 / satisfaction 만족(감) / tend 재배하다. 기르다; 돌보다 / treasure 소중히 하다; 보물

구문 [9~10행] **Not only** *has he been* a big help to them, / **but** he has developed *an appreciation for plants and nature* [he **might not otherwise have had**].
　　　≡ if he had not been involved in the gardening routine

◆「not only A but (also) B」 구문에서 부정어를 포함하는 어구인 not only가 문두로 나가서 도치가 일어난 문장이다.

◆ otherwise는 여기서 가정법의 의미를 나타낸다. might not otherwise have had로 보아 '그렇지 않았다면'이라는 가정법 과거완료의 의미이다.

2 ③

해석 오늘날 세계 시장의 루비와 사파이어의 90%가 보석 무역에서 널리 받아들여지는 영구적인 가공 처리인 열 가공 처리를 거친다고 추정된다. 사파이어는 스리랑카에서 매우 흔해서 한때는 가장 가볍거나 가치가 없는 것들은 돌 정원을 장식하기 위해 사용되거나 축복을 기원하기 위해 마을 집 기둥 밑에 묻히기도 했다. 'gueda'라고 알려진 이러한 저급 사파이어는 보석 세공에는 적합하지 않았다. 하지만 1970년대에 태국 보석상들은 가치 없는 'gueda'를 값비싼 보석으로 탈바꿈시키는 열처리 과정을 발견했다. 고온에서 이 돌들을 '익힘'으로써 그들(태국 보석상들)은 일종의 마술을 부리게 되었다. 티타늄이 녹아 철과 더 잘 섞이게 되어 'gueda'의 푸른색을 더욱 진하게 만들었다. 태국 사람들은 그 뒤 다른 색깔의 사파이어와 루비에 실험을 하였고, 값비싼 사파이어나 루비도 비슷한 가공을 통해 훨씬 더 가치 있어질 수 있다는 것을 알게 되었다.

해설 주어진 문장에서 역접의 접속사 But과 the worthless *gueda*가 단서이다. 대부분의 루비와 사파이어가 열 가공을 거친다는 도입부 이후에 질이 안 좋은 사파이어인 'gueda'가 소개된다. 이후 내용이 역접 되어 'gueda'가 열 가공 처리를 통해 비싼 보석으로 바뀐다는 전개가 흐름상 가장 자연스러우므로 주어진 문장은 ③에 온다. ③ 다음에 주어진 문장에 대한 부가 설명이 이어진다.

오답분석 ① 첫 문장에서 열 가공 처리에 대해 언급하고 있으나, 'gueda'의 열 가공 처리에 대한 설명이 아니라 개괄적인 도입부이다.

어휘 gem 보석 / dealer 상인, 판매업자 / estimate 추정하다, 평가하다; 추정 / undergo 겪다, 받다 / permanent 영구적인 / bury (땅에) 묻다 / post 기둥; 게시하다 / blessing 축복 / deepen (색깔을) 짙게 하다; 깊게 하다 / experiment 실험(하다)

구문 [3~4행] **It** is estimated **that** ninety percent of the rubies and sapphires (on the world market today) / undergo heat treatment, *a permanent process* [(**which**[**that**] is) widely accepted by the gem trade].

◆ It은 가주어이고 that부터 문장 끝까지가 진주어인 문장이다.

◆ a permanent process ~ the gem trade는 heat treatment와 동격을 이룬다.

◆ widely accepted by the gem trade는 a permanent process를 수식하는 분사구로 앞에 「관계대명사＋be동사」가 생략된 형태로 볼 수 있다.

3 ②

해석 전쟁에서는 종종 우수한 기술이 승리와 패배의 차이를 만들어낸다. 기록이 잘 되어 있는 프란시스코 피사로와 아타우알파 사이의 전투에서, 압도적으로 우수한 기술은 168명의 스페인 군인들이 8만 명의 인디언 군인들을 학살하게 하는 것을 가능하게 했다. 무엇보다도, 피사로는 전쟁과 관련된 군사 정보를 얻기 위해 정찰대로 하여금 말을 활용하게 했다. 이렇게 해서, 그는 아타우알파에 비해서 상당한 전술적 우위를 점할 수 있었는데, 이는 그의 부하들이 신속하게 아타우알파의 군대에 대해 알아야 할 필요가 있는 모든 것을 그에게 말해 주었기 때문이었다. 피사로는 또한 기동력을 확보하기 위해 전투용 갑옷을 갖춘 전사들에게도 말을 제공했다. 게다가, 아타우알파의 인디언 보병들과 그들이 지니고 있던 원시적인 곤봉은 강력한 스페인 군사들의 상대가 되지 못했다. 따라서 비록 숫자는 인디언들의 승리를 강하게 나타내고 있었다 할지라도, 결국 승리한 것은 스페인 군인들과 그들의 기술이었다.

해설 '무엇보다도'라는 뜻의 연결사 most of all이 쓰인 주어진 문장은 피사로가 군사 정보를 얻기 위해 정찰대로 말을 활용하게끔 했다는 내용이다. 따라서 주어진 문장은 피사로가 부하들에게 행한 여러 활동들 중에서 제일 먼저 언급되어야 한다. 또한 ② 다음에 온 문장의 '이렇게 해서(In doing so)'가 주어진 문장의 내용이라는 것을

오답분석 ② 다음에 나오는 문장의 내용은 주어진 문장에서 언급된 내용에 대한 결과에 해당되며, 주어진 문장은 그 결과를 이끌어내는 원인에 해당된다는 점에 유의한다. 원인을 나타내는 문장보다 결과를 알리는 문장이 먼저 올 수 없으므로, 주어진 문장이 ③, ④, ⑤에 위치하는 것은 적절하지 않다.

어휘 military information 군사 정보 / defeat 패배 / well-documented 기록이 잘 된 / significant 상당한; 중요한 / tactical 전술의 / swiftly 신속하게 / equipped with ~을 갖춘 / armor 갑옷 / mobility 기동력, 이동성 / primitive 원시의 / club 곤봉 / be no match for ~의 상대가 되지 않다 / victorious 승리한

구문 [11~12행] ~, **it was** ultimately *the Spaniards and their technology* [**who** were victorious].

◆「it is[was] ~ that ....」강조 구문이다. 강조하는 대상이 사람인 경우 that을 who로 바꾸어 쓸 수 있으므로 who가 쓰였다.

4 ⑤

해석 냉전 시대의 상당 부분 동안 텔레비전과 라디오 방송은 협소한 분야였는데, 방송에 이용될 수 있는 기술이 제한적이었기 때문이었다. 정부가 대부분의 텔레비전 방송을 직접 운영하거나 엄격하게 통제하였다. 이것은 케이블 텔레비전의 도입으로 미국에서 처음으로 변화하기 시작했는데, 케이블 텔레비전은 지상파 방송보다 훨씬 더 많은 채널을 갖출 수 있었다. 그 후 1980년대에 주로 인공위성 비용의 대대적인 하락 덕분에 다른 형태의 다채널 텔레비전이 전 세계로 퍼져나가기 시작했다. 여기에는 상당한 아이러니가 있다. 냉전으로 인해 소련과 미국은 서로를 감시하기 위해 점점 더 작고, 튼튼하며, 저렴한 인공위성들을 우주로 보냈다. 하지만 그와 동일한 기술이 텔레비전 신호가 저렴하게 방송되는 것을 가능하게 만들었다.

해설 주어진 문장(냉전 동안 소련과 미국이 서로를 감시하기 위해 경쟁적으로 위성을 개발하여 쏘아 올렸다)에 대명사 등의 단서가 없으므로 글에서 흐름이 끊기는 곳을 찾는다. 냉전 시대의 방송 기술 발전과 채널의 다양화에 대한 내용이 나오고, '위성 비용의 하락'으로 다채널이 전 세계로 퍼졌는데 여기에는 아이러니(역설)가 있다고 말하는 문장이 등장하는데 그 아이러니가 바로 주어진 문장의 내용이므로 정답은 ⑤가 적절하다. 이어서 소련과 미국이 발전시킨 기술이 저렴한 텔레비전 방송을 가능하게 했다는 내용이 이어지므로 글의 흐름이 자연스럽다.

오답분석 주어진 문장이 The Cold War로 시작하므로 첫 문장에 등장한 냉전 시대에 대한 설명으로 착각하여 ①을 고르지 않는다.

어휘 satellite 인공위성 / spy on 몰래 감시하다, 염탐하다 / throughout ~동안 죽, 내내; 도처에 / era 시대 / broadcasting 방송 / tightly 엄격하게; 단단히 / over the air 지상파(지상으로 전파를 송출하는 방송)의 / multichannel 다중 채널의 / irony 아이러니, 역설적인 점[상황]

구문 [10~11행] That same technology, though, made **it** possible for television signals to be broadcast cheaply.
　　　　　　가목적어
　　　　　　　　의미상 주어　　　　　　　　진목적어

◆ 5문형 문장으로 「make＋목적어＋목적격보어」의 구조인데 목적어인 to be ~ cheaply 대신 가목적어 it을 쓰고 진목적어인 to-v구는 뒤로 보낸 형태이다. for television signals는 의미상 주어이다.

5 ④

해석 이메일의 발명과 직장, 학교, 그리고 집에서의 증가된 이메일 사용에 따라, 이메일은 말로 하는 의사소통과 전화로 하는 의사소통이 결코 채울 수 없는 격차를 메우기 시작했다. 전자 메일이 작용하는 매체의 특성상, 기본적으로 발신자와 수신자 사이의 교환 기록이 자동적으로 생긴다. 이것은 직장에서 업무 처리와 관련하여 이야기를 할 때 책임감이 더욱 긴급한 사안이 된 오늘날의 사회에서 특히 중요해졌다. 이전에, 지나가는 말로 하는 합의나 진술에 의존함으로써 사람들은 어떠한 논란의 여지가 있는 상황에서 아무 죄 없이 피고발인이 될 수 있었다. 하지만 이제 이메일을 통해 사람들은 지시를 내리고 다양한 어려운 임무를 배분하기 위해 이메일에 더 많이 의지한다. 이메일은 또한 중요한 약속을 하거나 상당한 이익을 보장하는 계약을 할 때도 아주 쓸모가 있다. 전자 메일을 발명한 사람들 덕분에 이 모든 것들은 철저하게 기록될 수 있고, 사람들은 걱

정을 덜 하면서 일을 할 수 있다.

해설 역접의 접속사 However로 시작되는 주어진 문장은 사람들이 지시를 내리거나 업무를 배분할 때 이메일에 더 의지한다는 내용으로 이메일의 긍정적인 면을 언급하고 있다. 따라서 주어진 문장은 이메일이 아닌 다른 방법으로 사람들이 소통을 하며, 그러한 소통 방식이 좋지 않다는 내용 다음에 위치해야 함을 추론할 수 있다. ④ 앞의 문장까지 구두(말)로 하는 의사소통에 관한 내용이므로 주어진 문장이 위치하기에 가장 적절한 곳이 ④임을 추론할 수 있다. 또한 ④ 다음 문장이 이메일이 중요한 약속을 하거나 계약을 할 때 매우 쓸모가 있다는 내용으로, 주어진 문장에 이어서 이메일에 대한 또 다른 긍정적인 면을 언급하고 있으므로 정답이 ④임을 확인할 수 있다.

오답분석 주어진 문장과 ④ 다음에 나오는 문장 모두 이메일의 긍정적인 면을 언급하고 있다. 하지만 ④ 다음에 나오는 문장에 연결사 also가 있으므로, 주어진 문장이 그 뒤에 위치할 수는 없다.

어휘 instruction 지시 / distribute 배분하다, 나누다 / fill a gap 격차를 메우다 / verbal 말로 하는, 구두의 / by nature of ~의 특성상 / by default 기본적으로, 자동적으로 / recipient 수신자, 수혜자 / when it comes to ~에 관해 이야기할 때 / previously 이전에 / dependence 의지 / be liable to ~할 것 같은, ~하기 쉬운 / innocently 아무 죄 없이, 순수하게 / the accused 피고발인, 피고 / controversial 논란의 여지가 있는 / guarantee 보장하다 / considerable 상당한

구문 [8~10행] Previously, dependence on *verbal agreements or statements* (**made** in passing) made people liable **to** innocently **being made** the accused / in any controversial situation.

◆ made in passing는 과거분사구로 verbal agreements or statements를 후치 수식한다.

◆ to가 전치사이므로, 동명사 being made가 사용되었다.

Unit 10 빈출순 어법 POINT
p. 83

관계부사 (= 접속사+부사)

where | 고대의 중국 학자들은 '청담'이라고 알려진 관행에 참여했는데, 그곳에서 그들은 대회의 관중들 앞에서 정신적이고 철학적인 문제를 토론했다.

어휘 participate in ~에 참여하다 / practice 관행; 연습(하다) 실행(하다) / spiritual 정신적인; 종교적인

Quiz

1 when | 나는 가족들과 함께 부산을 처음 방문했던 때가 기억나는데, 그때 정말 즐거웠다.

해설 my first visit to Busan이 선행사이며, 이어지는 절이 완전한 구조이므로 '시간'을 뜻하는 관계부사 when이 알맞다.

---

2 why | 일을 처음에 제대로 하는 것이 당신이 그것들을 잘못한 이유를 설명하는 것보다 시간이 덜 걸린다.

해설 문맥상 '이유'를 나타내며, 뒤에 완전한 절이 이어지므로 관계부사 why가 적절하다. 앞에 선행사 the reason이 생략된 형태이다. 관계부사의 선행사가 the time, the place, the reason 등 일반적인 시간·장소·이유를 나타낼 때는 자주 생략된다.

Practice ②

해석 내 인생의 위태로운 시기에, 그때 나는 직업을 잃고 극심한 도전과 시련의 시기를 겪고 있었는데, 나는 줄이고, 놓아주고, 나누어 주는 순환 속에서 나 자신을 발견했다. 나는 내 옷장을 말끔히 치우고 구세군에 몇 포대의 옷을 기증했는데, 그곳은 군인들과 장교들이 노숙자들과 가난한 사람들에게 도움을 준다. 나는 내 정원과 잔디밭에서 잡초를 뽑았고, 머리를 더 짧게 잘랐으며, 비영리 단체와 일하는 것에 나의 더 많은 시간을 할애했다. 그것은 내게 어려운 시기였지만 치유의 시기였다. 그것은 내 인생의 한 계절의 끝과 또 다른 계절의 시작을 암시했다. 그런 육체적 행동들은 그저 내 안에서 일어나고 있었던 것, 즉, 낡은 것들을 깨끗이 치우고 엉망인 상황을 없애는 것에 대한 외적인 신호였다. 느리지만 확실히, 나는 빈 공간을 만들어냈고, 이것은 내 인생에 멋진 기회들과 필요한 변화들이 나타나게 했다.

해설 ② 선행사 the Salvation Army를 보충 설명하는 관계사절인데, 뒤에 「주어(soldiers and officers)+동사(provide)+목적어(aid) ~」의 완전한 구조가 이어지므로 관계대명사 which가 아니라 관계부사 where를 써야 한다.

오답분석 ① 뒤에 「주어(I)+동사(had lost)+목적어(a job)」의 완전한 구조가 이어지고 시간을 나타내는 선행사(a critical time in my life)를 수식하므로 관계부사 when은 적절하다. ③ 과거동사 pulled, cut과 and로 이어지는 병렬구조이므로 offered는 알맞게 쓰였다. ④ 전치사 of의 목적어 역할을 하는 명사절을 이끌면서 동사(was taking place)의 주어 역할을 하고 있으므로 선행사를 포함한 관계대명사 what은 적절하다. ⑤ 뒤에 주어가 빠진 불완전한 문장이 이어지고 앞에 콤마(,)가 있는 것으로 보아, 보충 설명하는 관계대명사 which는 적절하다.

어휘 critical 위태로운, 비판적인 / go through ~을 겪다; ~을 살펴보다 / trial 시련; 시도; 재판 / cut back (~을) 줄이다 / let go 놓아주다; 버리다 / the homeless ((*pl.*)) 노숙자 / weed 잡초(를 뽑다) / lawn 잔디밭 / nonprofit 비영리적인 / healing 치료(하는) / signal 암시하다; 신호를 보내다 / get rid of ~을 없애다, 처리하다 / mess 엉망인 상황

구문 [1행] At *a critical time in my life*, // **when** I had lost a job ~.

◆ 선행사를 보충 설명하는 관계부사인 when은 「접속사+대명사」로 풀어 해석하는 것이 자연스러운데, 여기서는 '그리고 그때' 정도로 해석한다.

[3~4행] ~ to *the Salvation Army*, // where soldiers and officers provide aid to **the homeless** and **the poor**.

◆ 「the+형용사」는 복수 보통명사로 '~한 사람들'이란 뜻으로 쓰였다.

Unit 11 글의 순서 배열
p. 84

해결전략 1 Warm Up ②

해설 2차 세계대전 이후에 군대는 굶주리고 집 없는 많은 아이들을 모아서 큰 막사에 두었다. 이 막사에서 아이들은 보살핌을 받고 먹을 것이 주어졌다.
① 그러므로 그들은 약했고 어둠과 굶주림 속에 살고 있었다.
② 하지만 밤에 그들은 잠을 잘 자지 못했다. 그들은 두려워하는 것 같았다.

어휘 gather up ~을 모으다 / camp (군인들의) 막사; 야영지, 텐트

전략적용 1 ③ **Q1** (A): On the other hand (B): But (C): Also

해설 **Q1** 각 단락에 쓰인 연결어(On the other hand, But, Also)가 앞뒤 문장의 논리적 관계를 파악하여 글의 순서를 알려주는 단서로 쓰이고 있다.

해석 공자의 도덕 철학은 법과 처벌의 영역으로 확장된다. 예전에는 법률 제도가 종교에 기반을 두었다. (B) 하지만 그는 어떤 사람이 당신에게 행한 대로 그 사람에게 똑같

은 것을 해주는 공정성에 기초한 체계를 제안했다. 즉, 당신이 존경으로 대해지면 존경심을 가지고 행동할 것이다. (C) 또한 공자는 범죄를 다루는 최선의 방법은 법과 처벌을 만들어내기보다는 나쁜 행위에 대해 수치심을 확립하는 데 있다고 생각했다. (A) 사람들이 법에 의해 인도되고 처벌에 의해 통제된다면, 그들은 옳고 그름의 진정한 의미를 배우지 못한다. 반면에 그들이 모범에 의해 인도되고 존경에 의해 통제된다면, 그들은 잘못된 행동에 대해 죄책감을 느끼고 진정으로 선하게 되는 것을 배운다.

해설 주어진 글은 공자의 도덕 철학을 언급하며 예전의 법률 제도가 종교에 기반을 두었다고 설명하는 내용인데, (B)는 역접의 연결어 But으로 시작하면서 공자는 공정성을 기반으로 하는 체계를 제안했음을 대조적으로 설명하므로 주어진 글 뒤에 온다. 이어서 첨가의 연결어인 Also를 사용하여 처벌보다는 수치심을 갖게 함으로써 범죄를 다루려 했던 공자의 철학을 추가적으로 설명하는 (C)가 오는 것이 자연스럽다. (C)에 이어서, 법·처벌에 의한 통치와 존경심에 의한 통치로 수치심을 갖게 한다는 공자의 철학을 대조하는 (A)가 오는 것이 적절하다. 따라서 알맞은 글의 순서는 (B) – (C) – (A)이다.

오답분석 ② (B)와 (A)에 단어 respect가 등장해서 (B) – (A)의 순서로 오해할 수 있는데, 글의 자연스러운 흐름에 따라 답을 찾아야 한다. 즉 (A)는 '법과 처벌보다는 수치심을 확립하는 것이 범죄를 다루는 최선의 방법'이라는 (C)의 부연 설명을 하는 부분이므로 (B) 뒤에 바로 (A)가 올 수 없다.

어휘 punishment 처벌 / legal 법률(상)의 / guilty 죄책감이 드는; 유죄의 / fairness 공정성 / deal with ~을 다루다, 처리하다 / a sense of shame 수치심

구문 [7~8행] But he proposed *a system* (based on fairness), / doing *the same thing* for someone [that they have done ● for you].

• a system based on fairness와 doing ~ for you는 동격의 관계로, 콤마(,)가 동격을 나타낸다.
• 목적격 관계대명사절 that ~ you의 선행사는 바로 앞에 있는 someone이 아니라 the same thing이다.

해결전략 2 Warm Up (B) - (A) - (C)

해석 그 개는 다시 짖었다. (B) 그러나 엄마는 나를 잡아채고는 개에게 짖으셨다. (A) 엄마는 내가 그때까지 들었던 사람이 만들어내는 소리 중에서 최고의 짖는 소리를 내셨다. (C) 그 개는 깨갱거리며 도망가 버렸다. 엄마는 돌아서서 "누가 우두머리인지를 녀석들에게 보여줘야 해!"라고 말씀하셨다.

어휘 bark 짖다; 짖는 소리 / pull away 잡아채다; ~에서 떼어놓다

전략적용 2 ② Q1 ① 수정액 ② 흰색 페인트 ③ 편지

해설 Q1 ① 미국의 타자기 입력자이자 수정액 발명가였다. (Bette Graham was an American typist and the inventor of white-out.)
② 매니큐어 병에 흰색 페인트를 넣어 직장에 가져왔다. (Graham filled a nail polish bottle with white paint and took it to work.)
③ 업무 중 자신의 사업에 대한 편지를 써서 해고되었다. (In 1962, she was fired for using company time to write letters for her own business, ~.)

해석 베티 그레이엄은 미국의 타자기 입력자이자 수정액 발명가였다. 그녀의 발명 이야기는 그녀가 비서직으로 취직했을 때 시작된다. (B) 얼마 전에 이혼했기 때문에 그녀는 자신과 아들을 부양하기 위하여 직업이 몹시 필요했다. 문제는 타자치는 것은 결코 그녀의 강점이 아니었고, 그녀는 잦은 실수로 인해 해고될까 점점 더 걱정되었다. (A) 그때 그녀는 아이디어가 떠올랐다. 그레이엄은 매니큐어 병에 흰색 페인트를 채워서 직장에 가지고 갔다. 그녀는 실수할 때마다 그저 그곳에 덧칠을 했다. 곧 직장 동료들은 그녀에게 비결을 알려달라고 졸랐고, 그녀는 팔기 위해 여분을 가져오기 시작했다. (C) 1962년 그녀는 자신의 사업에 대한 편지를 쓰는 데 업무 시간을 이용했다는 이유로 해고되었지만, 그것은 행운인 것으로 판명되었다. 6년 이내에 그녀의 리퀴드 페이퍼 회사는 백만 달러짜리 사업이 되었다.

해설 주어진 글을 통해 수정액 발명에 대한 일화임을 알 수 있다. 일화의 경우 시간의 흐름상 자연스러운 순서대로 배열한다. 우선 그레이엄이 잦은 타자 실수로 해고될까 걱정했다는 내용, 즉 수정액을 발명하게 된 계기에 해당하는 (B)가 맨 처음에 와야 한다.

뒤이어 그레이엄이 자신의 실수를 덮기 위해 만든 발명품에 관한 내용이 서술되고, 그 발명품을 동료들에게 팔게 되었다는 내용의 (A)가 오는 것이 자연스럽다. 마지막으로 회사에서는 해고되었지만, 오히려 그 덕분에 수정액 회사로 크게 성공했다는 내용인 (C)가 이어져야 한다. 따라서 알맞은 글의 순서는 (B) – (A) – (C)이다.

오답분석 ③ (B)의 마지막과 (C)의 초반에 fired라는 단어가 반복되는 것을 보고 ③을 고를 수 있으나, 그레이엄은 (B)에 나온 것처럼 잦은 타자 실수가 아니라 자신의 사업에 대한 편지를 쓰다가 해고된 것이며 그녀의 회사가 백만 달러짜리 사업이 되었다는 부분은 사건의 결론에 해당하므로 ③은 적절치 않다.

어휘 typist 타자기 입력자 / secretary 비서 / nail polish 매니큐어 / paint over ~에 덧칠을 하다 / badly 몹시, 너무 / strong point 강점, 장점 / turn out (to be) ~으로 판명되다[드러나다]

구문 [7~8행] **Recently divorced**, / she badly needed the job to support herself and her son.

• Recently divorced는 과거분사로 시작하는 수동 분사구문으로, 앞의 Being은 흔히 생략된다. (As she was recently divorced, ~. → (**Being**) Recently divorced, ~.)

Make it **Yours** p. 86

1 ②   2 ①   3 ③   4 ⑤   5 ④

1 ②

해석 우리 중 많은 이들에게 삶은 여느 때보다 더 빠르고, 우리는 여느 때보다 더 바쁘며, 여느 때보다 더 긴 시간을 일한다. (B) 우리는 우리의 해야 할 일 목록을 만회하는 삶을 살고 있다. 우리는 시간을 상대로 경주를 하고 있다. 시간은 소중하고, 따라서 우리는 '시간을 사고,' '시간을 훔치고,' '시간을 만들지만,' 여전히 '시간은 쏜살같이 지나간다.' 무슨 일을 하더라도 우리는 행복하기엔 그야말로 너무 바쁜 것 같다. (A) 그러나 문제는 행복하려면 실제로 얼마만큼의 시간이 걸리느냐 하는 것이다. 나는 행복이 추가적인 시간을 필요로 하지 않아야 한다고 제안한다. 사실 그것은 시간을 전혀 필요로 하지 않는다. (C) 다시 말해 행복은 당신의 시간이 아니라 당신의 수락을 기다리고 있다. 시간 부족은 행복의 진정한 장애물이 아니다. '시간 부족'은 연막으로, 그것은 행복으로 향하는 길을 숨기고 있다.

해설 주어진 글은 우리가 여느 때보다 바쁘고 여유 없는 삶을 살고 있다는 내용이다. 그다음에 시간에 쫓기는 바쁜 삶에 대한 부연 설명을 하면서, 우리가 행복하기엔 너무 바쁘다는 내용의 (B)가 이어져야 자연스럽다. 이어서 역접의 연결어 though를 사용하여 (B)의 내용(행복해지기엔 너무 바쁨)에 대한 의문을 제기하며 행복에 시간이 들지 않는다고 주장하는 (A)가 뒤이어 오는 것이 적절하다. 마지막으로 연결어 In other words를 사용하여 (A)의 마지막 문장을 환언하면서 행복은 시간이 아니라 당신의 수락을 기다리고 있다는 내용의 (C)가 이어지는 것이 자연스럽다. 따라서 알맞은 글의 순서는 (B) – (A) – (C)이다.

오답분석 ① 주어진 문장에서 시간과 행복의 상관성에 대한 언급이 없으므로 (A)가 첫 번째로 나오는 것은 어색하다. (C)는 연결어 In other words로 시작하면서 (A)의 내용을 바꿔 말하고 있으므로 (B) 다음에 올 수 없다.

어휘 catch up on (뒤떨어진 일을) 만회하다 / acceptance 수락, 동의 / lack 부족; ~이 없다 / authentic 진정한, 진짜의 / obstacle 장애(물)

구문 [6~7행] **No matter what** we do, // **it appears that** we're simply too busy to be happy.

• No matter what은 '무엇을 ~하더라도'라는 의미로 이 문장에서는 Whatever와 바꿔 쓸 수 있다.
• it appears that ~은 '~인 듯하다, ~인 것 같다'는 의미이다.

2 ①

해석 DNA 분자의 아름다운 모양과 생물학에서의 그것의 명백한 중요성으로 인해 많은 과학자들이 그것이 생명 그 자체의 기초일지도 모른다고 믿게 되었다. (A) 그러나 이 믿음에는 한 가지 문제가 있었는데, DNA는 단백질의 도움 없이 <u>스스로를</u> 복제하지 못한다는 것이었다. 단백질은 또한 생명에 필수적이라고 여겨지는 다른 많은 화학적 반응에도 필요하다. (C) 그래서, 생명의 기원 분야는 닭이 먼저냐, 달걀이 먼저냐 하는 질문 속에서 길을 잃게 되었다. DNA와 단백질 중 무엇이 먼저 나왔을까? RNA(DNA의 사촌)가 자기 복제와 화학적 반응을 시작할 수 있다는 것이 발견됐을 때 명백한 답이 나타났다. (B) 1986년에 월터 길버트는 생명이 RNA 세계에서 시작된다는 것, 즉 자기를 복제할 수 있는 RNA 분자가 자신의 구성 요소 더미에서 우연히 형성되었다는 것을 제안했다.

해설 주어진 글은 많은 과학자가 DNA 분자가 생명의 기초일지도 모른다고 믿었다는 내용인데, (A)는 however가 삽입되어 DNA가 단백질의 도움 없이 자기 자신을 복제하지 못한다는 문제점을 설명하며 주어진 글을 반박하므로 (A)가 주어진 글 뒤에 와야 한다. 이어서 (A)에서 제기된 문제점이 원인이 되어, 그 결과(So) 생명의 기원 분야는 고민에 빠졌다는 내용의 (C)가 오는 것이 적절하다. (C)의 마지막 문장에서 RNA가 발견되었을 때 답이 나타났다고 했으므로, 생명이 RNA 세계에서 시작된다는 한 학자의 제안이 담긴 (B)로 이어지는 것이 자연스럽다. 따라서 알맞은 글의 순서는 (A) – (C) – (B)이다.

오답분석 ②, ③ 주어진 글은 DNA 분자가 생명의 기초일 수도 있다는 과학자들의 믿음을 설명하고 있는 데 반해, (B)는 생명이 RNA 세계에서 시작되었다고 하며 생명의 근원이 되는 다른 분자에 대해 언급하고 있으므로 (B)는 주어진 글 바로 뒤에 올 수 없다.

어휘 molecule 《화학》 분자 / foundation 기초; 근거 / protein 단백질 / propose 제안하다; 청혼하다 / by chance 우연히 / building block 구성 요소 / lost 길을 잃은; 당황하는 / apparent 명백한 / emerge 나타나다. 나오다; 드러나다

구문 [10~11행] An apparent answer emerged // when **it** was found
가주어
that RNA (a cousin of DNA) could **both** copy itself **and** start
진주어   A   B
chemical reactions.

- it은 가주어이고 that 이하가 진주어인 문장이다.
- 「both A and B」는 'A와 B 둘 다'라는 의미로 이때 A와 B는 문법적으로 같은 형태여야 한다.

3 ③

해석 하버드 대학 중퇴자인 휴 무어는 최초의 종이컵인 그의 발명품 딕시 컵으로 우리가 물을 마시는 방식을 영원히 바꾸어 놓았다. (B) 이것은 모두 1909년에 시작되었는데, 그때는 공동 우물이 질병을 퍼뜨리기 때문에 캔자스 보건 당국이 공동 우물에서 물을 마시는 것을 금지한 때였다. 불행히도 이로 인해 캔자스는 물을 공급할 방법이 없어졌다. (C) 그때 무어가 고객들에게 종이컵으로 물을 제공하는 얼음 냉각식 공급기를 발명하여 구하러 왔다. 무어의 종이컵이 바로 성공적이지는 않았지만, 1919년까지 사업을 지속할 정도로 잘 팔렸고, 그때(1919년) 그는 더 나은 이름을 생각해냈다. (A) 그 선택은 딕시였다. 무어는 단순히 어감이 좋아 뉴욕의 딕시 인형 회사에서 이름을 도용했다. 그리고 그 이후의 판매량 증가로 볼 때, 미국 사람 대부분도 그러했다(그 이름을 좋아했다).

해설 주어진 글에서 휴 무어가 발명한 딕시 컵으로 인해 물 마시는 방식이 바뀌었다고 했으므로 시간의 흐름상 그 변화의 발단이 되는 사건에 대한 설명인 (B)가 제일 처음에 오는 것이 적절하다. 이어서 캔자스가 물을 공급할 방법이 없어졌을 때를 지시어 That으로 받아, 그때 무어가 얼음 냉각식 공급기를 발명하여 도우러 왔다는 내용의 (C)가 이어지는 것이 자연스럽다. (C)의 마지막 부분에서 언급된 종이컵의 더 나은 이름(a better name)을 (A)의 The choice로 바꿔 설명하고 있으므로 (A)가 마지막에 오는 것이 알맞다. 따라서 글의 올바른 순서는 (B) – (C) – (A)이다.

오답분석 ④, ⑤ 주어진 글(무어의 발명품이 물 마시는 방식을 변화시킴) 뒤에 (C)의 내용(무어의 발명품에 대한 세부 설명)이 온다고 생각할 수 있는데, 무어가 딕시 컵을 발명한 그 당시 상황에 대한 내용이 먼저 언급되어야 하므로 주어진 글 뒤에 (C)가 바로 올 수 없다.

어휘 dropout 중퇴자 / judging from ~으로 미루어 보아[판단하건대] / well 우물 / distribute 공급하다; 분배하다 / dispenser (손잡이를 눌러 안에 든 것을 뽑아 쓰는) 기계; 자동판매기

구문 [1~2행] Hugh Moore, a Harvard dropout, forever changed
the way [we drink water] with his invention of the Dixie Cup, the
first paper cup.

- the way 뒤에 관계부사 how가 생략된 형태로, how 관계부사절은 선행사 the way만 쓰거나 선행사 없이 how만 써야 한다.

[4~5행] And judging from the increase in sales afterward, / **so *did***
V
most of America.
S

- 「so+V+S(S도 역시 그렇다)」 구문은 긍정의 말에 동의하는 표현으로, 이때의 did는 의미상 앞 문장의 liked를 대신한다.

4 ⑤

해석 오빌 레덴바커는 우습게 들리는 이름을 가진 괴상하게 생긴 농부였다. 그는 고등학교 교사로 일했지만, 또한 12,000에이커의 농장을 경영했다. (C) 그러다가 그는 새로운 품종의 옥수수를 재배하는 데 흥미를 가지게 되었다. 그는 찰리 보먼이라는 동업자를 찾았고, 그들은 3만 종 이상의 옥수수에 공을 들였다. 1965년에 그들은 마침내 팝콘을 만들 완벽한 작물을 찾아냈다. (B) 그들은 그들의 새로운 팝콘을 레드 보라고 이름 지었다. 하지만 진정한 성공은, 그들이 팝콘 이름을 괴상하게 생긴 농부의 이름을 따서 지으라는 충고의 대가로 13,000달러를 청구한 시카고의 마케팅 간부와 상담한 뒤에야 이루어졌다. (A) "그는 우리 어머니가 공짜로 지어 준 이름과 똑같은 이름을 생각해냈어요."라며 오빌 레덴바커는 몇 년 뒤에 웃었다. 그래서 레드 보는 오빌 레덴바커의 고급 팝콘이라고 이름이 바뀌었고, 곧 전국에서 가장 인기 있는 팝콘이 되었다.

해설 주어진 글은 오빌 레덴바커에 대한 소개에 해당한다. 오빌 레덴바커가 대명사 he로 표현되며, 그가 동업자와 함께 옥수수 종자 재배를 하여 완벽한 작물을 발견했다는 내용의 (C)가 먼저 오고, (C)의 마지막에서 팝콘을 만들 작물을 찾아냈고 (B)에 their new popcorn이 등장하므로 (B)가 (C)의 뒤에 오는 것이 적절하다. 또한, (B)에서 오빌 레덴바커의 이름을 따서 팝콘 이름을 바꾸라는 마케팅 간부의 조언이 나왔으므로, 그 조언을 받아들여 이름을 바꾼 뒤 팝콘이 인기를 얻게 되었다는 (A)가 흐름상 마지막에 오는 것이 자연스럽다. 조언의 내용인 (B)의 Name the popcorn ~ farmer가 (A) 첫 문장의 He came up ~ for free로 이어지는 것에 유의한다. 따라서 글의 알맞은 순서는 (C) – (B) – (A)이다.

오답분석 ②, ③ (B)는 대명사 They로 시작하는데 주어진 글에 이에 해당하는 복수명사가 없으므로 주어진 글 뒤에 올 수 없음을 알 수 있다. ④ (A)의 He가 (C)에 등장한 오빌 레덴바커의 동업자인 찰리 보먼을 지칭한다고 생각할 수 있는데, (C)에 팝콘의 이름을 짓는 것에 관한 내용은 나와 있지 않으므로 (C) 뒤에 (A)가 올 수 없다.

어휘 acre 에이커(면적의 단위로, 약 4046.8 m²) / come up with ~을 생각해내다; 찾아내다 / gourmet 고급의; 미식(가)의 / consult 상담하다 / executive 경영 간부; 경영진 / name after ~의 이름을 따서 짓다 / breed 재배하다; 키우다 / variety 품종; 다양성, 변화; 여러 가지

구문 [3행] "He came up with *the same name* [(***that***[which]) my
mother did ● for free],"~.
= came up with

- my mother 앞에는 목적격 관계대명사 that 혹은 which가 생략되어 있으며, 목적격 관계대명사가 생략된 절이 선행사 the same name을 수식한다.

[6~8행] But real success would wait // until *the day* [(***when***) they
consulted / with *a Chicago marketing executive* [who charged
them $13,000 / for **the following advice: Name the popcorn
after the funny-looking farmer**]].

- 관계부사 when이 생략된 절이 선행사인 the day를 수식한다.
- who ~ the funny-looking farmer가 선행사인 a Chicago marketing executive를 수식한다.
- 콜론(:) 이하는 the following advice에 대한 부연 설명이다.

5 ④

해석 'philosopher(철학자)'라는 단어는 '지혜에 대한 애정'을 뜻하는 그리스어에서 유래한다. 철학의 서구 전통은 동양 사상으로부터 영향을 받으면서 고대 그리스에서 뻗어 나와 세계의 많은 지역으로 퍼져나갔다. (C) 철학이 가치 있게 여기는 지혜의 종류는 논쟁, 추론, 질문하기에 근거를 둔다. 철학은 단지 중요한 누군가가 진실이라고 주장했다고 해서 무언가를 믿는 것을 거부한다. (A) 마찬가지로, 소크라테스에게도 지혜란 사실을 아는 것이나 기술을 소유하고 있는 것이 아니었다. 그는 지혜가 우리 존재의 본질을 이해하는 것을 요구한다고 믿었다. 오늘날 철학자들은 거의 소크라테스가 하던 일을 하고 있다. (B) 그들은 실재의 본질과 우리가 어떻게 살아가야 할지에 대해 자신에게 물을 수 있는 가장 중요한 몇몇 질문에 답하기 위해 노력하고 있다. 하지만 소크라테스와는 달리, 현대 철학자들은 그들을 이끌 거의 2천 500년간의 과거의 철학이라는 이점을 가지고 있다.

해설 주어진 글에서 philosopher(철학자)의 어원을 '지혜에 대한 애정'이라고 설명한다. 따라서 철학에서 가치 있게 여기는 지혜에 대해 부연 설명하는 (C)가 이어지는 것이 자연스럽다. (C)에서 철학은 진실을 단순히 믿는 것을 거부한다고 했으므로, 다음에는 Similarly로 시작하여 소크라테스도 마찬가지로 지혜란 단순히 사실을 아는 것이나 기술을 소유하는 것이 아니라고 했다는 (A)가 와야 한다. (A)의 마지막에 등장한 Philosophers today가 (B)의 They로 이어지며 소크라테스와 같은 일을 하는 현대 철학자들에 대해 언급한다. 따라서 알맞은 글의 순서는 (C) – (A) – (B)이다.

오답분석 ①~③ (A)는 Similarly로 시작하기 때문에 지혜가 단순히 사실을 아는 것이나 기술을 소유하는 것이 아니라는 내용이 앞에 나와야 하고, (B)는 후반에 소크라테스의 언급이 있으므로 앞에는 이에 대한 내용이 와야 한다. 따라서 (A)와 (B)는 모두 주어진 글의 바로 다음에 나올 수 없다.

어휘 philosopher 철학자 cf. philosophy 철학 / possess 소유하다 / more or less 거의 / be based on ~에 근거하다. 기초하다 / reasoning 추론. 추리

구문 [1~3행] The Western tradition in philosophy ~, / **influenced by ideas from the East.**

◆ influenced ~는 수동 의미의 분사구문으로 as it(the Western tradition in philosophy) was influenced ~라는 의미이다. 뒤에 by가 이끄는 전명구가 있으므로 influenced가 수동을 나타냄을 더 잘 파악할 수 있다.

[7~8행] They are working to answer *some of the most important questions* [(**that**[**which**]) we can ask ourselves ● / about the ~ should live].

◆ we ~ live 앞에는 some of ~ questions를 선행사로 하는 목적격 관계대명사 that 또는 which가 생략되어 있다.

| Unit 11 | 빈출순 어법 POINT | | p. 89 |

전치사 vs. 접속사

Despite | 운전 중에 문자 메시지를 보내는 것을 예방하기 위한 다양한 주법의 금지와 전국적인 캠페인에도 불구하고, 운전 중에 문자를 보내는 사람들의 수가 실제로 늘어나고 있다고 새로운 연구가 시사한다.

어휘 nationwide 전국적인 / text 문자를 보내다; 글. 문서 cf. texting 문자 메시지 주고받기 / behind the wheel 운전 중에

Quiz

1 because of | 많은 사람들은 그렇게 하는 것(불법으로 파일을 다운로드하는 것)이 자신의 컴퓨터에 어떻게 해를 가하는지에 대한 정보의 부족 때문에 두 번 생각하지도 않고 온라인상에서 불법으로 파일을 다운로드한다.

해설 뒤에 명사구(a lack ~ computers)가 이어지므로 전치사 because of가 와야 한다.

어휘 illegally 불법적으로 / second thought 재고, 다시 생각함

---

2 during | 유럽은 중세 동안 계속되는 전쟁과 질병을 겪었음에도 불구하고, 새로운 문화가 그런 힘든 시기로부터 탄생했다.

해설 뒤에 명사(the Middle Ages)가 있으므로 전치사 during이 적절하다.

Practice ③

해석 오늘날에는 '모나리자'가 아마도 대단히 잘 보호되는 데 반해, 당신이 루브르에 걸어 들어가서 그저 그것을 벽에서 떼어낼 수 있던 때가 있었다. 사실 누군가가 그렇게 했다. 1911년에 빈첸초 페루자라는 이탈리아인 일꾼이 미술관으로 들어가서 그 그림을 벽에서 떼어내고 그것을 밖으로 가지고 나갔다. 그때에는 경비가 사실상 없었기 때문에, 그는 당신이 상상하는 도둑의 대가는 전혀 아니었다. 물론, 경찰이 플로랑스에 있는 빈첸초의 값싼 아파트에서 트렁크에 숨겨진 그 그림의 위치를 찾아내기까지 약 2년이 걸리긴 했다. 그렇다면 그 인부의 동기는 무엇이었을까? 분명히 돈은 아니다. 그는 그 그림이 이탈리아 사람인 레오나르도 다빈치가 그린 것이기 때문에 그것은 이탈리아의 국가적 문화유산의 일부이며, 그는 진정한 애국심으로, 단지 그것을 그것이 속해 있던 곳, 즉 플로랑스로 되찾고 있었다고 주장했다. 그 그림은 바로 직후에 루브르로 반납되었다.

해설 ③ 뒤에 주어(security)와 동사(was)를 갖춘 절이 이어지므로 because of는 접속사 because가 되어야 한다. because of는 '~때문에'라는 뜻의 전치사로 뒤에는 명사 상당 어구가 온다.

오답분석 ① 뒤에 주어(the Mona Lisa)와 동사(is protected)가 위치하므로 접속사가 와야 할 자리이고, 의미상 역접의 접속사가 필요하므로 While은 적절하다. ② 동사 walked into, took ~ off와 and로 병렬구조를 이루고 있으므로 carried는 알맞게 쓰였다. 등위접속사로 병렬연결될 때는 문법적으로 대등한 어구가 와야 한다. ④ the painting을 수식하는 분사 자리인데. 문맥상 '그 그림'이 '숨겨진' 것이므로 과거분사 buried는 적절하다. ⑤ 뒤에 주어(the painting)와 동사(was painted)를 갖춘 절이 이어지므로 이유를 나타내는 접속사 since는 적절하다

어휘 not exactly 전혀 ~이 아닌 / practically 사실상; 거의 / nonexistent 존재[실재]하지 않는 / locate (~의 위치) 찾아내다; (특정 위치에) 두다 / apparently 분명히 / heritage (국가・사회의) 유산 / patriotic spirit 애국심 cf. patriotic 애국적인 / shortly 바로, 곧; 간단히 / thereafter 그 후에

구문 [1~2행] ~, there **used to** be *a time* [**when** you could walk into the Louvre / and just take it off the wall].
　　　　　　　　　　　　　　　　　　= the *Mona Lisa*

◆ 여기서 used to는 '예전에는 ~였다[했다]'란 뜻으로 과거의 상태를 나타내는 조동사이다.

◆ 관계부사 when이 이끄는 절이 선행사 a time을 수식한다.

[8~10행] He claimed // that **since** the painting was painted by an Italian, Leonardo da Vinci, / it was part of Italy's national cultural heritage, / and he was, (in true patriotic spirit), simply taking it back to (*the place*) / **where it belonged: Florence.**

◆ that이 이끄는 목적어절 안에 「since가 이끄는 부사절(since ~. Leonardo da Vinci)+주절」이 있는 구조이다.

◆ 전치사 to 다음에 관계부사 where의 선행사인 the place가 생략되어 있으며, '~한 곳으로'라고 해석한다.

◆ where it belonged와 Florence는 동격으로, 콜론(:)은 동격을 나타낸다.

01 ④

해석 우리는 만화 주인공이 떨어지기 전에 몇 초간 공중에 매달려 있어도 놀라지 않는데, 영화에서는 이런 종류의 일들은 불가능하다. 그럼에도 어떤 영화들은 이 물리학 법칙을 극복하기 위해 특수 효과를 사용한다. ① 이것은 필수적인데, 실제로는 차량이 고속으로 이동하고 있다 해도 떨어지게 될 것이기 때문이다. ② 1989년 샌프란시스코 지진 때에 한 운전자가 다리 사이의 간격을 너무 늦게 보았는데, 아마도 특수 효과가 있는 영화에서 영감을 받아 간격을 건너려고 속도를 높였다. ③ 불행히도 물리학 법칙은 정지되지 않았고, 그는 구멍으로 떨어져서 반대편에 충돌했다. ④ 감독들은 만화적인 요소를 현실적인 환경과 결합하기 위해 때때로 물리학 법칙을 어긴다. ⑤ 특수 효과가 사용된 영화는 다음과 같은 경고가 따라 있어야 한다. "이 영화에서는 물리학 법칙이 위배됩니다. 집에서 이러한 스턴트를 시도하지 마십시오."

해설 이 글은 만화처럼 물리학 법칙에 어긋나는 것이 현실에서 불가능하지만 영화에서는 특수 효과를 사용해서 표현한다는 내용이다. 글에 자주 등장하는 the laws of physics가 ④에도 사용되었지만, 만화적 요소와 현실적 환경의 결합에 초점을 맞추는 ④가 글의 흐름에 어울리지 않는다. ④ 앞뒤로 영화와 현실이 다르다는 서술의 흐름이 이어진다.

어휘 special effects 특수 효과 / physics 물리학 / accelerate 속도를 높이다; 가속하다 / suspend 정지시키다; 매달다; (공중·수중에) 떠 있게 하다 / violate 위배[위반]하다; 침해하다 / stunt 스턴트[고난도 연기], 곡예

구문 [7~10행] During the 1989 San Francisco earthquake, // a driver **saw** a gap (in a bridge) too late and, (**probably inspired by movies with special effects**), accelerated to try to make it across.
　　　　　　V1　　　　　　　　　　　　　　　　　　　　　　　　　　V2

• saw와 accelerated는 접속사 and로 연결되는 병렬구조이다.
• probably ~ special effects는 주어를 보충 설명하기 위해 삽입된 어구이다.

02 ④

해석 사람들은 더 깨끗하고 오염을 덜 시키는 새로운 기술(전기나 물로 달리는 소형운반차와 같은)을 개발하고 있다. PRT 차량은 이러한 혁신의 범주에 속한다. ① 전기로 작동하기 때문에, 이 차량은 전형적으로 현재의 자동차와 관련이 있는 동일한 해로운 배기가스를 가지고 있지는 않을 것이다. ② 틀림없이, 발전소 또한 이산화탄소를 배출하기 때문에, 전기로 달린다는 것이 배기가스를 배출하지 않는다는 것과 동일한 것이 아니다. ③ 적어도 이미 비교적 개발이 잘 되어 있는 풍력, 수력, 또는 원자력과 같이 전기를 만들어낼 수 있는 더 깨끗한 대안이 많이 있다. ④ 하지만, 많은 환경 전문가들에 따르면, 이러한 대체 에너지는 예상되었던 만큼 지구에 이롭지는 않았다고 여겨진다. ⑤ PRT 차량과 깨끗한 에너지를 사용하는 다른 혁신적인 차량을 통합하여 이러한 능력을 활용함으로써, 우리는 이산화탄소 배출량을 줄일 수 있고 이미 허약한 지구에 부담을 덜어 줄 수 있기를 희망할 수 있다.

해설 PRT 차량은 전기로 작동하기 때문에 해로운 배기가스를 배출하지 않아서 환경에 덜 해로울 수 있다는 내용이므로, 대체 에너지가 생각했던 것만큼 지구에 이롭지는 않았다는 ④가 글의 흐름에 일치하지 않는다.

오답분석 ⑤는 PRT와 혁신적인 다른 차량을 통합함으로써 지구 환경에 부담을 덜어 줄 수 있다고 했으므로, 글의 전체적인 흐름과 일치한다.

어휘 pollute 오염시키다 / fall into ~에 속하다 / category 범주 / innovation 혁신 / electrically-operated 전기로 작동하는 / emission 배기가스; 배출 / admittedly 틀림없이; 인정하건대 / equate to ~와 같다, ~에 해당하다 / give out 배출하다, 발산하다 / carbon dioxide 이산화탄소 / generate 만들어내다, 발생시키다 / relatively 비교적으로, 상대적으로 / beneficial 이로운, 이익이 되는 / make use of ~을 활용하다 / capability 능력 / incorporate 통합하다 / strain 부담, 압박 / fragile 허약한, 취약한

구문 [4~7행] **Being electrically-operated**, // it would not have
　= As it(= the PRT vehicle) is electrically-operated　　S　　V
the same harmful emissions (typically associated with our current
　　　　　　　　　　　　　　　　O
automobiles).

• Being electrically-operated는 분사구문으로 문장 전체를 수식한다.
• 과거분사구(typically ~ automobiles)가 the same harmful emissions을 수식하고 있다.

[9~12행] At least there are many cleaner alternatives for generating power **like** *wind, hydro or nuclear power* [**which** are already relatively well-developed].

• 여기서 like는 '~와 같은, ~처럼'이라는 뜻의 전치사로 사용되었다.
• which ~ well-developed는 wind, hydro or nuclear power를 선행사로 하는 주격 관계대명사절이다.

03 ④

해석 구두 명수법(命數法)은 숫자를 명명하는 체계이다. 'one thousand and one과 mille et un'은 첫 번째는 영어에서 온 것이고 두 번째는 프랑스에서 온 구두 명수법과 연관된 어구인 데 반해, 1,001은 표기 명수법으로 된 단어이다. 이미 사용된 이름이어서는 안 되고, 다른 숫자의 이름과 아무 관련이 없어야 한다는 단일 조건하에 각각의 숫자에 새로운 이름을 부여한다고 가정해 보자. 규칙이 없는 이러한 명명은 금방 숫자 사용을 쓸모없게 만들 것이다. 이러한 이유로, 숫자는 그들의 수량과 값을 어느 정도 표시하는 체계적으로 지어진 이름을 필요로 한다. 예를 들어 'eighteen'이라는 이름으로 나타내지는 숫자는 'eight'와 'ten'으로 나타내지는 숫자들의 합이라는 것을 표시한다. 각각의 새로운 숫자에 대해 완전히 새로운 이름을 창조해내는 대신에, (숫자의) 이름들은 더 작은 숫자의 이름에 기초한다.

해설 주어진 문장은 '이러한 이유로 숫자는 수량과 값을 나타내는 체계적인 이름이 필요하다'는 내용인데, '이러한 이유'에 해당하는 문장이 바로 '규칙이 없는 명명은 숫자 사용을 쓸모없게 만든다.'이므로, 이 문장이 끝나고 이어지는 ④에 들어가는 것이 흐름상 자연스럽다. 또한 ④ 다음의 For example 이하 내용도 주어진 문장의 '체계적인 이름'에 대한 예시이므로 단서가 된다.

오답분석 주어진 문장은 앞 내용을 이유로 들면서 숫자의 체계적인 이름이 필요하다는 내용인데, For example, ~ 문장 이후는 그 체계적인 이름의 구체적인 예와 부연 설명에 해당하여 흐름상 주어진 문장보다 나중에 등장해야 하므로 ⑤는 답이 될 수 없다.

어휘 systematically 체계적으로 / indicate 표시하다; 가리키다 / quantity 수량; 양 / have no connection with ~와 아무 관계도 없다 / impractical 쓸모없는, 비실용적인 / represent 나타내다; 대표하다

구문 [9~12행] **Suppose** *(that)* we give a new name to each number, / with **the only condition that** it should **be** one (not
　　　　　　　　　　　　　　　　　　　　　　　　=
already used), and **have** no connection with the names of other numbers.

• we 이하는 명사절로 동사 suppose의 목적어이다. we 앞에는 접속사 that이 생략되었다.
• condition 뒤의 that은 접속사로 the only condition과 동격을 이루는 절을 이끈다.
• 동격의 that절에서 be와 have는 should에 이어지는 동사로 병렬구조를 이루고 있다.

04 ⑤

해석 성공의 길이 일 년에 360일을 동트기 전에 일어나는 데 있다고 믿는 아시아 문화

권은 아이들에게 석 달 연속된 여름 방학을 거의 부여하지 않으려 한다. 따라서 미국의 한 학년이 180일인데 반해 한국의 한 학년은 평균 220일이고 일본은 243일이다. 우리는 최근 수학 시험 이후에 전 세계 시험 응시자들에게 물은 질문을 보면 이 차이로 인해 일어날 수 있는 영향을 알 수 있다. 그 질문은 시험의 얼마 정도가 수업에서 이전에 배운 학습 주제를 다루었는지였다. 일본의 12학년생들의 답변은 92%였지만, 미국의 12학년의 비교 수치는 54%였다. 그것이 연간 243일 출석의 가치인데, 학생들은 그들이 배울 필요가 있는 모든 것을 배울 시간이 있고, 배운 것을 잊을 시간이 적다는 것이다. (미국) 학생들에게는 미국 여름 방학이 너무 길어서 많은 것이 잊히는데, 이것은 몇몇 교육자들이 풀려고 착수한 문제이다.

해설 주어진 문장은 출석 일수가 243일인 것의 이점으로 배울 시간이 많다는 것을 말하는 내용이다. 글은 아시아 문화권은 평균 출석 일수가 다른 문화권에 비해 긴 것을 설명한 후, 그 차이의 영향을 밝히는 실험 내용이 나온다. 수학 시험 문제에 나온 내용의 54%만 배운 미국의 12학년생들과는 대조적으로 92%를 배운 일본 학생들의 학습량을 설명한다. ⑤에 주어진 문장이 위치해 일본 학생들의 답변(92%)을 that으로 받아 많은 출석 일수의 가치를 설명하고, 뒤이어 미국 학교의 문제점을 대조하는 것이 자연스럽다.

오답분석 ② 앞의 문장에도 주어진 문장에서 사용된 어구인 243 days가 등장하나, 주어진 문장의 지시사 That을 가리킬만한 내용이 충분하지 않기 때문에 ②는 적절하지 않다.

어휘 unlearn 잊다 / route 길; 노선 / dawn 동틀 녘, 새벽 / scarcely 거의 ~ 않다; 겨우 / counterpart 상대; 한쪽 / test taker 시험 응시자 / comparable 비교할 만한; 비슷한 / set out 착수하다

구문 [5~8행] *Asian cultures* [**that** believe **that** the route to success lies in rising before dawn 360 days a year] are scarcely going to give their children three straight months off in the summer.

◆ 첫 번째 that은 주격 관계대명사로, that ~ a year가 선행사 Asian cultures를 수식한다.

◆ 두 번째 that은 동사 believe의 목적어 역할을 하는 명사절(that the route ~ a year)을 이끄는 접속사이다.

[14~16행] The question asked about **how much of the test covered** *subject matter* [that had been previously learned in class].

◆ 여기서 how 이하는 명사절 역할을 하는 간접의문문으로 전치사 about의 목적어이다.

◆ that 이하는 subject matter를 수식하는 주격 관계대명사절이다.

05 ③

해설 1960년대에 과학자들은 알맞은 양분과 충분한 공간이 있는 접시에 세포를 두면 세포 배양이 계속되어서 무기한 분열을 계속한다고 알았다. (B) 하지만 레너드 헤이플릭과 폴 무어는 배양 중인 세포들은 특정한 횟수(대략 50회)로만 분열한 다음에는 죽는다는 증거를 찾았다. 이 제한된 분열 숫자가 주요한 발견이었다. (C) 그들의 발견을 입증하기 위해 이 젊은 과학자들은 주 실험실에서 일하는 동료들에게 그들의 실험을 반복하게 했다. 시도는 좋았지만 소용은 없었다. 헤이플릭의 최초의 실험을 기술하는 논문은 거절당했는데, 그것이 당대 사조에 상반되었기 때문이었다. (A) 다행히 두 사람은 포기하지 않았고 논문은 다른 과학 학술지에 실렸다. 증거는 너무나 설득력이 있어서 다른 연구자들이 납득했고 세포가 어떻게 나이 드는지를 연구하는 분야가 탄생했다.

해설 주어진 문장에는 1960년대 세포 배양에 대한 상식이 등장한다. 이후 역접의 연결어 However로 시작하는 (B)가 이어져 두 인물이 통념을 반박하는 사실을 발견했다는 내용이 나온다. (C)의 their findings는 (B)에 서술된 두 사람이 발견한 내용을 가리키므로 (B) 다음에 위치하며 (C)에서 그들의 이론이 인정받지 못했지만 (A)에서 포기하지 않고 마침내 결과를 이뤄냈다는 흐름이 자연스럽다. 따라서 정답은 (B) – (C) (A)이다.

오답분석 주요 인물인 레너드 헤이플릭과 폴 무어를 가리키는 표현들(the pair, these young scientists 등)이 단락마다 등장하므로 이 부분에만 집중하여 글의

순서를 잘못 연결하지 않아야 한다. 전체적인 내용 흐름을 보고 답을 찾는다.

어휘 indefinitely 무기한으로 / compelling 설득력 있는; 강력한 / colleague 동료 / leading 주요한; 선도하는 / lab 실험실 / contrary 상반되는; 반대의 / line of thinking 사조(한 시대의 일반적인 사상의 흐름)

구문 [10~13행] However, Leonard Hayflick and Paul Moor had evidence // **that** cells (in culture) would divide only a certain number of times (about 50), and then they would die.

◆ that은 동격절을 이끄는 접속사로, that 이하(that ~ would die)는 evidence와 동격을 이룬다.

[15~17행] **To confirm** their findings, these young scientists **had** *colleagues* (working in leading labs) **repeat** their experiments.

◆ To confirm은 to부정사의 부사적 용법 중 목적을 의미한다.

◆ 사역동사 had의 목적격보어로 동사원형인 repeat이 사용되었다.

06 ⑤

해석 어떻게 어린 노래하는 새가 소리로 가득 찬 세상에서 자신들 종의 노래를 알아볼 수 있을까? 북미 참새와 노래참새로 이 문제를 연구한 결과 몇 가지 단서가 나왔다. (C) 두 종 중에서, 북미 참새가 더 단순한 노래를 부르는데, 이 노래는 연속된 단일 음절로 구성된다. 노래참새의 노래는 더 복잡한데, 최소한 4가지 종류의 음절로 구성된다. (B) 새끼 새들이 자연적으로 부르는 노래는 더 단순하지만 이러한 구조적 차이의 일부가 분명 반영된다. 우리는 두 종의 사육된 참새에게 같은 종의 소리가 녹음된 테이프 또는 상대 종의 소리가 녹음된 테이프를 듣고 배울 기회를 주었다. (A) 우리가 예상했던 대로 새들은 거의 전적으로 자신들의 종의 소리가 녹음된 테이프의 노래를 배웠다. 그러나 다른 종에 대한 모방은 좀처럼 일어나지 않았으며 이 사실은 중요하다. 즉 이 사실은 다른 종의 노래를 배우지 않는 경향이 능력 부족으로 인한 것이 아니라는 것을 보여준다.

해설 주어진 글은 어린 노래하는 새가 어떻게 자신이 속한 종의 노랫소리를 알아보는지 질문을 던진 후에, 이 질문에 대한 연구에서 단서가 나왔음을 알리고 있다. 먼저 주어진 글의 swamp sparrows and song sparrows를 the two species로 받아 두 종의 노랫소리가 어떻게 다른지를 설명하는 (C)가 오는 것이 자연스럽다. 이어서 (C)에 등장하는 두 종의 차이가 (B)의 these structural differences로 이어지므로 (B)가 뒤이어 오는 것이 적절하다. 그리고 (B)에 나온 실험의 결과가 (A)에서 다뤄진 뒤에, 다른 종에 대한 모방은 거의 일어나지 않았다는 실험 결과의 시사점 또한 서술되므로 (A)가 마지막에 오는 것이 자연스럽다. 따라서 글의 알맞은 순서는 (C) – (B) – (A)이다.

오답분석 ②, ③ (B) 첫 문장의 these structural differences를 지칭하는 대상이 주어진 글에 없으므로 (B)는 주어진 글 뒤에 바로 이어질 수 없다. ④ (C)에는 두 종의 노랫소리의 차이가 서술된 데 반해, (A)는 실험의 결과 및 시사점이 언급되므로 (C) – (A)의 순서는 흐름상 어색하며, (A)의 첫 문장에 나온 tapes of their own species는 (C)에 언급된 바 없다.

어휘 pick out ~을 알아보다 / species 종(種) / investigate 연구하다; 조사하다 / exclusively 전적으로; 독점적으로 / structural 구조적인 / hand-reared (사람) 손에 길러진 / consist of ~으로 구성되다 / a series of 연속된; 일련의 / syllable 음절 / complex 복잡한; (건물) 단지

구문 [11~13행] The songs (**naturally sung by the baby songbirds**) are simpler but **do** reflect some of these structural differences.

◆ naturally ~ songbirds는 The songs를 후치 수식하는 과거분사구로 볼 수 있다.

◆ do는 동사 reflect를 강조하는 조동사이다.

[13~15행] We gave *hand-reared sparrows* (of both species) *a chance* (**to learn** from *tapes* (of their own species) or *tapes* (of the other species)).

- 4형식 문장으로 hand-reared ~ both species가 간접목적어, a chance ~ the other species가 직접목적어이다.
- to learn 이하가 명사 a chance를 수식한다.

07 ②

해석 효과적인 의사소통의 중요한 구성 요소는 각 상황을 장점에 따라 평가하는 능력이다. 비록 우리는 자기주장이 확고한 의사소통이 소극적이거나 공격적인 의사소통보다 낫다고 일반적으로 말하지만 실제로 '옳은' 혹은 '잘못된' 의사소통이라는 건 없다. 모든 사람들이 항상 어떤 일이 행해지는 방식에 대해 동의하지는 않는다는 것을 기억하라. 그래서 '그것은 이렇게 해야지…'라고 말하기보다는 '내가 원하는 것은…' 혹은 '제가 하고 싶은 것은…'과 같은 표현을 사용함으로써 당신의 요구를 표현하는 것이 대개는 최선이다. 이 말에 이어서 특정한 행동에 대한 서술이 이어진다면, 그 메시지를 받는 사람은 당신의 요구가 무엇인지에 대해 분명해지게 된다.

해설 (A) each situation을 받는 대명사는 단수이어야 하고 소유격이 와야 하므로 its가 알맞은 표현이다.
(B) everyone이 주어인 부분부정의 표현이며 everyone은 단수동사를 받기 때문에 agrees가 알맞다.
(C) 주어가 the person이고 동사는 should be이므로 receive는 준동사 자리이다. 메시지를 받는 주체는 the person이므로 이를 수식하는 능동형 현재분사 receiving이 필요하다.

어휘 component 구성 요소 / assess 평가하다 / merit 장점 / assertive 자기주장이 확고한; 단정적인 / passive 소극적인, 수동적인 / aggressive 공격적인 / need 요구; 필요(하다) / statement 표현; 성명 / description 서술; 묘사

구문 [3~6행] Although we can generally say **that assertive communication is better than** either **passive** or **aggressive communication**, // there are not really any "right" or "wrong" ways of communicating.

- Although ~ aggressive communication는 양보의 부사절이다.
- 부사절 안에 that ~ aggressive communication은 say의 목적어 역할을 하는 명사절이다.
- 「either A or B」는 'A나 B 둘 중 하나'를 뜻한다.

[7~8행] Remember // that **not everyone always** agrees about *the way* [**things should be done**].

- 「not every[always]」는 일부만 부정하는 부분부정의 표현으로 '모두[항상] ~한 것은 아니다'의 의미이다.
- things 이하가 the way를 후치 수식하며, the way 뒤에 that이 생략된 형태로 볼 수 있다.

08 ②

해석 인간에 의해 접촉되지 않고 지구에 남아 있는 얼마 되지 않는 장소들은 거의 모두 거주하기가 어렵다. 그러한 곳으로 북극의 알래스카가 있는데 이곳에는 에스키모, 아메리카 인디언, 그리고 유럽계 혈통의 소수만이 살고 있다. 그러나 북극은 눈과 얼음, 그리고 북극곰이 있는 정말로 추운 땅이기도 하지만, 또한 청정지역으로서 동식물이 자연의 균형 상태 속에서 방해받지 않은 채 여전히 그곳에서 살고 있다. 알래스카의 약 1/3은 원시 상태의 땅으로 이루어져 있다. 브룩스산맥이 마치 벽처럼 그 지역을 가로지르고 있어 접근을 어렵게 한다. 오늘날과 같이 제트기로 여행하는 시대에도 북극의 알래스카를 직접 경험한 사람들의 수는 적으며 셀 수 없이 많은 계곡과 산들은 이름이 없는 상태에 있다.

해설 ② which 이하의 절은 「주어(plants and animals)+동사(exist)+보어(untouched)」로 이루어진 완전한 문장이므로 관계대명사가 이끌 수 없다. 내용상 '그곳에서'가 되어야 하므로 in which나 관계부사인 where가 적절하다.

오답분석 ① 앞에 선행사 The few places가 있으며, 뒤에 주어가 없는 불완전한 구조가 오므로 주격 관계대명사 that이 적절하다. ③ one third와 같은 분수는 of 이

하의 명사에 수를 일치시킨다. Alaska가 단수명사이므로 단수동사인 consists가 오는 것이 알맞다. ④ and it(= the Brooks Range) makes access difficult가 분사구문으로 표현된 것이다. the Brooks Range가 접근을 어렵게 하는 주체이므로 making이 알맞게 쓰였다. ⑤ 문장의 주어가 「the number of+복수명사(~의 수)」 형태로 동사는 단수 형태인 remains가 알맞게 쓰였다.

어휘 Arctic 북극의; (the ~) 북극 (지방) / scattering 소수, 소량 ((of)); 흩어져 있는 / descent 혈통; 하강 / chilly 매우 추운 / wilderness 원시 상태, 미개지; 황야, 황무지 / range 산맥; 범위; 거리 / cut across ~을 가로질러가다 / unnamed 이름이 없는, 무명의

구문 [1~3행] *The few places* (left on earth) [**that have** not been touched by humankind] are almost all difficult to live in.

- 선행사가 The few places이므로 관계대명사절 내의 동사는 복수 형태인 have가 쓰였다.

CHAPTER 4 세부 사항 이해하기 및 기타 유형

Unit 12 지칭 대상 / 세부 내용 파악
p. 96

해결전략 1 **Warm Up** 1. ① Katrin ② Bibiana 2. ① Miss Smith ② Ellie

해석 1. 비비아나는 배런 랜쇼트의 외동딸이었다. 그녀는 숙모 카트린의 극진한 보살핌을 받고 자라났다. ① 그녀(카트린)는 훌륭한 숙녀 교육에 필요한 모든 부문의 지식에 능숙했다. 숙모의 보살핌 아래, ② 그녀(비비아나)는 역량 있게 자랐다.
2. 엘리는 새 신발을 신고 학교에 갔다. 스미스 선생님이 그녀의 새 신발을 알아차렸다. "그것은 학교에 신고 오기 적절하지 않구나. 교복에는 검은색이나 짙은 청색의 신발을 신어야 한단다."하고 ① 그녀(스미스 선생님)가 말했는데, 그녀의 목소리는 차가웠다. 엘리는 숨을 깊이 들이쉬었다. "가게에 검은색 신발이 없었어요."하고 ② 그녀(엘리)는 말했다. 그녀의 목소리는 속삭이듯이 나왔다.

어휘 notice 알아차리다 / suitable 적절한, 적당한 / whisper 속삭이다

전략적용 1 ④ **Q1** Colin Bagshaw, Colin Bagshaw's girlfriend, Barry Bagshaw **Q2** 아버지와 아들 관계

해설 **Q1** 콜린 백쇼와 그의 여자 친구, 그리고 택시 운전사인 콜린 백쇼의 아버지 배리 백쇼 3명의 등장인물이 나온다.
Q2 배리 백쇼와 콜린 백쇼는 아버지와 아들 관계이다.

해석 2001년 8월에, 39세인 콜린 백쇼와 그의 여자 친구는 마을을 가로지르는 택시를 탔다. 택시 안에서 백쇼의 여자 친구는 우연히 운전사의 신분증을 보고 ① 그(배리)의 이름이 배리 백쇼인 것을 알게 되었다. 그 운전사는 콜린의 아버지였는데, 1966년 이래로 콜린은 그를 보지 못했었다. 콜린 부모님의 결혼생활은 아버지가 홍콩에서 군 복무를 하시던 중에 끝났다. 그때 이후로 콜린은 ② 그(배리)가 돌아가셨다고 내내 추측해왔다. 하지만 배리는 죽지 않았다. 사실 최근 몇 년 동안, ③ 그(배리)는 아들과 겨우 몇 블록 떨어져서 그 사실을 모르고 살아오고 있었다. 이제 61세인 배리 백쇼는 ④ 그(콜린)가 "제가 당신의 아들입니다."라고 처음에 말했을 때 아들을 알아보지 못했다고 기자들에게 말했다. 하지만 콜린이 자신이 누군지 설명했을 때 배리는 ⑤ 그(배리)의 인생에서 가장 크게 놀랐다. 그들이 그렇게 서로를 찾게 된 것은 다행이었는데, 콜린이 며칠 후에 이사를 갈 예정이었기 때문이다.

해설 두 명의 등장인물인 콜린 백쇼와 배리 백쇼를 구분하며 읽는다. 이 글은 아들인 콜린 백쇼와 아버지인 배리 백쇼가 손님과 택시 기사로 우연히 만난 이야기이다. ④의 he는 "제가 당신의 아들입니다."라고 말한 것으로 보아 '콜린'을 가리킨다.

오답분석 ②는 아들이 그(아버지)가 죽었다고 생각한 것이므로 여기서 그는 '배리'를 가리킨다. ⑤는 아들의 설명을 듣고 크게 놀란 사람이므로 아버지인 '배리'를 지칭하고 있다.

어휘 identification 신분증; 동일함 / badge (소속 등을 나타내는) 표, 배지 / break up (관계가) 끝이 나다; 부서지다 / serve 복무하다; 섬기다, 봉사하다 / assume (사실이라고) 추측[추정]하다; (역할, 임무를) 맡다 / move away 이사하다; 떠나다

구문 [4~5행] The driver was *Colin's father*, // **whom** Colin hadn't seen since 1966.
S'   V'

♦ 계속적 용법으로 쓰인 관계대명사 whom 이하는 선행사인 Colin's father에 대한 추가적인 정보를 제공한다.
♦ 선행사만으로 그것이 무엇을 뜻하는지 명백한 경우, 콤마가 없는 관계사절과 같이 쓸 수 없다.
  e.g. I saw the Eiffel Tower, which is located in Paris. (O)
    I saw the Eiffel Tower which is located in Paris. (X)

[12~13행] It's a good thing // **(that)** they found each other / when
  가주어   진주어
they did, ~.

♦ 진주어인 명사절을 이끄는 접속사 that이 생략된 문장이다.

해결전략 2 **Warm Up** ① ○ ② 요리 → 공연 ③ 1985년 → 1970년대

해석 세자리아 에보라는 1941년에 태어나 가난한 가정에서 자라났고, 아버지가 돌아가신 뒤에는 보육원에서 자라났다. 그녀는 십 대에 민델로에 있는 선원 레스토랑과 항구에 있는 배에서 공연을 시작했다. 그녀는 생계를 유지할 수 없어서 1970년대에 음악을 그만두었다. 그러나 그녀는 1985년에 다시 무대로 돌아왔고, 2003년에 그래미상을 받았다.

어휘 orphanage 보육원 / sailor 선원

전략적용 2 ④ **Q1** ① 작가 ② 유머 감각 ③ 언론

해설 **Q1** ① 정치 전문 언론인이자 작가였다. (an American political journalist and author) ② 날카로운 유머 감각으로 유명했다. (She was famous for ~ sharp sense of humor. ~.) ③ 텍사스 정계에서 일하며 언론 경력을 쌓았다. (spent her journalism career working on Texas politics)

해석 몰리 아이빈스는 미국의 정치 전문 언론인이자 작가였다. 그녀의 주간 칼럼은 거의 400개 신문에 등장했고, 그녀를 전국에서 가장 널리 출판되는 칼럼니스트로 만들었다. 그녀는 재치 있는 단어의 사용, 재미있는 의견, 그리고 날카로운 유머 감각으로 유명했는데, 그것은 사람들에게 마크 트웨인의 것들을 연상시켰다. 휴스턴에서 자라서 그녀는 1966년에 스미스 대학을 졸업했고 컬럼비아 대학교에서 언론학을 공부했다. 아이빈스는 자신의 언론 경력을 텍사스 정계에서 일하며 쌓았다. 텍사스 전 주지사인 조지 W. 부시가 미국의 43대 대통령이 되었을 때, 그녀는 관심을 전국 정계로 돌렸고 2003년 이라크 전쟁의 격렬한 비판자였다. 그녀는 1999년 암 판정을 받았고 2007년 결국 병마와의 싸움에서 패하였다.

해설 몰리 아이빈스가 정치계에서 일한 것은 맞지만, 이라크 전쟁의 격렬한 비판자(a passionate critic of the 2003 Iraq War)였다고 했으므로 ④는 일치하지 않는 내용임을 알 수 있다.

오답분석 '병마와의 싸움에서 패배했다(lost her battle with the disease)'는 비유적인 표현을 통해, 결국 암으로 사망했음을 알 수 있다. 따라서 ⑤는 일치한다.

어휘 political 정치적인 *cf.* politics 정계; 정치(학) / journalist 언론인; 저널리스트, 기자 *cf.* journalism 언론학; 저널리즘 / column 칼럼, 정기 기고란; 기둥 *cf.* columnist 칼럼니스트, 정기 기고가 / observation (관찰에 입각한) 의견; 관찰; 감시 / remind A of B A에게 B를 생각나게 하다 / governor 주지사 / critic 비판자; 비평가, 평론가 / A be diagnosed with[as] B A가 B라는 진단을 받다

구문 [3~5행] She was famous for *her clever use of words, amusing observations, and sharp sense of humor*, // **which** reminded people of **Mark Twain's**.

♦ 관계대명사 which는 선행사인 her clever ~ sense of humor를 보충 설명한다.
♦ Mark Twain's 뒤에는 반복되는 어구인 clever use of words, amusing observations, and sharp sense of humor가 생략된 형태이다.

Make it **Yours**
p. 98

1 ③   2 ③   3 ⑤   4 ②   5 ⑤   6 ⑤
7 ⑤

1 ③

해석 제인의 다섯 살 난 딸 레지나는 공주가 되기를 원했다. 제인은 "① 그녀(레지나) 방의 벽은 온통 공주 그림들로 덮여 있어요. 단 한 가지 문제가 있죠. 그 아이의 방이 아주 엉망이라는 거예요."라고 말했다. 그래서 제인은 ② 그녀(레지나)의 눈으로 세상을 봄으로써 레지나를 이해하기로 했다. 그렇게 하기 위해, 제인은 딸에게 종이 접시로 해바라기를 만드는 법을 ③ 그녀(제인)에게 보여 달라고 요청했다. "고마워요, 공주님!"하고 제인은 딸이 끝마쳤을 때 ④ 그녀(레지나)에게 말했다. 그러고는 덧붙였다. "하지만 우리가 어질러 놓은 것을 보렴. 이 방이 공주님 방 같니?" 레지나는 이것에 대해 생각했다. "공주님 방은 지저분하지 않아요."하고 ⑤ 그녀(레지나)가 대답했다. "그래서 어떻게 해야 할까?"하고 제인은 물었다. 레지나는 대답했다. "방을 깨끗하게 청소하고, 남은 종이들을 모두 버리고, 공주님 방처럼 보이게 만들 수 있어요." 합의가 된 것이다!

해설 이 글은 제인과 그녀의 딸인 레지나가 방 청소에 대한 합의를 이루는 과정을 다룬 이야기이다. ③은 제인이 해바라기 만드는 법을 자신에게 보여 달라고 레지나에게 요청한 것이므로 her는 엄마인 '제인'을 가리킨다. 나머지는 모두 제인의 딸인 '레지나'를 가리킨다. 간접화법과 직접화법이 모두 사용된 글이므로 지칭 대상을 헷갈리지 않도록 주의해야 한다.

오답분석 ②는 제인이 딸의 시각으로 바라보기로 했으므로 '레지나'를 가리킨다.

어휘 mess 엉망인 상태 *cf.* messy 지저분한, 엉망인 / Deal! 합의되었다!, 그렇게 하기로 해! (= It's a deal!)

구문 [4~5행] To do so, / Jane **asked her daughter to show** her how to make sunflowers out of paper plates.

◆ To do so는 앞 문장 내용을 가리키며(= To understand ~ her eyes) 부사적 용법으로 쓰여 목적을 나타낸다.

◆ 「ask+목적어+to-v」는 '~가 v할 것을 요청[부탁]하다'라는 의미로, ask는 목적격보어로 to부정사를 취한다.

2 ③

해석 1807년에 나폴레옹은 프러시아 및 러시아와의 최근의 성공적인 협상에 대해 매우 흡족해하고 있었다. 축하하기 위해, ① 그(나폴레옹)는 모두가 토끼 사냥을 즐겨야 한다고 제안했다. 그 행사는 ② 그(나폴레옹)가 신뢰하는 참모장인 알렉상드르 베르티에가 준비했는데, 그는 나폴레옹을 감동시키는 데 너무 열성적이어서 모든 이들이 사냥하기에 충분한 동물이 있도록 하기 위해 수천 마리의 토끼를 샀다. 사냥꾼들은 도착했고, 하인들은 토끼를 풀었다. 하지만 재난이 닥쳤다. ③ 그(알렉상드르 베르티에)가 야생 토끼 대신에 애완용 토끼를 산 것이었다. 살기 위해 도망가는 대신에, 토끼들은 커다란 모자를 쓴 자그마한 남자를 발견하고는 ④ 그(나폴레옹)를 먹이를 가져오는 사육사로 오인했다. 배고픈 토끼들은 전속력으로 나폴레옹을 향하여 달렸다. 나폴레옹은 달아날 수밖에 없었다. 그날에 대한 현대적 설명에 따르면, 그 프랑스 황제는 완전히 패하고 수치심에 휩싸여 ⑤ 그(나폴레옹)의 말을 타고 달아났다고 한다.

해설 두 명의 남자 등장인물인 나폴레옹과 알렉상드르 베르티에를 구별하며 읽는다. 토끼를 구입한 것은 참모장이므로 ③은 '알렉상드르 베르티에'를 가리키고, 나머지는 모두 '나폴레옹'을 가리킨다.

오답분석 ①은 토끼 사냥을 제안한 사람으로, 이전 문장의 '나폴레옹'을 가리킨다. ⑤는 바로 앞의 the Emperor of France를 가리키는 표현으로 '나폴레옹'을 의미함을 알 수 있다.

어휘 negotiation 협상 / chief of staff (군대의) 참모장 / eager 열성적인, 열심인 / ensure 반드시 ~하게 하다; 보장하다 / servant 하인; 고용인 / disaster 재난; 불행 / strike (재난, 질병 등이) 발생하다; (세게) 치다 / mistake A for B A를 B로 오인하다 / keeper 사육사; 지키는 사람; 관리인 / account 설명; 계좌 / beaten 패배한; 두들겨 맞은 / shame 수치(심), 부끄러움

구문 [2행] To celebrate, / he **suggested** // that everyone **should enjoy** a rabbit hunt.

◆ '제안'의 동사인 suggest 뒤에 당위성을 나타내는 명사절이 목적어로 올 경우 명사절의 동사는 「(should +)동사원형」 형태이다. should는 생략 가능하므로 ~ everyone enjoy a rabbit hunt.로 써도 무방하다.

[3~5행] It was organized by **his trusted chief of staff, Alexandre Berthier**, // who was **so** eager to impress Napoleon **that** he bought thousands of rabbits / **to ensure** / that there were plenty of animals **for everyone to hunt**.

부사적 용법 (목적)

◆ his trusted chief of staff와 Alexandre Berthier는 동격이다.

◆ 「so+형용사[부사]+that ...」 구문은 '너무 ~해서 …하다'는 의미이다.

◆ for 뒤의 everyone은 to hunt의 의미상 주어이다.

3 ⑤

해석 월터 린은 응급실 의사였다. 어느 날 밤, 응급조치를 필요로 하지 않는 환자가 ① 그(환자)의 인생 이야기를 직원들과 나누려고 계속 고집을 부렸다. 몇 시간 후에, 불만스러워하는 직원들이 ② 그(환자)를 쫓아내려고 했다. 린 박사는 그 직원들에게 환자에게서 떨어져 잠시 쉬고 다른 업무로 돌아갈 것을 제안했고, 린 박사는 그 남자에게 직접 말하려 했다. 그런 다음 그는 그 환자를 진정으로 이해하려고 노력했다. 그 의사는 ③ 그(환자)가 단지 새로운 의사를 원하나 6개월 동안 예약을 잡지 못했다는 것을 알게 되었다. 린 박사는 ④ 그(환자)를 담당하는 의사에게 전화해서 2주 뒤에 예약을 잡아주었다. 그 환자는 30분도 못 되어 응급실을 나갔다. "그는 나에게 무척 감사해했어요."라고 린 박사는 말했다. 그는 직원들이 그의 상황을 이해하려고 노력조차 하지 않았기 때문에 문제를 해결할 수 없었던 것이라고 말했다. 하지만 관계에 초점을 두고 진정하게 이해하기 위해 노력함으로써, ⑤ 그(린 박사)는 신속하게 해결책을 찾을 수 있었다.

해설 ①~④는 모두 '환자'를 가리키고, ⑤는 환자의 말에 귀를 기울여서 문제를 해결한 사람을 가리키므로 '린 박사'를 가리킨다.

오답분석 ②는 문맥상 불만스러워하는 직원들이 쫓아내려고 하는 '환자'를 의미한다.

어휘 emergency room 응급실 / insist 고집하다, 주장하다 / frustrated 불만스러워하는, 좌절한 / kick A out A를 쫓아내다 / duty 업무; 의무

구문 [3~5행] Dr. Lin **suggested** // that the staff (should) take a break from this patient and (should) go back ~; Dr. Lin would speak to the man **himself**.

◆ '제안'의 동사인 suggest가 당위성을 나타내는 that절을 목적어로 취할 때 that절의 동사는 「should+동사원형」 형태인데, 이때 should는 보통 생략된다.

◆ take와 go back은 and로 연결된 병렬구조이며, himself는 주어인 Dr. Lin을 강조하는 재귀대명사이다.

4 ②

해석 조지 T. 모건은 미국의 가장 뛰어난 동전 디자이너 중 한 명이었으며, 모건 달러를 디자인한 것으로 유명하다. 그는 아름다운 100달러짜리 금화를 디자인했지만, 그 원본 디자인이 수십 년간 드러나지 않았고 그 동전은 전혀 만들어지지 않았다. 하지만 최근에 모건의 스케치북이 발견되어 그 잃어버린 걸작이 마침내 만들어졌다. 그 동전의 한 면은 아름다운 가운을 입고 올리브 가지를 쥔 채, 미국 본래의 13개 주를 상징하는 13개의 별로 둘러싸인 자유의 여신을 보여주며, 그녀의 이름이 대문자로 쓰여 있다. 뒷면은 날개를 접고 방패에 앉아 있는 힘센 미국 독수리를 보여주며, 올리브 가지로 만든 3개의 화살도 볼 수 있다. 이 동전에는 1876년이라고 새겨졌는데, 이는 모건이 그것을 디자인했던 해이다.

해설 글의 초중반 부에서 최근에 모건의 스케치북이 발견되어 실물이 제작되었다 (Recently, ~ made.)고 했으므로 ②는 일치하는 내용이다.

오답분석 ① 원본 디자인은 수십 년간 드러나지 않았다고 했다. ③ 동전에는 모건이 아니라 자유의 여신의 이름이 새겨졌다고 했다. ④ 글 후반부(a powerful ~ a shield;)에서 동전 뒷면에 날아가는 독수리가 아니라 날개를 접고 방패 위에 앉아 있는 독수리가 새겨져 있다고 했다. ⑤ 마지막 문장에서 동전이 주조된 연도가 아니라 Morgan이 동전을 디자인한 연도가 새겨져 있다고 했다.

어휘 decade 10년 / masterpiece 걸작, 명작 / state (미국의) 주(州); 상태; ~을 진술하다 / fold 접다; (천 등의) 주름 / shield 방패; 보호막 / visible 보이는 / date 날짜를 기입하다; 날짜

구문 [7~8행] The other side shows *a powerful American eagle* (**with its wings folded**), (**sitting on a shield**); // also **visible are** *three arrows* (made of olive branches).

◆ 「with+(대)명사+분사」는 '~을 …한 채로'란 뜻으로, its wings와 fold가 수동관계이므로 과거분사가 쓰였다. with ~ folded와 sitting ~ shield는 둘 다 a powerful American eagle을 수식한다.

◆ 세미콜론(;) 뒤의 문장(also ~ branches)은 보어가 문두에 오면서 주어와 동사의 위치가 바뀐 도치구문이다.

5 ⑤

해석 폴 디랙은 과학의 발전에 커다란 공헌을 한 영국의 이론 물리학자였다. 그의 중심 분야는 양자 역학이었다. 그는 재능 있지만 수줍음이 많은 물리학자였다. 사람들은 그의 어휘가 오직 "예," "아니요,"와 "저는 모릅니다."로 구성되어 있다고 농담했다. 그는 언젠가 "저는 학교에서 끝을 모르는 문장을 절대로 시작하지 말라고 배웠어요."라고 말했다. 그는 언변이 부족한 것을 수학적 능력으로 만회했다. 그의 연구는 양자 역학의 새로운 수학적 기술을 제시하면서, 인상적으로 짧고 강력한 것으로 유명하다. 그는 부분적으로 양자 역학의 이론을 아인슈타인의 이론과 연결했다. 그가 1933년에 노벨상을 받았을 때 그의 맨 처음 생각은 관심을 피하기 위해 수상을 거절하는 것이었다. 하지만 그가 수상을 거절하면 훨씬 더 큰 관심을 받을 것이라는 말을 듣고는 마지못해 받아들였다.

해설 글의 후반부에 처음에는 관심을 피하려고 노벨상 수상을 거절하려고 했으나, 훨씬 더 큰 관심을 받게 될까 봐 결국 수상을 받아들였다고 했으므로 ⑤는 일치하지 않는 내용이다.

어휘 theoretical 이론의 / make a contribution A A에 공헌[기부]하다 / talented 재능 있는 / vocabulary 어휘 / consist of ~으로 구성되다 / make up for 만회하다 / lack 부족하다; 부족, 결핍 / impressively 인상적으로 / description 기술, 서술 / turn down ~을 거절하다 / give in 받아들이다; 항복하다

오답분석 글 초반부의 People joked that his vocabulary consisted of only "Yes," "No," and "I don't know."에서 미루어 볼 때, 폴 디랙이 말수가 적어서 놀림을 받았음을 알 수 있다. 따라서 ②는 일치하는 내용이다.

구문 [6~7행] ~, **presenting** a new mathematical description of quantum mechanics.

◆ presenting ~은 부대상황을 나타내는 분사구문으로 '~하면서'로 해석하면 자연스럽다.

[9~10행] But he gave in // **when** (he was) told / *(that)* he would get even more attention / if he refused to accept it.

◆ 「주절+when 부사절」의 구조로, told 뒤에 목적어절을 이끄는 접속사 that이 생략되어 있다.

6 ⑤

해석 흰정수리북미멧새는 새의 행동과 이동 패턴을 연구하는 사람들에게 중요하다. 수컷은 자신이 속한 환경에서 태어난 지 몇 달 이내에 그들의 노래를 배우고, 수컷이 자신의 영역으로부터 이동하지 않으려 하기 때문에 독특한 노래가 생겨난다. 흰정수리북미멧새는 나무 높은 곳에 풀로 된 둥지를 엮고 붉은 갈색 반점이 있는 연한 푸른색의 알을 3~5개 낳는다. 암컷은 대략 2주일가량 이 알들을 품고 새끼는 10~12일 후에 깃털이 나기 시작한다. 그것들은 다른 종류의 새, 일반적으로 흰목참새 함께 이동을 한다. 흰정수리북미멧새의 먹이는 주로 씨앗, 곡식, 그리고 곤충으로 구성되는데, 그것들은 땅 위에서 이러한 먹이를 찾는다. 멸종 위기에 처한 다른 야생 조류와는 달리, 흰정수리북미멧새의 개체는 안정적이어서 워싱턴 서부에서 1년 내내 흔하게 발견된다.

해설 글 후반부에 멸종 위기에 처해 있는 다른 야생 조류와는 달리, 흰정수리북미멧새의 개체는 안정적이어서 워싱턴 서부에서 1년 내내 흔하게 발견된다고 했으므로 ⑤는 일치하지 않는 내용이다.

오답분석 forage는 '찾다, 수색하다'라는 뜻이다. 이 단어가 쓰인 글 후반부의 This bird's diet ~ on the ground.에서 ④가 글의 내용과 일치함을 알 수 있다.

어휘 migratory 이동의, 이주의 / emerge 생겨나다; 나타나다 / weave 엮다, 짜다 / pale 연한, 엷은 / incubate 품다 / approximately 대략 / fledge 깃털이 나다 / consist of ~로 구성되다 / forage for ~을 찾다, ~을 수색하다 / extinction 멸종 / stable 안정적인 / commonly 흔하게

구문 [7~8행] This bird's diet consists mainly of *seeds, grains, and insects* [**for which** they **forage** ● on the ground].

◆ which는 seeds, grains, and insects를 선행사로 하는 전치사 for의 목적격 관계대명사이다. forage는 자동사로 다음에 목적어가 바로 올 수 없고, for와 함께 쓰여서 「forage for A(A를 찾다, A를 수색하다)」라는 의미로 사용되었다.

7 ⑤

해석 내과 의사이자 철학자인 빌헬름 막시밀리안 분트는 오늘날 현대 심리학의 창시자로 알려져 있다. 생물학으로부터 과학이라고 심리학을 구분한 분트는 자신을 심리학자로 부른 최초의 사람이었다. 심리학에 대한 그의 관심은 의학을 전공한 후에 시작되어서, 인간의 감각적 인식을 연구하는 것으로 이끌었다. 후에 그는 심리학을 강의했고, 최초의 심리학 교과서를 출간했고, 심리 연구를 위한 최초의 공식적인 실험실을 설립했다. 엄격한 실험실 조건하에서, 그는 다양한 감각에 대한 피실험자들의 반응을 관찰하고 측정했다. 그는 과학적 방법론을 통해 정신의 연구에 집중했는데, 이것은 그에게 있어서 의식과 인식의 연구를 의미했다. 통제되고 정확하게 반복될 수 있는 실험에 대한 그의 고집은 실험 심리학에 대한 기준을 정확하게 설정했고, 그것의 과학적 자격도 확고히 확립했다.

해설 글 후반부에 빌헬름 막시밀리안 분트가 과학적 방법론을 통해 정신 연구에 집중했고, 이것이 그에게는 의식과 인식의 연구를 의미한다고 했으므로, 의식과 무관한 정신 연구에 집중했다는 ⑤는 글의 내용과 일치하지 않는다.

오답분석 의학을 전공한 후에 심리학에 대한 관심이 생겨나기 시작했고(His interest ~ medicine), 그 후 심리 연구를 위한 공식적인 실험실을 최초로 설립했다(set up ~ research)고 했으므로 ③, ④는 정답이 될 수 없다.

어휘 physician 내과 의사 / founder 창시자, 설립자 / modern psychology 현대 심리학 / distinguish A from B A와 B를 구별하다 / sensory 감각의 / perception 인식 / set up ~을 설립하다 / formal 공식적인; 형식적인 / laboratory 실험실 / strict 엄격한 / observe 관찰하다 / measure 측정하다 / subject 피실험자 / methodology 방법론 / consciousness 의식 / perception 인식 / insistence 고집, 주장 / replicate 반복하다 / standard 기준, 수준 / credential 자격

구문 [2~3행] *Wundt*, [**who** distinguished psychology as a science from biology], / was *the first person* ever (**to call** himself a psychologist).

◆ who는 주격 관계대명사로, who ~ biology가 선행사 Wundt를 수식한다.

◆ to부정사구(to call ~ a psychologist)가 the first person을 수식하는 형용사적 용법으로 쓰였다.

Unit 12 빈출순 어법 **POINT** p. 101

준동사의 동사적 성질

have obtained | 데세아다 섬은 1493년에 두 번째 항해에서 크리스토퍼 콜럼버스가 육지를 보고 싶은 '소망'에서 그것의 이름을 따온 것이라고 하는 작은 섬이다.

어휘 voyage 여행, 항해

Quiz

1 making | 경영자들은 조직 내에서 그들 밑에서 일하는 고용인들로부터 정보를 수집하고 나서 이 정보를 기반으로 명령을 내리는 결정을 하는 데 더는 주로 책임을 지지 않게 되었다.

해설 전치사 for의 목적어 역할을 하며, 앞에 나온 gathering과 병렬구조를 이루므로 동명사 making이 적절하다.

어휘 manager 경영자 / be responsible for ~에 책임이 있다 / primarily 주로 / command 명령(하다), 지시(하다)

2 be affected | 많은 사람들이 자신이 비관론자들에게 영향을 받도록 허락한다. 그들은 끔찍한 미래에 대한 경고를 듣고 겁을 먹는다.

해설 많은 사람들 자신들(themselves)이 '영향을 받는 것'이므로 수동의 의미를 나타내는 「to be+p.p.」 형태가 알맞다.

어휘 pessimist 비관론자 / warning 경고 / frighten 겁먹게[놀라게] 만들다

Practice ②

해석 연구를 통해 SNS의 절반 정도가 사람들이 지금 무엇을 하고 있는지 또는 그들에게 일어난 일을 다루며, '나'에 집중되어 있다고 밝혀졌다. 사람들은 왜 그들 자신의 태도와 경험에 대해 그렇게 많이 이야기할까? 하버드의 과학자인 제이슨 미첼과 다이애나 타미르는 자신에 관한 정보의 공개가 근본적으로 보람이 있음을 발견했다. 한 연구에서, 미첼과 타미르는 피실험자들에게 그들 자신의 의견과 태도('나는 스노보드 타는 것을 좋아한다') 또는 다른 사람의 의견과 태도 ('그는 강아지를 좋아한다')를 함께 나눌 것을 요청했다. 그들은 개인적인 의견을 공유하는 것이 음식과 돈과 같은 보상에 반

응하는 동일한 뇌의 회로를 활성화시킨다는 것을 발견했다. 그러므로 이번 주말에 당신이 한 것에 대해 이야기하는 것은 맛있는 초콜릿 케이크를 한 입 먹는 것만큼 기분이 좋을지도 모른다.

해설 (A) 분사구문의 의미상 주어인 around half of SNS와 cover의 관계가 능동이므로 v-ing 형태인 covering이 알맞다.
(B) 준동사인 disclosing은 명사를 목적어로 받지만, 명사인 disclosure가 또 다른 명사를 받기 위해서는 전치사를 필요로 한다. 바로 뒤에 전치사 of가 뒤따르므로 명사형인 disclosure가 적절하다.
(C) 목적어(personal opinions)를 취하면서 주어 역할을 해야 한다. 따라서 명사적 성질과 동사적 성질을 모두 가지는 동명사 sharing이 적절하다.

어휘 cover 다루다; 덮다 / disclose 공개하다, 발표하다; (비밀을) 털어놓다 cf. disclosure 공개; 폭로 / rewarding 보람이 있는 / activate 활성화시키다; 작동시키다 / circuit 회로; 순회 / bite 한 입; 물다

구문 [9~10행] So talking about **what** you did this weekend / might
                  A
feel **just as good as** / taking a delicious bite of chocolate cake.
                              B

- what은 선행사를 포함하는 관계대명사로 '(~하는) 것'의 의미이다.
- 「A just as ~ as B(A는 꼭 B만큼 ~하다)」 구문이 쓰였으며, 비교 대상인 A, B는 동명사구로 문법적 성격이 같다.

Unit 13 | 실용 자료 / 도표 자료 파악

해결전략 1 Warm Up ②

해석 지원하려면 2020년 11월부터 2021년 5월까지 활동 스케줄에 전념할 수 있어야 합니다.
① 날짜 ② 자격 ③ 임무 및 혜택

어휘 [선택지 어휘] commit 전념하다; (죄·과실 등을) 저지르다 / requirement 자격; 필요 (조건) / responsibility 임무; 책임 / benefit 혜택, 이득

전략적용 1 ⑤ Q1 일일 미술 캠프 견학 Q2 ① 음악 → 미술
② 월~금요일 → 수~금요일 ③ 5달러 → 3달러

해설 Q2 ① 브루클린 박물관으로의 미술 관련 일일 캠프이다. (Bring ~ through art!) ② 견학 날짜는 7~8월, 수~금요일이다. (Tour Dates: Wednesday–Friday, July–August) ③ 요금은 방문객당 3달러이다. ($3 per visitor)

해석   **일일 캠프 견학**
미술로의 신나는 여행을 떠나기 위해 이번 여름에 브루클린 박물관으로 6~12세의 일일 캠프 그룹을 데려오세요!

선택할 견학(견학 종류)
- 그들은 어떻게 그것을 만들었을까?: 화가의 작업 과정과 화가가 독특한 재료들을 어떻게 사용하는지 탐구합니다.
- 화가가 환경을 만나: 화가가 영감을 얻기 위해 자연 세계를 이용하는 법을 살펴봅니다.

견학 날짜
- 7~8월, 수~금요일
- 오전 견학: 오전 10:30~11:45
- 오후 견학: 오후 1:00~2:15

요금 및 지불 방법
- 방문객당 3달러
- 미리 지불하시면 가장 좋습니다만 방문 당일에도 지불하실 수 있습니다.

더 많은 정보를 원하시면 (718) 501-6221로 전화하시거나 저희 측에 메일 주시길 바랍니다.

해설 견학 비용에 관한 것은 소제목 '요금 및 지불 방법(Cost & Payment)'에서 찾아볼 수 있다. '방문 당일에도 지불하실 수 있습니다(~, but you can also pay on the day of your visit.).'라고 했으므로 ⑤는 일치하지 않는다.

오답분석 Tour Dates에 '7~8월(July–August)'이라고 나와 있는 것으로 보아, 견학이 여름 두 달간 열린다는 ③은 글의 내용과 일치한다.

어휘 investigate 살피다; 조사[연구]하다 / inspiration 영감 / in advance 미리

해결전략 2 Warm Up ① ○ ② ✕

해설 ① 20-34세 연령대에서 고혈압이 있는 남성의 수치는 여성의 수치보다 5퍼센트포인트 더 높다.
② 55-64세 연령대에서 고혈압은 여성보다 남성에게서 더 흔히 발생했다.

어휘 figure 수치; 인물; ~을 생각하다 / high blood pressure 고혈압

전략적용 2 ⑤ Q1 성별과 나이에 따른 고혈압 인구 비율
Q2 ① 많다 → 적다 ② 3배 → 2배 ③ 여성만이 → 남성과 여성 모두

해설 Q1 글의 첫 문장(The above graph shows ~.)에서 알 수 있듯이 '성별과 나이에 따른 고혈압 인구 비율'을 나타내는 그래프이다.

Q2 ① 여성이 남성보다 더 많은 것이 아니라 더 적다. (In the three younger age groups, ~.) ② 3배가 아닌 2배 더 많다. (The percentage of men with high blood pressure is twice as large ~.) ③ 남성과 여성 모두 절반 이상이 고혈압을 가지고 있다. (After the age of 55, more than half of all men and woman ~.)

해설   **고혈압 인구의 비율**
위 도표는 성별과 연령대로 나누어진, 고혈압 인구 비율을 나타낸다. ① 더 젊은 세 개의 연령대에서, 남성이 여성보다 더 많이 고혈압에 걸리는 반면, 나이가 더 많은 세 그룹에서는 반대이다. ② 고혈압이 있는 남성의 비율은 35-44세 그룹이 20-34세 그룹보다 2배 많다. ③ 45-54세와 55-64세 연령대는 남성과 여성 간의 가장 적은 차이를 보이는데, 그 차이는 1퍼센트포인트이다. ④ 55세 이후로는 남성과 여성 모두 절반 이상이 고혈압을 가지고 있다. ⑤ 75세 이상 그룹에서 여성의 수치는 65-74세 그룹의 수치와 비교할 때 변화가 없다.

해설 이 도표는 성별과 나이에 따른 고혈압 인구 비율을 보여준다. 도표에서 75세 이상 여성의 고혈압 비율은 77%이고 65~74세에서는 71%이므로 두 그룹 사이에 수치 차이가 없다는 ⑤는 일치하지 않는 내용이다. 해당 범위에서 변화가 없는 성별은 남성(65%)이다.

오답분석 ③에서는 단순히 두 성별 간 비율의 차이(gap)만을 기술한 것으로, 45~54세 그룹에서는 남성의 비율이 1퍼센트포인트 높고, 55~64세 그룹에서는 여성의 비율이 1퍼센트포인트 높으므로 일치하는 내용이다.

어휘 break down 나누어지다; 고장 나다 / age group (특정) 연령대(의 사람들) / suffer from (병을) 앓다; ~로 고통받다 / reversed 반대의, 거꾸로 된

구문 [4~6행] The percentage of men (with high blood pressure) / is **twice as large** for those 35-44 **as** for those 20-34.

◆ 「배수사+as 원급 as ~(~보다 -배 …한)」는 배수 표현으로 비교하는 대상이 서로 몇 배 차이가 나는지를 나타낸다.

[6~7행] The 45-54 and 55-64 age groups show *the smallest gap (between men and women),* // **which** is 1 percentage point.

◆ which는 the smallest gap between men and women을 선행사로 하는 계속적 용법의 관계대명사로, 이때 which는 and it으로 바꾸어 쓸 수 있다.

Make it **Yours**
p. 104

1 ④　　2 ③　　3 ④　　4 ⑤　　5 ④　　6 ④

1 ④

해석　　　　　십 대의 밤 기획위원회

'십 대의 밤 기획위원회'의 일원으로서, 여러분은 십 대를 위한 다양한 흥미로운 프로젝트에 착수하게 될 것입니다. 이것은 이벤트 기획에 대해 배우고, 음악과 춤 공연, 워크숍, 작품 제작, 친구와 음식을 특징으로 하는 십 대를 위한 무료 이벤트를 제작하기 위해 다른 사람들과 작업할 기회입니다!

날짜:
• 2020년 11월부터 2021년 5월까지
• 매주 목요일: 매달 3회 회의, 오후 4:30 ~ 6:30
• 매주 금요일: 십 대의 밤 4회, 오후 3:45 ~ 7:30

자격:
• 고등학생
• 14세 이상

임무 및 혜택:
• 십 대를 위한 행사 계획 및 운영
• 의사소통 및 행사 기획 역량 구축
• 종료 시 추천서 요청 가능

지원서는 2020년 10월 12일까지 제출하세요.
면접은 2020년 10월 마지막 주말에 있습니다.

해설 선택지를 먼저 읽고, 해당 소제목을 찾아 확인한다. '임무 및 혜택(Responsibilities and Benefits)' 부분에서 '완료 시 추천서 요청 가능(Be able to request a letter of recommendation on completion)'이라는 내용이 있으므로 ④가 정답임을 알 수 있다.

오답분석 '목요일 모임은 매달 3회, 오후 4시 30분부터 6시 30분까지(Thursdays: 3 meetings a month, 4:30–6:30 p.m.)'라고 되어 있으므로, 모임 시간은 두 시간이 맞다. 따라서 ②는 오답이다.

어휘 planning 계획, 입안 / committee 위원회 / workshop 워크숍, 연수회 / recommendation 추천(서); 권고 / completion 종료, 완료, 완성 / submit 제출하다 / application 지원(서), 신청(서); 적용

구문 [3~5행] It's *a chance* (**to learn** about event planning) and ((**to**) **work** with others / to create *free events for teens* [**that** feature music and dance performances, workshops, art-making, friends, and food])!

◆ to learn ~ planning과 (to) work ~ food는 접속사 and로 병렬연결되고 a chance를 수식한다.
◆ that 이하는 free events for teens를 선행사로 하는 주격 관계대명사절이다.

2 ③

해석　　　　　야생 자원봉사자들

야생 자원봉사자들은 야생 지역에서의 자원봉사를 장려합니다. 자원봉사자들은 다양한 현장 연구를 통해 야생 동물의 상태를 조사하는 프로젝트와 연결됩니다.

세부 사항:
• 웹사이트에는 적당한 강도의 자동차 캠핑부터 도전 의식을 북돋는 배낭여행까지, 다양한 활동들이 올라와 있습니다.
• 모든 여행은 경험 많은 전문가들이 이끕니다.
• 여행 기간은 일주일이고 참가자는 12명 이하로 제한됩니다.

참가자들은 필요합니다:
• 자신의 캠핑 장비
• 모험심
• 가치 있는 프로젝트에 기꺼이 시간과 에너지를 기여하려는 마음

더 많은 정보와 등록을 위해서는 www.volunteers.com을 방문하세요.

해설 '세부 사항(Details)' 항목에서 '참가자는 12명 이하로 제한된다(~ and are limited to 12 or fewer participants.)'라고 했으므로, 참가 인원은 12명 이상이 아니라 이하여야 한다. 따라서 ③은 일치하지 않는다.

어휘 wilderness 야생, 황야 / wildlife 야생 동물 / field study 현장 연구 / moderate (정도가) 적당한; 보통의, 중간의 / backpacking 배낭여행 / experienced 경험이 풍부한; 숙련된 / participant 참가자 / worthwhile 가치 있는 / registration 등록

구문 [2~4행] Volunteers are matched with *work projects* (**to investigate** the conditions of wildlife / through various field studies).

◆ to investigate 이하는 work projects를 수식하는 형용사적 용법으로 쓰인 to 부정사구이다

3 ④

해석　　　　　호기심 많은 사람들을 위한 독서회

'호기심 많은 사람들을 위한 독서회'는 당신에게 안성맞춤입니다. 보스턴의 과학박물관에서 개설되었고, 이 독서 모임은 과학과 기술에 흥미가 있는 사람들을 위해 특별히 기획됩니다.

Goodreads.org에 가입하셔서 저희가 지금까지 읽어 온 것을 구경해 보세요.
다가오는 독서 토론에 대해 더 알고 싶으시면 meet-up 페이지를 방문해 주세요.

• 매달 두 번째 목요일 오후 5시 30분에 열립니다.
• 오후 5시 30분 이후에 도착하는 분들은 들어오시려면 14층 로비에서 회의실에 전화 주셔야 합니다. 시간과 장소는 변동될 수 있습니다.
• 근처에 주차하시면 오후 5시 이후에 도착하신 분들에게 10달러가 부과됩니다.

해설 따로 소제목이 없으므로 선택지에 해당하는 정보를 글에서 찾는다. 글 후반부의 '오후 5시 30분 이후에 도착하는 사람들은 14층 로비에서 전화해야 한다(Those who arrive ~ to be let in.)'라는 말을 통해, 늦게 온 사람은 회의실이 아니라 14층 로비에서 전화해야 한다는 것을 알 수 있다. 따라서 ④는 일치하지 않는다.

어휘 just the thing 안성맞춤의[바라던 대로의] 것 / upcoming 다가오는 / conference room 회의실 / lobby 로비, 현관의 홀 / let in A A를 들어오게 하다

구문 [2~4행] **Created at the Museum of Science, Boston**, *this reading group* is designed especially for *those* [who are interested in science and technology].

◆ Created ~ Boston은 문장의 주어인 this reading group을 부연 설명하는 분사구문으로, It was created at the Museum of Science, Boston, and ~.과 같은 의미이다.

4 ⑤

해석 **젊은층과 노년층이 여가와 스포츠 활동에 보내는 하루 평균 시간**
위 도표는 미국의 15-19세와 75세 이상이 하루에 여가와 스포츠 활동으로 보내는 평균 시간을 나타낸다. ① 양쪽 연령대 모두 TV를 시청하며 가장 많은 시간을 보내지만, 노년 그룹의 수치는 젊은 그룹의 수치의 거의 2배이다. ② 휴식, 사색과 독서는 15-19세 그룹이 가장 적은 시간을 보내는 활동이다. ③ 교제와 소통에서 두 연령대 간의 하루 평균 시간 차이는 0.2 시간이다. ④ 15-19세 그룹은 게임을 하는 것과 컴퓨터 사용이 두 번째로 (평균 시간이) 높은 활동이고, 반면에 75세 이상 그룹은 두 번째로 낮은 활동이다. ⑤ 스포츠, 운동, 레크리에이션에 관해서라면, 75세 이상 그룹은 15-19세 그룹이 보내는 시간의 3분의 1을 쓴다.

해설 이 도표는 미국의 젊은층(15-19세)와 노년층(75세 이상)의 여가와 스포츠 활동에 관한 평균 시간을 비교하는 내용이다. 75세 이상 그룹이 스포츠, 운동, 레크리에이션에 보내는 일일 평균 시간은 0.2시간이고, 15-19세 그룹은 0.8시간이다. 따라서 75세 이상 그룹은 15-19세 그룹이 보내는 시간의 3분의 1이 아니라, 4분의 1을 쓰는 것이므로 ⑤는 일치하지 않는 내용이다.

어휘 leisure 여가 / socialize (사람들과) 교제하다. 사귀다 *cf.* socializing 교제 / recreation 레크리에이션, 오락 / when it comes to A A에 관한 한

구문 [8~9행] When it comes to sports, exercise, and recreation, / *those* (aged 75 and over) **spend** one-fourth of *the time* [that those (aged 15-19) **do ●**].

◆ 관계대명사절 내의 do는 앞의 spend를 대신하는 대동사이다.

5 ④

해석 **작년에 영국으로 이민을 오거나/간 이유들**
위에 있는 두 개의 원그래프는 작년에 사람들이 영국으로 이민을 오거나 영국을 떠나서 이민을 간 주요한 이유들을 보여준다. ① 전체 응답자들 중에서, 30%가 확실한 일을 위해서 영국으로 이민을 왔고, 비슷한 비율의 사람들이 똑같은 이유 때문에 영국을 떠나 이민을 갔다. ② 영국으로 이민을 오는 경우, 공식적인 교육은 두 번째로 가장 큰 이유인데, 이는 25% 이상을 차지한다. ③ 하지만 영국을 떠나 이민을 가는 사람들 가운데서 공식적인 교육은 단지 5% 이하만을 차지한다. ④ 이민 가는 것에 대해서 일 찾기를 선택한 사람들의 비율은 이민 오는 것에서 똑같은 이유를 선택한 사람들의 비율보다 10 퍼센트포인트 더 낮다. ⑤ 이민 가는 것에서 적혀 있는 이유가 없음의 비율은 이민 오는 것에서의 그 비율보다 세 배 더 높다.

해설 이민 오는 것에서 일 찾기(Looking for work)의 비율은 12%이고 이민 가는 것에서 일 찾기의 비율은 22%로, 이민 가는 것에서의 일 찾기 비율이 10퍼센트포인트 더 높으므로 정답은 ④이다.

오답분석 이민 오는 것에서 확실한 일(Definite job)을 선택한 사람들의 비율이 30%이고, 이민 가는 것에서 같은 이유를 택한 사람의 비율이 29퍼센트로 비슷한 비율이라고 말할 수 있으므로 ①은 도표의 내용과 일치한다. 또한 이민 오는 것에서 적혀 있는 이유가 없음(No reason stated)을 택한 사람들의 비율은 6%이고, 이민 가는 것에서 같은 항목의 비율은 18%로 정확히 세 배의 차이가 나므로 ⑤ 또한 도표의 내용과 일치함을 알 수 있다.

어휘 migration 이주, 이동 / immigration (외국으로부터의) 이민, 이주 *cf.* immigrate to ~로 이민을 오다 / emigration (자국에서 타국으로의) 이민, 이주 *cf.* emigrate from ~을 떠나 이민을 가다 / formal 공식적인 / definite 확실한, 확고한 / respondent 응답자 / account for 차지하다(= take up)

구문 [6~8행] The percentage of *people* [**who** chose Looking for

work in emigration] is 10% points lower than **that** of *those* [**who** picked the same reason in immigration].
= the percentage

◆ who ~ emigration과 who ~ immigration은 둘 다 관계대명사절로 각각 people과 those를 수식한다.
◆ that은 지시대명사로 the percentage를 나타낸다.

6 ④

해석 **당신은 지구온난화를 얼마나 잘 이해하고 있나요?**
위 도표는 1992년 이후로 미국인들이 지구온난화를 얼마나 잘 이해해왔는지를 보여주고 있다. ① 지구온난화에 대해 매우 잘 이해하고 있다고 생각하는 미국인들의 비율은 1992년 이후로 전반적으로 증가해왔다. ② 2014년의 그 그룹의 비율은 1992년보다 세 배 더 높았다. ③ 2008년 이후, (지구온난화를) 잘 이해하지 못하거나 전혀 이해하지 못하는 사람들의 비율은 1992년에 그랬던 것의 절반 이하를 계속 밑돌았다. ④ (지구온난화를) 상당히 잘 이해한다는 사람들은 항상 조사된 전체 모집단의 반 이상을 차지했다. ⑤ 2008년도는 또한 지구온난화를 상당히 잘 이해한다고 생각하는 미국인들의 비율이 최고치를 기록한 해이다.

해설 이 도표는 시간에 따른 미국인들의 지구온난화에 관한 이해도와 그 변화를 나타내고 있다. 도표를 보면 지구온난화를 상당히 잘 이해한다는 미국인들의 비율이 1992–1998년 사이에는 50%가 되지 않는 것을 알 수 있다. 따라서 그들의 비율이 항상 절반 이상을 차지했다는 ④는 일치하지 않는 내용이다.

오답분석 지구온난화를 매우 잘 이해하고 있다는 그룹의 1992년 비율은 11%이고 2014년은 33%이므로 세 배 더 높다(three times higher)는 ②의 내용은 일치한다. ②의 The percentage in that group에서 대명사 that이 가리키는 것이 앞 문장의 '지구온난화를 매우 잘 이해하는 그룹'임에 유의한다.

어휘 global warming 지구온난화 / fairly 상당히, 꽤 / be on the increase 증가하고 있다 / account for (부분·비율을) 차지하다; ~을 설명하다 / population ((통계)) 모집단; 인구 / survey 조사하다; (설문) 조사 / peak 최고치, 정점

구문 [2~3행] The percentage of *Americans* [**who** think that they understand global warming very well] / has generally been on the increase since 1992.

◆ who ~ well은 Americans를 선행사로 하는 주격 관계대명사절이다.

Unit 13 빈출순 어법 **POINT** p. 110

목적격보어로 쓰이는 준동사의 능·수동

walking | 그 소년들은 자신들이 담요처럼 해변을 덮은 해파리, 불가사리, 게, 그리고 다른 작은 동물들 사이로 걷고 있는 것을 알아차렸다.

어휘 jellyfish 해파리 / coat 덮다; 외투

Quiz

1 **informed** | 사업에서, 사람들이 계속 (소식을) 알게 해주는 것은 기술 개발과 효과적인 업무 관계를 보장하는 첫 번째 단계이다.

해설 「keep+목적어+목적격보어」의 구조이다. '사람들'이 소식을 '알게 되는'이라는 의미의 수동 관계이므로 과거분사 형태인 informed가 알맞다.

2 **moving** | 나는 고장 난 기계가 약간의 수리 후에 다시 움직이고 있는 것을 보았을 때 안심이 되었다.

해설 지각동사 see의 목적격보어 자리이며, 목적어(the broken machine)와 목적격보어(move)는 능동 관계이므로 moving이 적절하다. see 등의 지각동사는 목적격보어로 원형부정사나 현재분사를 취할 수 있다.

어휘 relieved 안심한, 안도한 / broken 고장 난 / repair 수리(하다), 수선(하다)

Practice ②

해설 힘든 아침과 저녁을 피하는 가장 좋은 방법들 중의 하나는 아이들에게 무엇을 하

라고 말하는 대신에 아이들이 일과표를 만드는 것에 개입되게 하고 아이들이 일과표를 따르게 하는 것이다. 당신의 아이에게 잠자리에 들기 전에 아이가 해야 하는 모든 것의 목록을 만들게 함으로써 시작하라. 그 목록은 장난감 줍기, 간식, 목욕, 양치질, 다음 날 아침을 위한 옷 고르기, 잠잘 때의 동화, 포옹을 포함할 수도 있다. 표에 모든 항목을 베껴 써라. (혹은 아이들이 충분한 나이이면, 그들이 베껴 쓰게 하라.) 그런 다음 그 표를 아이가 볼 수 있는 곳에 걸어라. 그 일과표가 우두머리가 되게 하라. 당신의 아이에게 무엇을 하라고 말하는 대신, "네 일과표에서 다음엔 무엇이 있니?"라고 물어라. 때때로, 당신은 물어볼 필요도 없다. 아이가 당신에게 말할 것이다. 전날 밤에 학교 점심을 준비하는 것, 다음 날 입을 옷을 정리하는 것과 같은 이러한 취침 시간의 일상적인 일들이 아침의 일과도 더 순조롭게 만들 것이다.

해설 ② 사역동사 have는 목적격보어로 원형부정사를 취하므로 to make는 make가 되어야 한다.

오답분석 ① '아이들'이 '개입되는' 것으로 목적어(children)와 목적격보어(involve)는 수동 관계이다. 따라서 과거분사 involved는 어법상 적절하다. ③ 이어지는 절이 완전

하고 '~하는 곳'이라는 문맥이므로 장소를 나타내는 관계부사 where는 알맞다. where 앞에 일반적인 선행사 the place가 생략되어 있다. ④ '(목적어)가 ~ 하게 하다'는 의미인 사역동사 let의 목적격보어 자리이므로 원형부정사인 be는 알맞게 쓰였다. ⑤ preparing과 and로 연결된 병렬구조이므로 동명사 setting은 어법상 알맞다.

어휘 involve 관련[연류]시키다: 포함하다 / bedtime story (어린이에게 들려주는) 잠잘 때의 동화 / set out 정리하다: 출발하다 / smooth 순조로운: 매끄러운

구문 [1~3행] **One of** the best ways (to avoid difficult mornings and evenings) **is** / **to get** children involved in creating routine charts 〔and〕 **to let** them follow their charts / instead of telling them what to do.

• 「one of+복수명사」 주어는 단수동사를 취하므로 is가 나온다.
• 문장의 보어 역할을 하는 to get 이하에서 to get ~ routine charts와 to let ~ their charts가 and로 병렬연결된 구조이다.

Unit 14 심경, 분위기 / 글의 목적 파악   p. 111

해결전략 1 Warm Up I received two tickets in the mail for driving without a seat belt., ③

해석 나는 운전을 하고 있었는데 그때 단속 카메라의 플래시를 보았다. 나는 속도위반으로 내 사진이 찍혔다는 것을 알아차렸다. 혹시나 해서, 나는 그 블록을 돌아서 더 천천히 운전하여 같은 지점을 지나갔다. 하지만 다시 카메라가 번쩍였다. 2주 후, 나는 안전벨트 미착용 딱지 두 장을 우편으로 받았다.
① 부러워하는 ② 만족하는 ③ 당혹스러운

어휘 spot (특정) 지점, 장소: 점: 발견하다 / seat belt 안전벨트

전략적용 1 ③ **Q1** he looked up to the sky and thanked God

해설 **Q1** 선로 위에 아이들을 구할 수 없어 절망했다가 아이들을 무사히 구할 수 있었으므로 안도했을 것이다. 그러한 Anthony의 최종 심경이 마지막 문장의 he looked up ~ thanked God에 잘 나타나 있다.

해석 화물 열차의 차장인 앤서니 팔조가 기술자인 리치와 이야기를 하고 있을 때, 그는 갑자기 앞에 있는 선로에 놓여 있는 이상한 형체를 알아차렸다. 그것은 상자 또는 오래된 누더기처럼 보였다. 하지만 갑자기, 앤서니는 선로 위에 두 아이가 있다는 것을 알아차렸다. 앤서니는 기차로부터 아이들을 구하기 위해 전력을 다해 비상 브레이크를 당겼다. 그들이 임박한 위험을 알아차렸을 때 그들은 겁에 질려 얼어 있었다. 앤서니에게는 아무것도 어린이들을 구할 수 없는 것처럼 보였다. 하지만 기차가 어린이들에게 10피트 정도 떨어졌을 때 기적과도 같은 일이 일어났다. 앤서니가 기차에서 점프를 해서 어린이들을 잡아챘다. 이 기적이 일어나는 동안에 더 어린아이가 단지 턱 밑을 맞았을 뿐이었다. 앤서니는 간신히 그들을 위험으로부터 구했다. 심각하게 다친 사람이 아무도 없다는 것을 알고, 그는 하늘을 쳐다보며 신에게 감사했다.

해설 화물 열차의 차장인 앤서니가 열차 운행을 하는 도중에 선로 위에 있는 아이들을 발견하고 열차의 비상 브레이크를 당겼지만 아이들을 구할 수 없을 것으로 생각했다고 했으므로 이때 앤서니는 절망적인(desperate) 심정이었을 것이다. 하지만 앤서니가 용감하게 기차에서 점프를 해서 어린이들을 잡아챘고 그 결과 어린이들이 결국 무사하게 되었으므로, 결국 앤서니는 안도를 했으리라고(relieved) 추론할 수 있다. 따라서 앤서니의 심경 변화로 가장 적절한 것은 ③이다.

오답분석 선로 위에 있는 어린이들에 대해 할 수 있는 것이 아무것도 없다고 생각한 앤서니가 겁에 질린(frightened) 심정일 수는 있지만 앤서니가 어린이들을 구했으므로 마지막에 앤서니가 느낄 수 있는 심정은 '후회하는(regretful)'이 될 수는 없다. 따라서 ④는 정답이 될 수 없다.
① 흥겨운 → 당황스러운
② 슬픈 → 자신감 있는
③ 절망적인 → 안도하는

④ 겁에 질린 → 후회하는
⑤ 기쁜 → 실망하는

어휘 conductor (기차의) 차장 / freight train 화물 열차 / rag 누더기 / all of a sudden 갑자기 / emergency brake 비상 브레이크 / imminent 임박한 / with terror 겁에 질려, 공포에 질려 / miraculous 기적의, 기적적인 / grab 잡아채다. 움켜쥐다. 붙들다

구문 [2~3행] ~, // he suddenly **noticed a curious shape lying** on the track ahead.

• notice는 지각동사로 목적격보어로 동사원형, 현재분사, 과거분사가 올 수 있다. 목적어 a curious shape가 '있는, 존재하는'이란 의미이므로, 현재분사 lying이 사용되었다.

[11~13행] Realizing no one was seriously injured, // he looked up to the sky and thanked God.

• Realizing ~ seriously injured는 시간을 나타내는 분사구문으로 시간의 부사절 As he realized no one was seriously injured로 바꿔 쓸 수 있다.

해결전략 2 Warm Up 1. ③ 2. ③

1. **해석** ① 이 뮤지컬은 사랑과 부모 관계의 본질을 고찰합니다. ② 그것은 또한 유머와 멋진 음악으로 가득합니다. ③ 11월 15일 코프먼 강당에서 공연되는 이 훌륭한 쇼를 놓치지 마세요.

어휘 nature 본질: 자연 / parental 부모의 / auditorium 강당: 객석

2. **해석** ① 클라인 씨께, 안녕하세요, 저는 마이클의 아버지입니다. 마이클은 선생님의 숙제를 마치고 싶어 했습니다. ② 하지만 그는 독감에 걸렸고, 그래서 제가 그 아이를 잠자리에 들게 했습니다. ③ 그 아이가 다음 주 월요일에 그 숙제를 제출하도록 허락해 주시는 것이 가능할까요? ④ 선생님께서 이에 동의해 주신다면 저희는 매우 감사할 것입니다.

어휘 come down with (병에) 걸리다 / flu 독감 / grateful 감사하는

전략적용 2 ⑤ **Q1** each year Pine Grove ~ a teacher for a day / If you'd like to ~ to sign up.

해설 **Q1** 유치원의 일일교사가 되어 주기를 요청하며 신청할 것을 글의 전반부(each year ~)와 중반부(If you'd like to ~.)에서 잘 나타내고 있다.

해석 친애하는 부모님들께,
여러분들 중 몇 분은 이미 알고 계시듯, 매해 파인 그로브 유치원은 부모님께 하루 동안 선생님이 되어 자녀의 교육에 동참할 기회를 드립니다. 작년에 이 프로그램은 특히

나 인기가 있었습니다. 어린이들은 방문하신 부모님들을 아주 좋아하였고, 이후에 많은 부모님들이 얼마나 많이 그 경험을 즐겼는지 표현하셨습니다. 만약 여러분이 올해 참여하고 싶으시다면, 지금이 신청할 기회입니다. 간단히 첨부된 양식을 작성하시고 여러분이 다루고 싶은 주제나 활동들의 목록을 작성해 주시면 됩니다. 이 특별한 활동이 여러분의 도움 없이 가능하지 않을 것이기에, 저희는 이 특별한 활동에 시간을 할애해 주실 분이면 누구나 환영합니다.

해설 이 글은 학부모들에게 일일 교사가 되어 달라고 요청하는 편지글이다. 초반부에서 일일 교사 프로그램에 대해 설명한 후, 글의 중반부(If you'd like to ~ to sign up.)에 이 편지를 쓴 목적이 드러나 있다.

오답분석 글의 마지막 부분에 사용된 appreciate나 donate 등의 단어만을 보고 감사나 기부에 관련된 글로 오해하여 ②나 ④를 답으로 고르지 않도록 유의한다.

어휘 get involved with ~에 관여하다 / sign up 신청하다; 등록하다 / fill out 작성하다, 기입하다 / attached 첨부된 / donate (시간 · 노력 따위를) 할애하다, 바치다; (돈 등을) 기부하다, 기증하다

구문 [4~6행] The children loved *the parents* [**who** came], // and many parents expressed afterward / **just how much they enjoyed the experience**.

◆ who came은 the parents를 선행사로 하는 주격 관계대명사절이다.

◆ just how much ~ the experience는 expressed의 목적어로 쓰인 간접의문문이다.

Make it **Yours**

p. 113

| 1 ② | 2 ② | 3 ② | 4 ① | 5 ④ | 6 ② |
| 7 ② | 8 ⑤ | | | | |

1 ②

해석 화창해서 소풍을 가기에 완벽한 날씨였다. 브렛은 한 달 전에 입양한 강아지 밀크와 함께 하이드파크에 갔다. 공원에서는 많은 사람들이 서로 대화하거나 또는 아이들이 함께 노는 것을 보면서 휴일을 보내고 있었고, 밀크도 브렛도 그들과 함께했다. 정오가 다가오면서, 그는 배가 고파져서 소풍을 위해 자신이 가져온 바나나를 집었다. 바나나를 먹으면서 브렛은 모든 것이 완벽하다고 생각했지만, 사고가 일어난 것은 바로 그 순간이었다. 바나나를 다 먹은 후에, 그는 바나나 껍질을 길 구석에 버렸다. 잠시 후 그의 뒤에서 비명소리가 들렸다. 한 어린이가 넘어졌고, 바나나 껍질이 그 어린이의 왼발 아래에 있었다. 그 어린이는 울지 않고 자리에서 일어났다. 그 어린이는 바나나 껍질을 집어서 쓰레기통이 있는 쪽으로 달려갔다. 브렛은 부주의한 행동 때문에 자신의 얼굴이 붉게 변하고 있는 것을 느꼈다. 그는 심지어 밀크조차 제대로 바라볼 수 없었다. 그는 다 자신의 잘못이었고, 자신이 그렇게 하지 않았어야 했다고 생각했다.

해설 한 달 전에 입양한 강아지 밀크와 함께 공원에서 휴일을 보내고 있는 브렛은 바나나를 먹으면서 모든 것이 완벽하다고 생각했으므로, 이때의 브렛은 행복했을(happy) 것이라고 추론할 수 있다. 하지만 자신이 무심코 버린 바나나 껍질로 인해 넘어진 아이가 그 바나나 껍질을 쓰레기통에 버리는 모습을 목격하면서 얼굴이 붉게 변했고, 바나나 껍질을 길에 버리지 않았어야 했다고 생각했으므로 이때 브렛은 자신을 부끄러워하거나 자신의 행동을 후회하고(regretful) 있음을 추론할 수 있다. 이러한 추론을 근거로 브렛의 심경 변화로 가장 적절한 것은 ②임을 알 수 있다.

오답분석 자신이 무심코 길에 버린 바나나 껍질로 인해 넘어진 어린이가 그것을 주워서 쓰레기통에 넣는 것을 본 브렛이 당황스러움(embarrassed)을 느낄 수는 있었겠지만, 글 초반에 브렛이 강아지 밀크와 함께 있으면서 느낀 감정은 '격려를 받은(encouraged)' 것이 아니라 '행복함(happy)'이었으므로 ⑤는 정답이 될 수 없다.
① 지루한 → 기쁜
② 행복한 → 후회하는
③ 궁금해하는 → 만족한
④ 놀란 → 슬픈
⑤ 격려를 받은 → 당황스러운

어휘 adopt 입양하다; 채택하다 / chat 대화하다, 잡담하다 / approach 다가오다, 접근하다 / peel 껍질 / dustbin 쓰레기통 / careless 부주의한, 조심성 없는 / properly 제대로, 올바르게 / fault 잘못, 책임; 단점

구문 [1~2행] Brett **went** to Hyde Park with Milk, / *the dog* [(**that**) he **had adopted** ● a month ago].

◆ 과거동사 went보다 '강아지를 입양한' 시점이 더 과거이므로 대과거 had adopted가 사용되었다.

[5~6행] ~, but **it was** at that very moment **that** the accident happened.

◆ 「it is[was] ~ that ....」 강조구문으로, 전명구(at that very moment)가 강조되었다.

2 ②

해석 병원에서 지내는 것은 지치게 했다. 내내 내 곁을 지키셨던 엄마와 아빠 두 분 모두 걱정과 수면 부족으로 피곤하셨다. "나는 세계에서 최고의 파도타기 사진가가 되고 싶어요."라고 나는 언젠가 아빠께 말씀드렸다. 그것은 "나는 내가 파도타기를 할 수 있는 날들이 끝났다는 것을 알아요…."라고 말하는 내 방식이었다. 아빠는 그저 고개를 끄덕이고 미소 지으려 애쓰셨다. 아빠도 그것이 무엇을 의미하는지 알고 계셨다. 하지만 토요일이 되자 의사 선생님께서 내가 예상한 것보다 훨씬 더 빨리 회복하고 있다고 말씀하셨고, 나는 파도타기를 하는 것에 대해 다시 생각하기 시작했다. 나는 나아지고 있었다. 정신이 맑았고, 나를 격려하기 위해 나를 보러 오는 아주 많은 사람들이 있었다. 내가 깰 때마다, 더 많은 풍선과, 더 많은 카드와 더 많은 꽃들이 병실에 있었다. 나는 그것이 좋은 냄새가 났던 것을 기억한다.

① 낙담한 → 자랑스러운
② 우울한 → 희망에 찬
③ 걱정하는 → 후회하는
④ 용기를 얻은 → 부러워하는
⑤ 짜증 난 → 감사하는

해설 병원 생활에 지쳐 있던 필자가 예상보다 빨리 회복이 되고 있다는 소식을 의사 선생님께 전해 듣고, 다시 희망차게 변해가는 심경을 묘사한 글이다. 글의 초 · 중반부의 Staying in the hospital was exhausting. I know my surfing days are over 등에서 우울한(gloomy) 심경을, 중반부 이후의 started to think about surfing again, feeling better, my mind was clear, cheer me up, smelled great 등의 표현에서 '희망에 찬(hopeful)' 필자의 심경을 간접적으로 추론할 수 있다. 따라서 답은 ②가 적절하다.

오답분석 글의 중 · 후반부가 긍정적인 내용이긴 하지만, 감사하거나 자랑스러워하는 심경을 갖는 것은 아니므로 ①이나 ⑤를 골라서는 안 된다.

어휘 exhausting 심신을 지치게 하는, 진을 빼는 / lack 부족; 부족하다, ~이 없다
[선택지 어휘] depressed 낙담한; 우울한 / annoyed 짜증 난, 화난

구문 [1~2행] *My mom and dad*, [both of **whom** stayed by my side the entire time], / were tired from worry and lack of sleep as well.
(S / V)

◆ whom은 My mom and dad를 선행사로 하는 관계대명사이다. 전치사 of의 목적어 자리이므로 목적격 관계대명사 whom을 썼다.

3 ②

해설 드디어 수학 시험이 시작되는 종이 울렸고 교수님께서 강의실에 들어오셨다. 지난주 아버지께서 최근의 불경기로 인해 더 이상 내 학비를 줄 수 없다고 말씀하셨다. 그래서 이번 시험이 나에게 매우 중요했는데 장학금의 도움을 받아 내 힘으로 대학을 졸업할 계획을 세웠기 때문이었다. 교수님이 시험지를 나에게 건네주었을 때, 내 손바닥이 땀으로 젖어서 나는 시험지를 올바로 잡을 수 없었다. 어려운 문제가 많으면 어떻게 하지? 나는 잠시 눈을 감고, 깊게 숨을 들이마시고, 시험지를 훑어보았다. 언뜻 보기에 미적분과 관련된 문제가 많은 것처럼 보였는데, 나는 미적분을 잘했다. 그것은 내 불안감을 부수었고 심지어 이 시험을 내가 잘 볼 것이라고 생각하게 만들어 주었다. 나는 시험에 맞서 싸울 준비를 한 채, 엷은 미소를 지으면서 연필을 쥐었다.

① 겁에 질린 → 절망한

② 긴장한 → 자신감 있는

③ 후회하는 → 만족하는

④ 안도하는 → 놀란

⑤ 기쁜 → 당황스러운

해설 장학금을 받아서 자신의 힘으로 대학을 졸업할 계획을 세운 필자는 처음에는 수학 시험에서 어려운 문제가 많이 나올까 생각하면서 손이 땀으로 젖을 정도로 긴장을 하고(nervous) 있었다. 하지만 교수가 나누어 준 수학 시험지를 보고 자신이 자신 있는 미적분과 관련된 문제가 많이 출제된 것을 알고 잘 볼 수 있을 거라 생각하며 엷은 미소를 지으면서 연필을 집었다고 했으므로 이때 필자는 자신감을 가졌을(confident) 것이다. 따라서 필자가 겪은 심경의 변화로 가장 적절한 것은 ②이다.

오답분석 필자의 아버지가 학비를 더 이상 지원해 줄 수 없다고 했을 때 필자가 이러한 상황을 겁에 질렸다거나 아니면 별일 아니라고 안도하고 있었다는 내용이 언급되지 않았으므로 ① 또는 ④는 정답이 될 수 없다.

어휘 recession 불경기, 불황 / scholarship 장학금 / hand 건네주다 / skim through 훑어보다 / at first glance 언뜻 보기에 / related to ~와 관련 있는 / flatten 부수다; 납작하게 만들다 / anxiety 불안(감), 염려

구문 [8~9행] It flattened my anxiety and even made me think (that) I would do well on this exam.
(S / V1 / V2 / C)

◆ It은 지시대명사로 문장의 주어이다. (= there ~ calculus, which I was good at.)

◆ 사역동사 made의 목적격보어로 동사원형 think가 사용되었다.

4 ①

해설 마지막 수하물들이 비행기에 실렸을 때 활주로에는 눈이 조용히 내렸다. 대부분의 승객들은 장시간의 비행을 위해 이미 자리를 잡고 앉았지만, 몇몇은 전화기를 끄기 전에 친구들이나 가족에게 막바지 작별 인사를 하고 있었다. 그런 다음 비행기는 게이트로부터 떠났다. 처음 20분 동안 모든 것은 일상적으로 보였고, 그러고 나서 모든 것이 잘못되었다. 아무도 확신할 수 없지만 그 추락 사고는 아마도 날개 위의 얼음의 결과였을 것인데, 날개 위의 얼음은 발견하기 매우 어려울 수도 있다. 여하튼, 그 결과는 받아들이기 어려웠다. 얼음물에 떨어지고 나서, 생존자들은 비행기 파편들을 잡고 구조를 기다렸다. 하지만 대부분은 파도에 실종되었고, 다시는 볼 수 없었다.

① 슬프고 비극적인

② 차분하고 평화로운

③ 따분하고 지루한

④ 흥분되고 역동적인

⑤ 웃기고 신나는

해설 비행기 추락 사고의 사고 경위와 비극적인 현장 및 결과를 기술한 글이다. 생존자들은 구조를 기다리고 대부분은 파도에 휩쓸려 실종된 상황임을 묘사하고 있다. 글 중반부 이후의 설명인 everything was wrong, the result was difficult to accept, survivors ~ waited for rescue, Most ~ never to be seen again. 등을 볼 때, 이 글의 분위기로는 ① '슬프고 비극적인(sad and tragic)'이 알맞다.

오답분석 추락 사고가 일어나기 전의 분위기를 묘사하는 Snow fell gently, settled in, Everything appeared ordinary 등의 표현들만 보고 ②를 답으로 고르지 않도록 유의한다.

어휘 runway 활주로 / luggage 수하물, 짐 / load 싣다 / settle in 자리를 잡다 / last-minute 막바지의 / shut off (기계 등을) 끄다, 정지시키다 / pull away 떠나다; ~에서 떼어놓다 / spot 발견하다, 찾다 / regardless 여하튼 / survivor 생존자, 살아남은 사람 [선택지 어휘] tragic 비극적인 / dull 따분한 / dynamic 역동적인

구문 [5~6행] No one can be certain, // but the crash was probably the result of ice (on the wings), // which can be very hard to spot.

◆ which는 ice on the wings를 부연 설명하는 계속적 용법의 관계대명사이다.

[7~8행] Having fallen into icy waters, / survivors grabbed onto pieces of the plane and waited for rescue.

◆ Having ~ icy waters는 완료형 분사구문으로, 문장의 동사(grabbed, waited)보다 앞선 때를 나타낸다. 문맥상 After they had fallen into icy waters, ~.와 같은 의미이다.

5 ④

해석 모두가 휴가를 가는 듯 보이는 시즌입니다. 물론 여러분은 여러분의 큰 모험에서 가장 예뻐 보이기를 바라고, 여러분 중 다수가 로즈 뷰티 살롱을 선택하셨습니다. 우리는 여러분을 모실 수 있어 정말 신이 났습니다. 하지만 밑바닥부터 이 사업을 일군 힘들지만 보람된 5년을 보낸 후, 저희들이 휴가를 갈 시간이 되었습니다. 저희는 가족 소유로 운영되기 때문에 이는 곧 8월 1일부터 며칠간 저희가 문을 닫는 것을 의미합니다. 저희는 저희 단골 고객님들께 불편을 끼쳐드리는 점에 대해 사과드리며 여러분을 모시기 위해 15일에는 여기에 있을 것을 약속합니다.

해설 글의 중반부에서 미용실이 휴가를 갈 시기라고 하며, 8월 15일에 다시 문을 연다고 공지하고 있다. 따라서 이 글의 목적으로 적절한 것은 ④이다.

오답분석 이 글에서 closing은 영구적인 폐업이 아니라 한시적으로 문을 닫는 것을 의미하므로 ②는 답이 될 수 없다. building up this business from the ground 등의 글의 일부 표현에 의존해서 ③을 답으로 고르지 않도록 유의한다.

어휘 rewarding 보람 있는; 수익이 많이 나는 / break 휴가; 휴식하다; 깨어지다 / operate 운영하다, 영업하다; (기계 등이) 작동하다 / inconvenience 불편 / loyal 충실한, 충성스러운

구문 [1행] It's that time (of the year) [when it seems that everyone is going on vacation].

◆ It은 '시간'을 나타내는 비인칭 주어이다.

◆ when은 시간을 나타내는 관계부사로 쓰여 that time of the year를 수식한다.

◆ it seems that ~은 '~인 것 같다, (~ 인 것처럼) 보이다'로 해석한다.

6 ②

해석 우리는 우리에게 어떤 식으로든 변화를 만들라고 말하는 많은 메시지를 들으며 자랍니다. 무엇보다도 우리는 '가난한 사람들을 도와야' 하고, '지구를 구해야' 하고, '멸종 위기의 동물들을 보호해야' 합니다. 그러나 시작점 없이는 갈팡질팡하기 쉽습니다. 여러분의 삶에 매우 필요한 의미를 부여하기 위해 그린 얼라이언스에 가입하는 것이 어떤가요? 회원으로서, 여러분은 그저 재활용을 하는 것보다 훨씬 더 많은 것을 하게 될 겁니다. 우리는 환경을 훼손하는 프로젝트들에 맞서 싸우고 정부 지도자들과 소통합니다. 우리는 지역 공동체에 관여하고 긍정적인 영향을 주는 방법도 다른 사람들에게 가르칩니다. 변화를 만드는 방법을 궁금해하는 것을 멈추고 개입할 때입니다!

해설 환경 보호에 관한 실천을 강조하면서 글의 중반부에서 환경 단체에 가입할 것을 권유한다. 그다음 회원이 되면 어떤 일들을 하게 되는지 열거하고 마지막 문장에서 다시 가입을 촉구하고 있다. 따라서 이 글의 목적으로는 ②가 알맞다.

오답분석 하나의 환경 단체(그린 얼라이언스)만을 설명하고 있으므로 ①은 답이 될 수 없다. We fight ~ government leaders. 부분은 그린 얼라이언스의 활동 중 일부이므로 이 글 전체의 목적으로 이해해서는 안 된다. 따라서 ④도 답이 될 수 없다.

어휘 make a difference 변화를 가져오다, 차이를 만들다 / endangered 멸종 위기의 / environmentally 환경적으로, 환경 보호적으로 / get involved in ~에 관여하다 / have an impact (on) (~에) 영향을 주다

구문 [7~8행] It's time (to stop wondering how to make a difference and (to) get involved)!

◆ to stop과 (to) get은 and로 병렬연결되어 있으며, 뒤에 오는 to는 생략되는 경우가 많다.

◆ stop은 동명사를 목적어로 취하는 동사이다. (cf. stop to-v: v하기 위해 멈추다)

◆ how to make a difference는 wondering의 목적어로 사용되었으며, 「how to-v」는 'v하는 법'이라는 뜻이다.

7 ②

해석 어느 1학년생에게든지 자라서 무엇이 되고 싶은지 물어보세요. 그러면 여러분은 우

주 비행사, 외과 의사, 카레이서, 축구 선수 등의 매우 다양한 흥미진진한 진로 선택들을 접하게 될 것입니다. 슬프게도, 우리들 대부분은 결국 조금 덜 흥미로운 분야에서 직장을 찾아야 할 것입니다. 우리가 맞는 것을 선택했다고 어떻게 확신하나요? 찬드라 맥할랜드는 그녀의 신간 서적인 〈당신의 직업 찾기〉에서 우리에게 그 과정을 한 걸음씩 보여줍니다. 그녀가 여러분에게 여러분의 강점을 알아내는 방법과 그것들을 이용하는 직업을 찾는 방법을 보여주게 하세요. 수상 작가의 이 명확하고 유익한 안내서로 여러분의 인생을 바꿀 기회를 잡으세요!

해설 갖가지 흥미로운 진로에 대해 생각하던 어린 시절과 달리 덜 흥미로운 직업을 갖게 되는 현실을 지적하면서, 자신에게 맞는 진로 선택을 할 수 있게 도와주는 신간을 소개하고 있는 글이다. 따라서 이 글의 목적으로는 ②가 가장 적절하다. 글의 마지막 부분(Give this ~ your life!)에 이 글의 목적이 명확하게 드러나 있다.

오답분석 글 초반에 흥미로운 진로 선택에 관한 내용이 언급되어 있지만, '자신에게 맞는 직업'을 찾아야 한다는 것을 강조하기 위한 것이 아니므로 ③을 골라서는 안 된다.

어휘 first grader 1학년생 / surgeon 외과 의사 / vast 광범위한 / majority 대다수 / walk A through B A에게 B를 보여주다 / step by step 한 걸음 한 걸음; 착실히 / calling 직업, 천직; 소명 / identify 알아내다, 찾다; 확인하다 / strength 강점, 힘, 기운 / informative 유익한, 유용한 정보를 주는 / award-winning 상을 받은

구문 [5~6행] <u>Let</u> her <u>show</u> you / <u>how to identify your strengths</u>
V   O   C
and (how to) find careers [that use them].
                                = your strengths

◆ Let은 사역동사이므로 목적격보어 자리에 동사원형 show를 썼다.
◆ how to 이하는 show의 직접목적어로, identify ~ strengths와 find ~ them은 how to에 공통으로 걸리는 병렬구조이다.

8 ⑤

해설 저는 모든 분들이 휴게실에 있는 새 커피 기계를 좋아하는 것을 보는 것이 얼마나 좋은지를 말하는 것으로 시작하려 합니다. 안타깝게도, 우리는 현재 예전보다 훨씬 더 높은 비율로 일회용 컵을 사용하고 있습니다. 이런 일회용 컵들은 제대로 버려지지 않으면 더러워지게 되고, 폐기될 때 그것들은 환경을 해칩니다. 그래서 저는 모두가 집에서 개인 컵을 가져오거나 근처에서 하나 구입하시기를 촉구합니다. 사실, 모퉁이에 있는 가게에 지금 세일 중인 특히 멋진 컵들이 있습니다. 이 안건에 대해 어떤 질문이라도 있으시다면 주저하지 말고 제게 연락해주세요.

해설 새로운 커피 기계를 모두가 즐겨 사용함에 따라 일회용 컵 사용량이 늘어나는 문제를 지적하고 그에 대한 해결 방법으로 개인 컵을 사용할 것을 촉구하는 내용의 글이다. 글의 목적은 글의 중후반부 So, I urge ~ one nearby.에 잘 나타나 있다. 따라서 이 글의 목적으로는 ⑤가 가장 적절하다.

오답분석 컵을 사용하라는 내용 뒤에 근처 상점에서 할인 판매를 하는 컵에 관해 설명한 부분을 보고 글의 목적이 상점의 할인 판매를 알리는 것으로 오해하여 ①을 고르지 않도록 한다. 또한, 일회용품의 남용 문제는 이 글의 목적이 아닌 글을 쓰게 된 배경에 해당하므로 ②는 답으로 적절하지 않다.

어휘 break room 휴게실 / disposable 일회용의, 사용 후 버리게 되어 있는 / single-use 일회용의 / properly 제대로, 적절히 / dispose of 없애다, 처리하다 / issue 안건, 주제; (정기 간행물의) 호 / hesitate 주저하다, 머뭇거리다

구문 [3~4행] These single-use cups create a mess / if (they are) not thrown away properly, // and when (they are) disposed of, / they harm the environment.
= these single-use cups

◆ 부사절의 주어가 주절의 주어와 같을 때 「주어+be동사」는 생략할 수 있다. if와 when 뒤에는 they are가 생략되었다고 볼 수 있다.

Unit 14   빈출순 **어법 POINT**   p. 117

대동사 do

did │ 캐나다의 St. Lawrence 만에 사는 대구는 현재 네 살쯤 되었을 때 번식을

시작한다. 40년 전에 그것들은 성숙기에 도달하려면 6세 혹은 7세가 될 때까지 기다려야만 했다. 북해의 가자미는 1950년에 그랬던(성숙했던) 것에 비해 체중이 절반 정도만 되면 성숙한다.

어휘 reproduce 번식하다 / maturity 성숙(기)

Quiz

1 **did** │ 현대 건축가들은 내구성의 문제로 인해 그들이 옛날에 그랬던(사용했던) 것만큼 자주 모래를 건축 자재로 사용하지 않는다.

해설 앞에 나온 일반동사 use를 대신하며 '과거'를 나타내는 대동사 did가 적절하다.

어휘 building material 건축 자재 / durability 내구성

2 **do** │ 한 음식 저널리스트는 그리스 사람들이 세상의 어떤 사람들이 하는(만드는) 것보다 빵을 더 잘 만든다고 말했다.

해설 문맥상 동사 make의 반복을 피하기 위한 대동사 자리이다. 세상의 어떤 사람들보다 그리스 사람들이 빵을 잘 만든다는 일반적인 사실을 나타내야 하므로 현재 시제인 do가 적절하다.

▌ Practice ①

해설 우리가 종종 우리 머릿속에서 무슨 일이 일어나는지 모르지만 우리가 안다고 믿는 것이 문제일까? 먼저, 그것은 우리가 무엇이 우리를 행복하게 만들고 무엇이 우리를 불행하게 만드는지에 대한 질문에 종종 정확히 답할 수 없음을 의미한다. 한 사회 심리학자가 하버드의 여성들에게 두 달 동안 그들의 기분에 대해 매일 기록하고, 전날 밤의 수면의 양, 날씨, 그들의 전반적인 건강 상태를 포함하여 그들의 생활에서 많은 관련이 있는 요인들도 기록해 달라고 요청했다. 그 기간이 끝날 무렵에, 피실험자들은 이런 요인들 각각이 그들의 기분에 얼마나 많이 영향을 미쳤는지 실험자들에게 말해 달라고 요청받았다. 결과는? 그들의 기분에 영향을 미친 것에 대한 여성들의 보고서는 그들이 매일 기록했던 것과 관련이 없음을 보여주었다. 만약 한 여성이 자신의 수면 패턴이 큰 영향을 미쳤다고 생각했다면, 그녀의 일간 보고는 꼭 그것(자신의 수면 패턴)이 영향을 주었다는 것을 보여주는 것만큼 그것이 영향을 주지 않았다는 것도 보여주는 것 같았다.

해설 ① 일반동사 know를 대신하는 대동사 자리이다. 주어(we)가 복수이므로 are는 do가 되어야 한다.

오답분석 ② 문맥상 동사 answer를 수식해야 하므로 부사 accurately의 쓰임은 어법상 옳다. ③ 「ask+목적어+to-v(~에게 v해 달라고 요청하다)」 구조에서 to keep과 and로 대등하게 연결된 병렬구조이므로 to record는 적절하다. ④ 전체 문장의 동사 역할을 하는 것이 없으므로, 동사 showed는 어법상 옳다. ⑤ 대명사가 지칭하는 것은 문맥상 앞의 her sleep patterns이므로 복수 대명사 they가 적절히 쓰였다.

어휘 for starters 먼저, 우선 첫째로 / accurately 정확하게 / keep a record 기록해 두다 / relevant 관련이 있는 / subject 피실험자; 주제; 대상 / experimenter 실험자 / mood 기분; 분위기 / relation 관련, 관계 / on a daily basis 매일

구문 [1~2행] Does it matter // that we often don't know what
                    가주어   진주어
goes on in our heads / and yet believe that we do (what goes
                                                = know
on in our heads)?

◆ what goes on in our heads는 know의 목적어로 사용된 간접의문문이다. 간접의문문에서 의문사가 주어일 경우 「의문사+동사」의 어순으로 쓴다.
◆ 동일한 어구의 반복을 피하기 위해 do 뒤에 what goes on in our heads가 생략되었다.

[9~11행] If a woman thought / her sleep patterns had a large effect, // her daily reports were **just as likely to show** that they
                                                            = her sleep patterns
had no effect / **as (they were likely)** to show that they did.
                    = her daily reports   = her sleep patterns had an effect

◆ 「just as ... as ~(꼭 ~만큼 …하다)」 구문에 「likely to-v(v할 것 같은)」가 쓰였는데, 두 번째 as 뒤에서 반복되는 부분(they were likely)은 생략되었다.

해결전략 1 Warm Up 1. froze 2. normally

1. **해석** 나는 TV 대본 쓰는 것을 막 끝냈었고 그것을 프린트하려고 서두르고 있었는데 내 컴퓨터가 멈췄다. 커서도 없고, 대본도 사라졌다.

어휘 freeze 《컴퓨터》 (시스템이) 멈추다, 정지하다; 얼다

2. **해석** normally | 우리는 정기 검진을 위해 차를 정비사에게 가져간다. 우리는 왜 컴퓨터를 이와 똑같이 돌보지 않고 정상적으로 작동되길 기대하는 걸까?

어휘 checkup (기계 등의) 검사, 점검; 건강 진단 / abnormally 이상하게, 비정상적으로

전략적용 1 ⑤ Q1 sleep Q2 to admit fatigue Q3 수면을 하룻밤에 6시간으로 줄인 피실험자들

해설 Q1 it은 앞의 두 문장에 언급된 sleep(수면)을 의미한다.
Q2 it은 가목적어로 진목적어인 to부정사구(to admit fatigue)를 대신한다.
Q3 they는 바로 앞 두 문장에서 언급한 성인의 수면을 하룻밤에 6시간으로 줄이는 데이비드 디지스 박사 실험의 피실험자들을 가리킨다.

해석 수면은 지구상의 모든 종에게 생물학적으로 필수적인 것이다. 하지만 그것을 신체적 욕구로 받아들이는 대신 우리 인간은 그것에 (A) 저항하려 노력한다. 우리는 피곤함을 (B) 인정하는 것을 나약함의 표시라고 생각하는데, 나약한 사람들은 수면을 필요로 하는 반면 강인한 사람들은 계속해 나간다는 것이다. 결국 우리는 수면에 관한 우리의 믿음에 대해 큰 대가를 지불해야 할 수도 있다. 펜실베이니아 대학의 데이비드 디지스 박사는 성인의 수면을 하룻밤에 6시간으로 줄이는 실험을 했다. 2주 후에 피실험자들은 자신들이 괜찮다고 보고했다. 그러나 그들은 다양한 시험에서 24시간 동안 연속으로 깨어 있는 사람과 (C) 비슷한 상태라는 것이 증명되었다. 디지스 박사는 수면 부족이 어떻게 쌓이고, 우리가 충분히 자지 못했을 때 어떻게 판단력이 악화되는지를 입증하기 위해 실험을 했다.

해설 (A) 역접의 연결어 But으로 문장이 시작하므로 수면을 신체적 욕구로 받아들이지 않고 그것에 '저항하려' 한다는 문맥이 되어야 한다. 따라서 resist가 적절하다. keep은 '유지하다'라는 뜻이다.
(B) 나약한 사람들은 잠을 자야 하지만, 강인한 사람들은 계속 나아간다는 대시(─) 뒤의 내용으로 보아, 우리는 피곤을 '인정하는' 것을 나약함의 표시로 생각한다는 내용이 자연스러우므로 admit이 알맞다. remove는 '제거하다'라는 의미이다.
(C) 문장이 역접의 연결어 Yet으로 시작하므로 수면 시간이 줄어든 피실험자들이 괜찮다고 보고한 것과 달리, 실제로는 괜찮지 않다는 내용이 되어야 한다. 따라서 24시간 깨어 있는 사람들과 '비슷한' 상태가 된다는 similar가 알맞다. different는 '다른'이라는 의미이다.

어휘 biological 생물학의 / fatigue 피곤, 피로 / carry on 계속하다 / in the end 결국 / pay the price for ~에 대한 대가를 치르다 / subject 피실험자; 대상 / demonstrate 증명하다, 입증하다; 보여주다 / add up (조금씩) 늘어나다, 쌓이다 / judgment 판단(력); 재판 / suffer 악화되다; 고통받다

구문 [3행] We think **it** a sign of weakness **to admit fatigue** ─ ~.
　　　　　V　가목적어　　　　C　　　　　진목적어
◆ 가목적어 it은 진목적어인 to부정사구(to admit fatigue)를 대신한다.

해결전략 2 Warm Up ① ○ ② ○ ③ ×

해석 우리는 우리 중 한 사람이 떨어지면 생명을 ① 구하기 위해서 자신을 밧줄로 묶었다. 그 밧줄은 내가 천 피트 아래로 떨어져서 죽는 것을 두 번 ② 막아주었다. 밧줄 안에서 ③ 불신함으로써(→ 의지함으로써) 우리는 마침내 정상에 안전하게 도착했다.

해설 내용상 distrusting은 trusting 정도로 바뀌어야 알맞다.

어휘 distrust 불신(하다); 의심(하다)

전략적용 2 ③ Q1 남성과 여성의 두뇌 차이

해설 Q1 남성과 여성의 두뇌 차이가 성별 간의 고유한 특징을 만든다는 내용의 글이다.

해석 남녀 유전자 정보의 99% 이상이 정확히 동일하다. 3만 개의 인간 유전자 중에서 성별 간의 1% 미만의 ① 차이는 적다. 하지만 그 비율의 차이가 우리 몸의 모든 세포에 영향을 미친다. 겉으로 관찰해 보면 신체 크기에 맞춰 조정한 뒤이더라도 남성의 두뇌는 약 9% 정도 더 크다. 19세기에 과학자들은 이것이 여성이 남성보다 ② 열등한 지적 능력을 가진다는 것을 의미한다고 여겼다. 그러나 여성과 남성은 동일한 뇌세포의 수를 가지고 있다. 세포들은 단지 여성의 두개골 안에 좀 더 ③ 느슨하게(→ 조밀하게) 차 있다. 사실 20세기의 상당 기간 동안, 대부분의 과학자들은 여성이 생식 기능을 제외하면 본질적으로 작은 남성이라고 생각했다. 그러한 가설은 여성 심리와 생리에 관한 지속된 ④ 오해의 중심에 놓여왔다. 그러나 당신이 두뇌 차이를 좀 더 깊이 조사하면, 그것이 여성을 여성으로 만들고 남성을 남성으로 만드는 것을 ⑤ 드러낸다.

해설 남성이 여성보다 두뇌의 크기는 크지만, 뇌세포의 수는 동일하다고 했으므로 여성의 뇌세포는 두개골 안에 '조밀하게' 차 있다는 내용이 되어야 한다. 따라서 ③ loosely는 densely가 되어야 적절하다.

오답분석 ① 첫 문장에서 남녀 유전자 정보의 99% 이상이 동일하다고 했으므로, 나머지 1% 미만은 성별 간의 variation(차이)을 말한다. ② 남성의 두뇌가 여성보다 크기 때문에 여성의 지적 능력이 남성보다 열등하게 여겨졌다는 문맥이므로 less(열등한)는 적절하다. ④ 여성을 작은 남성으로 간주한 잘못된 가정으로 인해 여성의 심리 및 생리에 대한 오해가 있었다는 문맥이므로 misunderstandings(오해들)는 알맞다. ⑤ they는 the brain differences를 가리키며 그 차이가 각 성별의 고유한 특징을 드러낸다는 문맥이므로 reveal(드러내다)는 맞는 표현이다.

어휘 gene 유전자 / cell 세포 / to the eye 겉으로 보기에는 / observing 관찰하는 / capacity 능력; 용량 / pack 채우다; 묶음 / skull 두개골 / essentially 본질적으로 / reproductive 생식의, 번식의 / assumption 가설, 가정 / psychology 심리(학) / look into ~을 조사하다

구문 [14~15행] ~, they reveal [**what makes women women** and (**what makes**) **men men**].
◆ what은 여기서 선행사를 포함하는 관계대명사로 동사 reveal의 목적어 역할을 하는 명사절을 이끈다.
◆ 「make+O+C」는 'O를 C로 만들다'라는 의미로 쓰였고, and 뒤에는 반복되는 어구 what makes가 생략된 것으로 볼 수 있다.

Make it **Yours**   p. 120

1 ①　　2 ③　　3 ③　　4 ⑤　　5 ⑤　　6 ⑤

1   ①

해석 우리의 작은 입, 치아, 장은 조리된 음식의 부드러움과 낮은 섬유질 양에 잘 맞는다. 축소는 효율성을 (A) 증가시키고, 우리가 섬유질이 풍부한 다량의 음식을 소화시키도록 하는 것이 유일한 목적인 신체적 특징에 불필요한 신진대사의 노력이 낭비되는 것을 막아준다. 입과 치아는 부드러운 음식을 씹기 위해 클 필요가 없고, 턱 근육의 크기 축소는 우리가 조리된 음식을 먹기에 (B) 적절한 적은 힘을 내도록 도울 수도 있다. 더 작은 크기는 또한 치아 손상과 차후의 질병을 줄일지도 모른다. 몇몇 과학자들에 따르면 유인원들과 비교해서 인간의 장 크기 축소는 일일 에너지 (C) 소비의 최소 10%를 덜어준다고 한다. 조리 덕분에 유인원들이 먹는 섬유질이 매우 풍부한 음식의 종류는 더는 우리 식단에서 유용한 부분이 아니다.

해설 (A) 첫 번째 문장에서 인체의 작은 기관이 조리된 음식과 잘 맞는다고 했고 (A)가 있는 문장에서 (기관의) 축소가 신진대사에 드는 노력을 절감한다고 했으므로 축소가 효율성을 '증가시킨다'라는 문맥으로 increase가 적절하다. decrease는 '감소시키다'라는 뜻이다.
(B) 턱 근육 크기의 축소가 조리된 음식을 먹는 것에 '적절하다'라는 문맥이 자연스러우므로 appropriate가 알맞다. inappropriate는 '부적절한'이라는 뜻이다.

(C) 축소가 신진대사에 드는 노력을 덜어주고 적은 힘을 만드는 것을 돕는다고 했으므로 장 크기의 축소도 일일 에너지 '소비'를 덜어준다는 의미가 되어야 한다. 따라서 consumption이 적절하다. generation은 '발생'이라는 뜻이다.

어휘 gut 장; 소화관 / fiber 섬유질 / efficiency 효율성, 능률 / feature 특징; 특징으로 삼다 / digest 소화시키다 / chew (음식을) 씹다; 물어뜯다 / reduction 축소, 감소 / subsequent 차후의, 그다음의

구문 [2~4행] The reduction increases efficiency and saves us
       S   V1   V2
from wasting unnecessary metabolic costs on *bodily features*
[**whose** only purpose would be / to allow us to digest *large*
                                      V'   O'   C'
amounts (of high-fiber food)].

◆ 동사 increases와 saves가 and로 병렬구조를 이룬다.
◆ whose 이하는 bodily features를 선행사로 하는 소유격 관계대명사절이다.

2 ③

해석 목적 없는 연습은 운동에 불과할 뿐이다. 너무나 많은 사람들이 이미 잘하는 것을 연습하고 더 많은 노력을 필요로 하는 기술을 (A) 소홀히 한다. 우리가 잘하는 것을 반복하는 것은 즐거운 반면에, 반복되는 (B) 실패를 대하는 것은 좌절감을 준다. 나는 항상 이런 일이 무용수들에게 일어나는 것을 본다. 만약 그들이 좋은 다리 힘을 가졌지만 팔이 약하다면, 그들은 다리 연습에 더 많은 시간을 쓰고 (노력이 보람 있기 때문에 즉 보기에도 좋고 기분도 좋기 때문이다) 팔에는 더 적은 시간을 쓸 것이다. 상식적으로 그 과정은 (C) 반대로 되어야 한다. 그것이 위대한 사람들이 하는 것이다. 즉 그들은 완성된 기술은 잠시 동안 무시하고 자신의 약점에 집중한다.

해설 (A) 많은 사람들이 이미 잘하는 것을 연습하고 노력이 필요한 기술은 '소홀히 한다'는 문맥이 되어야 자연스러우므로 neglect가 알맞다. plan은 '계획하다'라는 뜻이다.
(B) 앞 문장의 내용처럼 행동하게 되는 이유가 서술되는데, 잘하는 것을 반복하는 것은 즐겁지만 '실패'를 반복하는 것은 좌절감을 준다는 내용이 자연스러우므로 failure가 알맞다. exercise는 '운동; 연습'이라는 뜻이다.
(C) 마지막 문장에서 위대한 사람들은 완벽한 기술은 무시하고 약점에 집중한다고 했으므로 앞에서 설명한 행동 방식과 '반대'가 되어야 한다. 따라서 reversed가 적절하다. continued는 '계속되는'이라는 뜻이다.

어휘 nothing more than ～에 불과한 / frustrating 좌절감을 주는, 불만스러운 / strength 힘, 세기; 세력, 권력; 강점 / common sense 상식

구문 [1~2행] Too many people practice [**what** they're already
                              V1
good at] and neglect *the skills* [**that** need more work].
             V2

◆ 동사 practice와 neglect이 and로 병렬구조를 이룬다.
◆ 관계대명사 what이 이끄는 절이 practice의 목적어 역할을 한다.
◆ that ~ work는 the skills를 선행사로 하는 주격 관계대명사절이다.

3 ③

해석 현재의 기술에 대해 누구나 할 수 있는 첫 번째 그리고 가장 명백한 논평은 우리가 결국 종이로부터 완전히 멀어질 수 있는 가능성이 임박해 있다는 것이다. 모든 것이 전자 형태로 제공되기 때문에 종이와 연필이 함께하는 전통적인 우편 시스템은 결국 (A) 소멸될 것이다. 계산서와 수표조차도 전자 형태로 이메일을 통해 보낼 수 있다. 학교, 직장 또는 집에서 모든 종이와 펜은 더 새로운 기술에 의해 대체될 것이고, 정보의 이동은 종이나 서류를 전달하는 형태를 (B) 배제하고 대신에 전자적 수단을 통해 이루어질 것이다. 무선이 되어서 종이를 사용하지 않는다는 것은 사람들에게 이메일에 더 가까이 다가갈 것을 요구하는 것이므로, 이를 (C) 용이하게 하기 위해 인터넷 접속이 가능한 스마트 보드 또는 컴퓨터 패널이 가정, 직장, 그리고 학교에 배치될 수 있다.

해설 (A) 첫 문장에서 사람들이 종이로부터 곧 완전히 멀어진다고 하였고, 계속해서 (A)가 있는 문장 바로 다음에 모든 것이 전자 형태로 제공된다는 내용이 이어졌으므로 '소멸되는, 멸종되는'이라는 뜻의 extinct가 적절하다. prosperous는 '번성하는'이라는 뜻이다.
(B) 더 새로운 기술이 종이와 펜을 대체할 것이라는 내용이 앞에서 언급되었고, 또한

전자적 수단을 통해 정보 이동이 이루어질 것이라는 내용이 이어졌으므로 '배제하다'라는 뜻의 exclude가 적절하다. include는 '포함하다'라는 뜻이다.
(C) 종이를 사용하지 않고 무선으로 정보를 전달한다는 것은 사람들로 하여금 이메일에 더 가깝게 다가갈 것을 요구한다고 했으므로, '용이하게 하다'라는 뜻의 facilitate가 적절하다. prevent는 '막다, 금지하다'라는 뜻이다.

어휘 obvious 명백한 / observation 논평, 의견; 관찰 / current 현재의 / imminent 임박한, 목전의 / possibility 가능성 / eventually 결국 / completely 완전히 / conventional 전통적인 / bill 계산서 / check 수표 / electronic 전자의 / transfer 이동 / adopt 쓰다, 취하다; 채택하다 / means 수단

구문 [1~2행] *The first and most obvious observation* (of current
                      S
technology [**that** anyone can make ●]) is *the imminent possibility*
            V   C
that we may eventually move away from paper completely.

◆ 처음에 나오는 that은 목적격 관계대명사로 that anyone can make는 선행사 The first ~ technology를 수식하며, 두 번째 나오는 that은 동격을 이끄는 접속사로 that 이하가 the imminent possibility와 동격을 이룬다.

4 ⑤

해석 오늘날 많은 사람들이 열대우림을 베어내고 있고 열대우림 토양에 적합하지 않은 농장으로 숲 생태계를 바꾸고 있다. 그들의 농업 생태계는 열대우림 생태계와 그 지역의 전통적인 농업이 토양의 건강을 ① 유지하도록 해주는 구조가 결핍되어 있다. 이러한 부적절한 농업 생태계는 몇 년 안에 ② 비옥함을 잃는다. 그런 다음 땅은 선진국으로의 수출을 위한 육우를 기르는 데 이용될지도 모른다. 결국 풀조차 자라지 않을 수도 있고, 땅은 ③ 버려진다. 이것은 토양이 있는 '열대 사막'으로 너무 심하게 ④ 훼손되어 이 땅이 다시 열대우림을 지탱하거나 사람의 사용을 받쳐주기까지 수년이 걸릴 수 있다. 열대우림의 이민자들은 그다음 새로운 장소로 이동하는데, 그곳에서 그들은 아직 건강을 잃지 않은 땅을 경작하기 위해 숲을 ⑤ 보호한다(→ 파괴한다).

해설 글의 도입부에서 많은 사람들이 열대우림의 토양에 적합하지 않은 농장을 만든다고 했고, 전반적으로 이러한 부적절한 농업 생태계가 열대우림에 끼치는 악영향이 서술되고 있으므로, 열대우림의 이민자들은 숲을 '파괴한다'는 내용이 문맥상 자연스럽다. 따라서 ⑤ protect는 destroy가 되어야 한다.

오답분석 ① 앞 문장 내용을 살펴보면 사람들의 농업 생태계는 토양의 건강을 '유지하는' 구조가 결핍되어 있다는 문맥임을 알 수 있다. 따라서 maintain(유지하다)은 적절하다. ② 토양의 건강을 유지하는 구조가 결핍된 부적절한 농업 생태계는 비옥함을 잃는다는 문맥이므로 fertility(비옥함)는 알맞다. ③ 풀조차 자라지 않는 땅이 되면 사람들은 그 땅을 버린다는 문맥이므로 abandoned(버려진)는 적절하다. ④ 토양이 제 건강을 회복하기까지 수년이 걸린다고 한 것으로 보아 심하게 훼손되었음을 알 수 있으므로 damaged(훼손된, 손상된)는 맞는 표현이다.

어휘 ecosystem 생태계 / unsuitable 적합하지 않은 / agricultural 농업의, 농사의 *cf.* agriculture 농업 / mechanism 구조; 장치 / region 지역 / inappropriate 부적절한 / industrialized nation 선진국 / severely 심하게 / immigrant (다른 나라에 살러 온) 이민자 / farm 경작하다; 농장

구문 [2~4행] Their agricultural ecosystems / lack *the mechanisms*
[**that** allow rainforest ecosystems and *the traditional*
              V'
agriculture (of the region) to maintain soil health].
        O'   C'

◆ 주격 관계대명사 that이 이끄는 절이 선행사 the mechanisms를 수식하는 구조이고, 관계대명사절 안에 「allow+목적어+to-v」가 쓰였다.

[8~10행] Tropical forest immigrants then move to *new places*, //
[**where** they destroy forests / in order to farm *soil* [**that** has not
yet lost its health]].

◆ where는 계속적 용법으로 쓰인 관계부사로 선행사인 new places를 보충 설명한다.
◆ that ~ health는 soil을 선행사로 하는 주격 관계대명사절이다.

5 ⑤

해설 일부 국가는 다른 나라를 침략함으로써 영토 확장을 추구하려는 공격적인 팽창주의자들이었다. 국경을 ① 확장하거나 또는 멀리 떨어진 나라들을 식민지로 만든 국가들에 의해 제국이 건설되었다. 제2차 세계대전을 앞두고, 파시스트 이탈리아의 민족주의 운동은 '살 수 있는 공간'이라는 'spazio vitale'을 추구했고, 소련은 확장주의에 근거해서 자신들의 제국을 ② 넓히려고 했다. 때때로 팽창주의는 이전에 ③ 잃어버렸거나 전통적으로 특정 민족에 속했던 영토를 되찾는 것으로 정당화된다. 하지만, 일반적으로는 이것은 국제적인 ④ 비난에 부딪히는, 부당한 적대 행위로 여겨진다. 오늘날 국가들은 경제적으로 영향을 줄 수 있는 영역을 확장해 나가면서, 무역을 통해 다른 나라의 자원을 활용한다. 동등하지 않은 힘을 가지고 있는 국가들 사이에서 이런 일이 발생하면, 힘없는 나라들이 이러한 관계로부터 고통을 받기 때문에 이것은 ⑤ 협력(→ 착취)의 형태로 간주될 수 있다.

해설 서로 동등하지 않은 힘을 가진 국가들 사이에서 무역을 통해 다른 나라의 자원을 활용하는 경우, 힘없는 나라가 이를 통해 고통을 받는다는 내용이 바로 다음에 이어졌으므로 이것은 '착취'의 형태로 간주된다는 내용이 되어야 문맥상 자연스럽다. 따라서 ⑤ collaboration은 exploitation이 되어야 적절하다.

오답분석 ① 멀리 떨어진 나라들을 식민지로 만든다는 내용이 바로 다음에 왔는데, 이처럼 한 나라가 어떠한 국가를 식민지로 만든다는 것은 그 나라의 영토를 확장한다는 의미이므로 '확장하다'라는 뜻의 extending은 올바르다. ② '확장주의에 근거하여'라는 내용이 계속해서 왔으므로 '넓히다'라는 뜻의 broaden은 적절하다. ③ 확장주의가 정당화될 수 있다는 내용이 앞에서 언급되었고, 정당화될 수 있는 근거에 대한 의미가 되어야 하므로 '잃어버린'이라는 뜻의 lost는 적절하다. ④ 확장주의가 정당하지 못한 적대 행위로 여겨진다는 부정적인 내용이 앞에서 언급되었으므로, '비난'이라는 뜻의 condemnation은 알맞다.

어휘 aggressive 공격적인 / expansionist 팽창주의자 / territory 영토 / boundary 경계 / colonize 식민지화하다, 식민지로 만들다 / in the lead-up to ~을 앞두고 / based on ~에 근거해서 / justify 정당화시키다 / regain 되찾다, 회복하다 / unwarranted 부당한, 불필요한 / hostility 적대, 적의 / sphere 영역, 구 / economically 경제적으로 / utilize 활용하다 / resource 자원

구문 [5~7행] Sometimes expansionism is justified as regaining *a territory* (previously **lost**) [or] [**that** traditionally belonged to a particular people].

◆ lost는 과거분사로 앞에 있는 명사 a territory를 수식한다.
◆ that은 주격 관계대명사로 that ~ people은 lost와 마찬가지로 a territory를 수식한다.

6 ⑤

해설 사람들은 다양한 상품들의 가격 변동에 ① 다르게 반응한다. 예를 들어 잼의 가격이 오른다고 가정해보자. 소비자들은 쉽게 마멀레이드로 바꾸어서 잼에 대한 수요는 상당히 큰 폭으로 떨어질 수 있다. 따라서 잼에 대한 수요는 가격 변화에 ② 민감하다. 이것을 경제학자들은 탄력적인 수요라 부른다. 대조적으로 오직 버스 한 대로 서비스를 받는 마을을 생각해보자. 사람들은 그 버스를 이용해야만 하기 때문에 버스 요금의 인상은 수요에 그렇게 많이 ③ 영향을 끼치지 못할 수 있다. 이 마을에서 버스 이동은 비탄력적인 가격이라고 말하여진다. 필수품이거나 이 버스처럼 대체재가 거의 없는 물품은 비탄력적인 경향이 있지만, 반면에 사치품이거나 쉽게 ④ 대체될 수 있는 물품은 탄력적인 경향이 있다. 단기적으로, 수요는 더 비탄력적인 경향이 있지만, 시간이 흐르면서 소비자들은 가격 변화에 적응할지도 모른다. 1970년대, 산유국들은 많은 수익을 얻기 위해 석유 가격을 높게 유지하려고 했다. 하지만 장기적으로 소비자들이 전기 자동차와 같은 연료 효율이 더 높거나 친환경적인 자동차로 바꿈으로써 석유에 대한 수요를 ⑤ 촉진시켰다(→ 줄여나갔다).

해설 소비자들이 전기 자동차처럼 연료 효율이 더 높거나 친환경적인 자동차로 바꾼다는 내용이 바로 다음에 이어졌으므로, 석유에 대한 수요를 '줄여나갔다'라는 내용이 되어야 한다. 따라서 ⑤ boosted는 reduced가 되어야 적절하다.

오답분석 ① 이어지는 문장에서 잼의 가격 상승에 따른 사람들의 반응이 달라지는 사례를 보여주고 있으므로 '다르게'라는 뜻의 differently는 올바르다. ② 잼의 가격이 오르면 잼에 대한 사람들의 수요가 큰 폭으로 떨어진다고 했으므로, 이를 통해 잼에 대한 수요가 가격에 민감하게 반응함을 추론할 수 있으므로 '민감한'이라는 뜻의 sensitive는 올바르다. ③ 마을에 운행하는 버스가 한 대만 있다고 가정하자는 내용이 앞에서 언급되었다. 이 경우, 마을 버스의 요금이 인상되어도 사람들은 그 버스를 이용할 수밖에 없을 것이다. 앞에 not이 쓰였으므로 '영향을 끼치다'라는 뜻의 affect는 적절하다. ④ 마을 버스와 같이 대체될 수 없는 물품이 비탄력적이라고 했고, 이어서 '반면에'라는 뜻의 역접을 나타내는 접속사 while과 함께 쓰여서 '어떠한' 물품은 탄력적이라고 했으므로 '대체 가능한'이라는 뜻의 substitutable은 적절하다.

어휘 consumer 소비자 / switch to ~로 바꾸다 / fairly 상당히 / elastic 탄력적인 *cf.* inelastic 비탄력적인 / in contrast 대조적으로 / bus fare 버스 요금 / necessity 필수품; 필요성 / substitute 대체재, 대용품 *cf.* substitutable 대체될 수 있는 / adjust to ~에 적응하다 / revenue 수익, 수입 / boost 촉진시키다 / efficient 효율적인

구문 [6행] Here, bus travel **is said to be** price inelastic.

◆ be said to ~는 '~라고 말하여지다'라는 뜻이다. 가주어 it을 이용해서 It is said that bus travel is price inelastic.으로 바꾸어 쓸 수 있다.

| **Unit 15** | 빈출순 **어법 POINT** | p. 123 |

동사의 목적어 to-v vs. v-ing

operating | 처음에 그 세탁기는 많은 소음을 냈고, 나중에 그것은 완전히 작동하는 것을 멈추었다.

어휘 initially 처음에 / operate (기계 등이) 작동하다; 수술하다

Quiz

1 to book | 성수기 동안에는 호텔들이 다 차버릴 것이므로, 다가오는 휴일을 위해 숙소를 일찍 예약할 것을 잊지 마세요.

해설 (미래에) 숙소를 일찍 예약할 것을 잊지 말라는 문맥이므로 미래성을 나타내는 to-v가 적절하다. *cf.* forget v-ing (과거에) v했던 것을 잊다

어휘 accommodation 《pl.》 숙박 시설 / upcoming 다가오는, 곧 있을 / peak season 성수기

2 turning | 오븐을 껐는지 기억하지 못해서, 나는 출근길에 서둘러 집으로 돌아갔다.

해설 (과거에) 오븐을 껐던 것을 기억하지 못했다는 문맥이므로 과거성을 나타내는 v-ing가 적절하다. *cf.* remember to-v (미래에) v할 것을 기억하다

▌Practice ③

해설 과학자들이 말하기로, 습관은 뇌가 지속적으로 노력을 줄일 방법을 찾고 있기 때문에 나타난다. 제멋대로 하게 내버려 두면, 습관이 우리의 마음을 더욱 자주 편안하게 하기 때문에, 뇌는 거의 모든 일과를 습관으로 만들 것을 선택할 것이다. 이러한 노력을 절감하려는 본능은 엄청난 이점이다. 효율적인 뇌는 더 적은 공간을 필요로 하고, 이는 (더 적은 공간은) 더 작은 머리에 도움이 되며, 이것은(더 작은 머리는) 출산을 더 쉽게 만들어 더 적은 유아와 산모의 죽음을 유발한다. 효율적인 뇌는 또한 우리가 걷기와 무엇을 먹을지 고르는 것과 같은 기본적인 행동들에 대해 계속 생각하는 것을 멈추게 해서, 우리는 정신적인 에너지를 창, 비행기 그리고 비디오 게임을 발명하는 데 쏟을 수 있다.

해설 (A) choose는 목적어로 to-v를 취하므로 to make가 적절하다.
(B) 뒤에 주어가 빠진 불완전한 구조가 이어지므로 선행사 less room을 보충 설명하는 관계대명사 which가 적절하다.
(C) 「stop v-ing」는 'v하는 것을 멈추다'란 뜻이다. '생각하는 것을 멈추게 한다'는 문맥이므로 동명사인 thinking이 자연스럽다. *cf.* stop to-v: v하기 위해 멈추다

오답분석 (B) 앞의 명사 less room과의 의미적 관계만 보고 where를 고르지 않아야 한다. 관계부사는 뒤에 주어와 동사를 갖춘 완전한 절이 이어져야 하므로 적절치 않다. (C) 「stop to-v」는 'v하기 위해 멈추다'라는 뜻이다. '효율적인 뇌는 우리가 생각하기 위해 멈추게 한다'는 내용은 문맥상 자연스럽지 않다.

어휘 emerge 나타나다 / leave (A) to one's own devices 제멋대로 하게 내버려
두다 / instinct 본능 / make for ~에 도움이 되다; ~쪽으로 가다 / childbirth 출산 /
infant 유아 / spear 창

구문 [4~6행] An efficient brain requires *less room*, // **which** makes
for *a smaller head*, / **which makes** childbirth easier [and]

therefore **causes** fewer infant and mother deaths.

◆ 두 개의 which는 모두 계속적 용법의 관계대명사로 쓰였으며, 각각 less room과
a smaller head를 보충 설명한다.

◆ 두 번째 which가 이끄는 절에서 동사 makes와 causes는 등위접속사 and로
연결된 병렬구조이다.

Unit 16 장문 독해

전략적용 1 **1.** ⑤ **2.** ③ **Q1** (1) One of (2) they do

Q2 ① 수줍음이 많고 조용하다. ② 대인관계에 능숙하다. ③ 독립적
이며 개인주의적이다.

해설 **Q1** 창조성의 특성에 관한 실험을 통해 창조적인 사람들이 수줍음이 많고 조용
한 경향이 있다는 실험 결과를 설명하는 글로, 각 단락의 One of the most
interesting findings ~. / they do suggest ~가 핵심 문장이다.

Q2 첫 번째 단락의 후반부(One of the most interesting findings ~. They
were interpersonally ~. They thought ~.)에 창조적인 사람들의 경향이 잘
나타나 있다.

해석 캘리포니아 대학 버클리 캠퍼스의 인성 평가 연구소는 창조성의 특성에 관한 일
련의 실험을 시행하였다. 연구자들은 가장 창조적인 사람들을 찾아낸 다음 무엇이 그들
을 다른 사람들과 다르게 만드는지를 알아내려는 시도를 했다. 그들은 중대한 공헌을
한 과학자, 엔지니어, 작가들의 명단을 모으고 그들에게 다수의 시험을 실시했다. 그다
음에 연구자들은 같은 직업에서 공헌도가 덜 창조적인 다른 이들에게 비슷한 작업을 했
다. 가장 흥미로운 발견 중 하나는 더 창조적인 사람들이 수줍음이 많고 조용한 경향이
있다는 것이었다. 그들은 대인관계에서 능숙했지만 특별히 사교적인 성격은 아니었다.
그들은 스스로가 독립적이며 개인주의적이라고 생각했다. 십 대일 때에는 많은 이가 수
줍어하고 주목을 피했다. 이러한 결과가 혼자서 더 많은 시간을 보내는 사람들이 더 사교적인 사람들보다 항상
더 창조적이라는 것을 의미하는 것은 아니지만, 일생 동안 유난히 창조적이었던 사람들
의 집단에서 당신은 아마도 때때로 고독을 즐기는 조용한 사람들을 많이 발견할 것이라
고 시사하기는 한다. 고독이 혁신으로 향하는 가속장치가 될 수 있다는 것은 분명히 사
실이다. 혼자 시간을 보내는 것은 당면한 과제에 정신을 집중시키고 일과 무관한 다른
일에 에너지를 낭비하는 것을 멈추게 한다. 다시 말해 다른 사람들이 모두 파티를 할
때, 당신은 뒤뜰 나무 아래 앉아 있다면, 사과가 당신 머리 위로 떨어질 가능성이 더 높
다는 것이다.

1. ① 친구들은 당신의 창조성에 날개를 달아준다
② 군중에 반대하기 위해 필요한 것
③ 성공의 비결: 주변을 둘러보라
④ 예기치 않은 순간의 위대한 발견들
⑤ 창조적인 사람들은 왜 종종 가장 조용한가?
2. ① 매력적인 ② 이상한 ③ 조용한 ④ 쾌활한

해설 **1.** 글 중반부의 창조적인 사람들은 수줍음이 많고 조용한 경향이 있다는 실험 결
과에 해당하는 문장(One of ~ shy and quite.)이 주제문이다. 그리고 그 이유에
관해 혼자 시간을 보내는 것(고독)이 창조성에 효과적임을 서술하고 있다. 따라서 글의
내용을 가장 압축적으로 잘 나타낸 ⑤ '창조적인 사람들은 왜 종종 가장 조용한가?'가
가장 적절하다.
2. 빈칸 문장의 They는 빈칸 이전 문장의 '더 창조적인 사람들(the more creative
people)'을 가리키며, 빈칸 앞에 부정어(not)가 있으므로 창조적인 사람들의 성질과
반대되는 것을 찾는다. 빈칸 문장의 앞뒤에 서술된 표현을 종합하면 창조적인 사람들은
조용한 특성이 있음을 알 수 있으며, 따라서 이와 반대되는 ③ '사교적인(sociable)'이
적절하다.

오답분석 **1.** an accelerator to innovation 같은 표현이나 마지막 문장의 예시(if
you're in the backyard ~ on your head)를 보고 ④를 골라서는 안 된다.
2. ④는 빈칸 앞의 부정어 not을 놓쳤을 때 고를 법한 오답이며, ⑤는 그럴듯해 보이
나 글에 직접적 근거가 없다.

어휘 institute 연구소, 협회 / assessment 평가 / conduct 시행하다; 행동하다;
지휘하다 / contribution 공헌, 기여; 기부(금) / interpersonally 대인관계에서 /
skilled 능숙한, 숙련된 / individualistic 개인주의적인 / spotlight (세상의) 주목, 관
심; 스포트라이트 / finding ((pl.)) (조사 등의) 결과; 발견 / solitude 고독 / definitely
분명히 / accelerator 가속장치, 액셀러레이터 / innovation 혁신 / in hand 당면한,
현재 다루고 있는 / unrelated 무관한, 관계없는 **[선택지 어휘]** go against ~에 반대
하다; ~에 위배되다 / charming 매력적인 / odd 이상한; 홀수의

구문 [7~8행] Then the researchers did something similar / with
others from the same jobs [**whose contributions were less
creative**].

◆ 선행사인 others from the same jobs와 관계대명사 뒤의 명사
contributions가 소유 관계이므로 소유격 관계대명사인 whose가 쓰였다.

[14~16행] These findings don't mean / **that** *those* [who spend
more time alone] are always **more** creative **than** *those* [who are
more social], // but they **do** suggest / **that** ~.
= these findings

◆ 두 개의 that은 각각 mean과 suggest의 목적어 역할을 하는 명사절을 이끄는
접속사이다.

◆ 「more ~ than ...」 비교급이 사용되었고, 비교 대상인 A와 B는 문법적 성격(격, 형
태 등)이 같아야 한다.

◆ do는 동사 suggest를 강조하는 조동사이다.

전략적용 2 **1.** ⑤ **2.** ④ **3.** ⑤ **Q1** Dawn, I, a Japanese
mom **Q2** (1) 나는 캐나다가 그립다. (2) 나는 미스 캐나다이다.

해설 **Q1** 학부모 관계인 Dawn, I, a Japanese mom 3명의 등장인물이 나온다.
Q2 Dawn이 '그리워하다'라는 뜻으로 한 말인 miss를, 일본인 엄마는 '미인 대회
우승자'라는 뜻의 Miss로 이해했다.

해석 (A) 돈과 나는 우리 아이들의 국제 학교에서 처음 만났다. 학교의 학년 모임에서
였는데, 그것은 학부모들이 서로 만날 수 있는 기회였다. 우리는 서로 소개한 뒤 커피를
들고 일본인 엄마들이 모인 테이블 중의 한 곳에 앉았다. 대부분의 엄마들이 영어를 잘
하진 못했지만, 돈과 나는 그들과 의사소통하기 위해 최선의 노력을 했다. 모임의 중반
무렵, 돈은 (a) 그녀(돈)의 바로 맞은편에 앉아 있는 엄마에게 미소를 짓고 자신을 가리
키며 "나는 캐나다가 그리워요."라고 말했다. (돈은 캐나다 사람이다.)
(D) 그 엄마의 눈이 아주 커졌다. (d) 그녀(일본인 엄마)는 다른 엄마들에게 일본어로
무언가를 말했다. 곧 모든 엄마들이 웃고 손뼉을 치며 매우 빠르게 말하고 있었는데, 모
두 돈에게 "축하해요."라고 말했다. 돈도 나도 처음엔 이 소란이 무엇에 대한 것인지 이
해하지 못했다. 그때 한 엄마가 손으로 (e) 그녀(돈)의 머리에 왕관을 씌워주는 척하는
보디랭귀지를 사용했다.
(C) "당신(은) 미스 캐나다"라고 그녀는 말했다. 그때에서야 돈은 그녀가 무엇을 의미했
는지 이해했다. "아니, 아니에요! 나는 미스 캐나다가 아니에요!" 엄마들은 혼란스러워
보였다. "나는 캐나다가 그립다고요. 미스 캐나다가 아니라." 돈은 설명하려고 애썼다.
"여러분들은 일본이 그립죠. 나는 캐나다가 그리워요. 나는 미스 캐나다가 아니에요."
엄마들 중 한 명이 마침내 알아듣고 다른 사람들에게 그것을 설명했다. 그러고 나서 모
두가 웃었다. 돈은 당황스러워 보이지 않으려고 최선을 다했지만, 나는 (c) 그녀(돈)가
당황했다는 것을 알았다.
(B) 우리는 커피를 마시고 나서, 우리의 새로운 일본인 친구들에게 작별 인사를 하고

주차장으로 걸어 나갔다. 나는 돈과 함께 그녀의 차까지 걸어갔다. 그녀가 차 문의 잠금을 푼 뒤에 나는 손잡이를 잡고 (b) 그녀(돈)에게 차 문을 열어주었다. "왜 그러는 거니?"라고 그녀가 물었다. "너는 미스 캐나다잖아." 나는 놀리는 미소를 지으며 농담했다. "그만해!"

해설 **1.** 주어진 글 (A)의 마지막 부분에서 돈이 자신의 건너편에 앉은 일본인 엄마에게 자신의 고향인 캐나다가 그립다는 말을 했다. 글의 흐름상 일본인 엄마들이 돈과 필자가 이해하지 못할 반응을 보이는 (D)가 먼저 오고, 곧 돈이 일본인 엄마들의 오해를 깨닫고 바로잡으려 애쓰는 (C)가 그다음에 이어지는 것이 자연스럽다. 그리고 마지막으로 모임이 끝난 뒤 돌아가는 길에 주차장에서 필자가 지난 해프닝으로 돈을 놀리는 내용인 (B)가 이어진다. 따라서 알맞은 글의 순서는 (D) - (C) - (B)이다.

2. (d)만 '일본인 엄마'를 가리키고 나머지는 모두 '돈'을 가리킨다.

3. 한 일본인 엄마가 돈에게 왕관을 씌워 준 것이 아니라 흉내만 낸 것이므로 ⑤는 글의 내용으로 적절하지 않다.

어휘 grade level 학년 / gathering 모임 / halfway 중간에 / parking lot 주차장 / unlock (열쇠로) 열다; (비밀 등을) 드러내다 / teasing 놀리는, 짓궂게 괴롭히는 / confused 혼란스러운 / fuss 소란, 야단법석 / crown 왕관

구문 **[16~17행]** Only then *did Dawn understand* / what she
                                                              ○
meant.

♦ Only then이 문장 맨 앞으로 나가면서 「조동사+주어+동사」의 어순으로 도치되었다.
♦ 관계대명사 what이 이끄는 명사절은 understand의 목적어 역할을 한다.

Make it **Yours**
p. 128

1 1. ⑤ 2. ②   **2** 1. ⑤ 2. ④   **3** 1. ② 2. ⑤ 3. ③
4 1. ② 2. ③ 3. ④

1 1. ⑤ 2. ②

해설 글을 쓰는 삶을 향한 첫걸음이자 그 기초는 일기 쓰기이다. 잘 쓰는 것은 연습이 필요하다. 달리기 선수가 달리고 무용수가 춤을 추듯이 작가는 글을 쓴다. 일기 쓰기는 연습 그 이상이다. 당신의 언어로 당신은 보는 것, 듣는 것, 만지는 것에 생명을 불어넣는다. 이런 식으로 당신은 당신이 보거나 만지는 외부의 것을 내면의 무언가로 탈바꿈시킨다. 당신은 당신의 외부 세계와 내면세계, 보이는 것과 보이지 않는 것 사이에 다리를 놓는다. 이것이 일기 쓰기가 주는 선물이다. 당신의 일상생활은 수많은 방향에서 당신을 부르지만, 일기 쓰기는 당신을 중심에 놓는다. 당신은 속도를 늦추고 글을 쓴다. 당신은 당신 주변 세상을 새로운 방법으로 보는 것을 배운다.
만약 내가 현관문 밖으로 나서면, 나는 발밑에서 수백 개의 평범한 회색 돌들을 보게 된다. 그것들은 모두가 거의 똑같아 보이는데, 회색에 칙칙하고 모양도 울퉁불퉁하다. 하지만 내가 손으로 하나를 주워서 그것에 대해 글을 쓴다면, 그것은 특별해진다. 나는 그것이 내가 어린 시절에 그린 그림의 집들 중 하나의 형체로 만들어졌다는 것을 알게 된다. 나는 문을 상상한다. 그 돌은 그 자체로 작은 세상이며 예전 같은 평범한 것이 결코 아니다. 그것에 관해 글을 쓰면서, 나는 그것의 신비를 다룬다. 만약 내가 공원의 떡갈나무나 한 줄기의 햇살 속에서 그네를 타고 있는 내 손자에 관해 쓴다고 해도 똑같다. 나의 언어는 나를 더 깊은 곳으로 데려간다. 마리온 우드만이 '나의 일기는 나만의 일상 경험에 반영된 나의 진실을 보고 들을 수 있는 거울이 되었다.'라고 쓴 것처럼.

1. ① 일기를 쓰고, 성실함을 발달시켜라
② 특정한 목표를 달성하기 위한 일기 쓰기
③ 일기 쓰기에 관한 흥미로운 점들
④ 일기 쓰기를 통해 당신 자신을 표현하는 방법
⑤ 일기: 외부 세계와 내면세계의 연결
2. ① 평평한 ③ 신비로운 ④ 아름다운 ⑤ 복잡한

해설 **1.** 일기를 쓰는 것은 글쓰기의 기초이자 연습 그 이상으로, 외부 세계와 내면세계를 연결하는 다리 역할을 한다는 내용의 글이다. 따라서 글의 제목은 ⑤ '일기: 외부 세계와 내면세계의 연결'이 알맞다.

2. 빈칸 문장의 it은 수많은 돌들 중 하나를 가리키며, 수많은 돌들 중에 하나를 집어

들면 그것이 '어떻게' 되는지 찾아야 한다. 빈칸 문장이 But으로 시작되고 있으므로 돌한 개의 속성은 앞에 설명된 것, 즉 수백 개의 모두 똑같아 보이는 평범한 회색 돌들과 대조되고 있음을 알 수 있다. 또한, 빈칸 문장 뒤에서는 그 한 개의 돌이 예전 같은 평범한 것이 아니라고 했다. 따라서 빈칸에 들어갈 말은 ② '특별한(unique)'이 알맞다.

오답분석 **1.** 이 글은 일기 쓰기의 여러 가지 흥미로운 점들을 열거한 글이 아니고, 외부세계와 내면세계를 이어주는 일기 쓰기의 속성에 대해서 중점적으로 기술하고 있으므로 ③은 정답이 될 수 없다.

2. ①, ③은 각각 글에 등장한 단어(uneven, mystery)를 말 바꿈 한 단어들로서 혼동을 주는 오답이다.

어휘 foundation 기초; 근거 / journal 일기; 신문; 잡지 / transform A into B A를 B로 변형시키다 / bridge 다리를 놓다; 다리 / visible 보이는 / center 중심[중앙]에 두다; 중심, 중앙 / dull 칙칙한; 지루한 / uneven 울퉁불퉁한; 고르지 못한 / ray 한 줄기의; 광선 **[선택지 어휘]** diligence 성실, 근면 / complex 복잡한; 복합체

구문 **[15~16행]** ~, "My journal became *a mirror* **[in which** I could see and hear *my truth* (reflected in my own daily experience)]."

♦ 「전치사+관계대명사」 형태의 in which가 이끄는 절이 선행사 a mirror를 수식한다. 이때 in which를 관계부사 where로 바꿔 쓸 수 있다.

2 1. ⑤ 2. ④

해설 인간의 두뇌는 놀라운 패턴 탐지 기계이다. 우리는 사물과 사건과 사람들 사이에 숨겨진 관계를 알아내고 그러한 정보를 조직화할 수 있게 하는 다양한 메커니즘을 소유하고 있다. 이것들이 없다면, 우리들의 감각에 도달하는 정보의 바다는 분명 혼란스러울 것이다. 하지만 우리의 패턴 탐지 시스템이 고장 나면, 그것들은 아무것도 실제로 존재하지 않는 패턴을 인지하는 오류를 범하는 경향이 있다. 독일의 신경학자 클라우스 콘래드는 특정한 형태의 정신질환을 앓고 있는 환자들에게서 이러한 경향을 기술했다. 하지만 이러한 경향이 질병이 있거나 교육받지 못한 사람들에게만 한정되어 있지 않다는 것이 점점 더 명백한데, 건강하고 지적인 사람들도 주기적으로 비슷한 오류를 범하기 때문이다. 운동선수는 양말 한 켤레와 우승 사이의 연관 관계를 보고, 아이 엄마는 예방접종과 질병 사이에 연관 관계가 있다고 생각해서 아이에게 예방접종을 하는 것을 거부한다. 간단히 말해, 우리의 많은 성공을 책임지는 패턴 탐지는 마찬가지로 쉽게 우리를 배반할 수 있다. 어디에서나 패턴을 보는 이러한 경향은 우리의 패턴 탐지 메커니즘의 필연적인 결과인 듯하다. 그럼에도 불구하고 우리는 그저 우리의 성향을 인지하고 있는 것만으로도 어느 정도 우리 자신을 지킬 수 있다.

1. ① 정신 질환을 다루는 법
② 이성적 사고의 강점
③ 왜 패턴 탐지 시스템이 중요한가
④ 연관 관계를 불신하는 정신의 타고난 경향
⑤ 제어할 수 없는 패턴 인지: 인간의 결점
2. ① 성공적인 ② 믿을 수 없는 ③ 유해한 ⑤ 정돈된

해설 **1.** 인간에게는 정보를 분석하고 조직화하는 놀라운 패턴 탐지 메커니즘이 있지만, 이 메커니즘이 성공적인 만큼 우리를 쉽게 속이기도 하므로 주의가 필요하다는 내용이다. 패턴 인지 시스템의 오류에 관한 예시를 든 후 결론을 짓는 글 후반부의 In short, ~ betray us.가 주제문이다. 그러므로 이 글의 제목은 ⑤가 알맞다.

2. 빈칸 문장의 these는 빈칸 이전 문장의 '다양한 메커니즘(a variety of mechanisms)'을 가리키며, 이 메커니즘들이 없으면 정보의 바다는 '어떠할' 것인지 찾아야 한다. 빈칸이 있는 문장 바로 앞에서 우리는 숨겨진 관계를 알아내고 그 정보를 조직화할 수 있는 다양한 메커니즘을 가지고 있다고 했다. 따라서 이러한 메커니즘이 없으면 정보를 조직화할 수 없을 것이고, 우리의 감각에 도달하는 정보들은 혼란스러워질 것이므로 빈칸에 알맞은 말은 ④ '혼란한(chaotic)'이다.

오답분석 **1.** ③은 글의 핵심어인 '패턴 탐지 시스템(pattern-detection systems)'을 활용한 오답으로, 이 글은 패턴 탐지 시스템의 중요성에 관해서만 서술하는 글이 아니다.

2. ⑤의 orderly는 글의 내용과 정반대인 오답으로 without these의 의미를 파악하지 못하고 혼동해서는 안 된다.

어휘 detect 탐지하다; 발견하다 / mechanism 메커니즘; 방법; 기계장치 / uncover 알아내다; 폭로하다; 덮개를 벗기다 / perceive 인지하다 / neurologist 신경학자 /

vaccination 예방접종 / betray 배반하다 / be aware of ~을 인지하다, 알아차리다
[선택지 어휘] rational 이성적인; 합리적인 / count 중요하다; 수를 세다 / recognition 인지, 인식 / shortcoming 결점 / chaotic 혼란한 / orderly 정돈된

구문 [1~3행] We possess *a variety of mechanisms* [that **allow us** to **uncover** hidden relationships (between objects, events, and people) and to **organize** such information].

◆ that은 a variety of mechanisms를 선행사로 하는 주격 관계대명사이다.

◆ 「allow+목적어+to-v(~가 v하게 하다)」 구문에서 목적격보어인 to uncover 이하와 to organize 이하는 and로 병렬구조를 이루고 있다.

[3~4행] **Without** these, // *the sea of data* (reaching our senses) = a variety of mechanisms **would** surely **appear** chaotic.

◆ 「Without ~」은 현재 사실을 반대로 가정하는 if 가정법의 대용 표현이므로, 주절에는 「조동사+동사원형」이 쓰였다. Without은 이 문장에서 '(지금) ~이 없다면'의 뜻으로 But for나 If it were not for, Were it not for 등으로 바꿔 쓸 수 있다.

3 1. ② 2. ⑤ 3. ③

해석 (A) 나는 우리 가족 중에서 막내이고, 오빠인 재키가 있는데, 그는 나보다 두 살 더 많다. 나는 그보다 두 학년 아래여서 우리는 같은 학교를 함께 다녔다. 때때로 내가 '재키의 여동생'이라고 불리는 것이 정말 짜증스럽긴 했지만, 우리는 사이가 좋았다. 몇 년 전에 재키와 나는 아주 심한 자동차 사고를 당했다. (a) 그(재키)는 몇 군데 혹이 나고 멍이 들었다. 반면에 나는 얼굴을 100바늘 정도 꿰맸다.

(C) 사고 후 약 한 달쯤 뒤에 나는 오빠와 다시 버스를 타고 학교에 다니기 시작했다. 실밥은 사라졌지만, 아주 큰 흉터가 남았다. (c) 그(재키)는 내가 아주 괜찮아 보이며 내가 흉터에 대해 걱정하지 않아도 된다며 나를 안심시켰다. 내 친구들은 아무 말도 하지 않고 쳐다보지 않으려고 최선을 다했지만, 흉터는 아주 눈에 띄었다. 어느 날 나는 학교에서 집에 오는 버스를 타고 있었다. 조던이라는 남자아이가 같은 버스를 탔는데, 내 흉터에 대해 놀리기 시작했다.

(B) 그는 재키와 같은 학년이었고 나보다 나이가 많았다. 재키는 내가 앉아 있는 곳에서 꽤 떨어진 곳에 앉아 있어서 그 아이가 하는 말을 듣지 못했다. 재키와 내가 버스에서 내렸을 때, 나는 (b) 그(재키)에게 조던이 한 일에 대해 아무 말도 하지 않았다. 거의 매일 그는 같은 일을 반복했고, 나는 울면서 버스에서 내리곤 했다. 이 일은 약 한 달 동안 지속되어, 나는 결국 참지 못하고 재키에게 말했다. 그는 매우 화가 났다.

(D) 내가 있었던 일을 (d) 그(재키)에게 말한 이후, 즉, 조던이 그다음으로 나를 놀렸을 때, 재키는 일어서서 그가 앉아 있는 곳으로 걸어가 그의 귀에 대고 뭔가를 말했다. 나는 재키가 뭐라고 말했는지 정확히 알 수 없지만, (e) 그(조던)는 다시는 내게 한마디도 하지 않았다. 나는 나를 보살펴주는 재키 같은 오빠가 있어서 정말 감사하다. 나는 내가 언제라도 어려움에 처하면, 그가 달려와 줄 것을 안다. 그날 이후로 누군가 내게 물으면 나는 그들에게 "응, 내가 재키 여동생이야."라고 말한다. 그리고 나는 그것이 자랑스럽다.

해설 1. 주어진 글 (A)는 필자가 오빠 재키와 자동차 사고를 당해 필자는 얼굴을 100바늘 정도 꿰매는 큰 부상을 당했다는 내용이다. 이 뒤에는 About a month after the accident로 시작하는 (C)가 이어져 사고 후 한 달 뒤에 흉터를 지닌 채 학교로 돌아갔고, 조던이라는 아이가 흉터를 놀리기 시작했다는 내용이 오는 것이 자연스럽다. 그다음으로 필자가 조던의 놀림에 괴로워하다 결국 오빠에게 이 사실을 알리는 (B)가 오고, 마지막으로 오빠가 조던이 필자를 놀리지 못하게 문제를 해결해주어 필자가 오빠에게 감사하는 (D)가 이어진다. (D) 전반부(After I told him ~)를 통해 (B)에 이어지는 내용임을 알 수 있다.

2. (e)만 '조던'을 가리키고 나머지는 모두 '재키'를 가리킨다. (e) 앞 절에 '재키'도 등장하지만 문맥상 '조던'이 재키에게 어떤 말을 들은 이후로 필자에게 말을 걸지 않았다는 내용이 자연스럽다.

3. (B) 후반부의 '나는 결국 참지 못하고 재키에게 말했다(I finally couldn't take it anymore and told Jackie)'는 부분을 통해 ③이 재키에 관한 내용으로 적절하지 않음을 알 수 있다.

어휘 get along well 잘 지내다; 마음이 맞다 / bump 혹; 충돌; (~에) 부딪치다 / bruise 멍, 타박상; 멍이 생기다 / stitch (수술로 기운) 바늘; 바늘땀 / scar 흉터, 상처; 흉터를 남기다 / reassure 안심시키다 / stare 빤히 쳐다보다 / noticeable 눈에 띄는, 두드러지는 / look out for ~을 보살피다; ~을 찾다

구문 [18~20행] After I told him what had been happening, (**the** IO' DO' **next time Jordan made fun of me,**) // Jackie **stood up, walked** to (*the place*) **where** he was sitting and **said** something into his ear.

◆ the next time ~ me는 부연 설명을 위해 삽입된 부사절로 볼 수 있다.

◆ stood up, walked, said는 모두 주어인 Jackie에 이어지는 동사로 and로 병렬구조를 이루고 있다.

◆ 관계부사 where 앞에 장소를 나타내는 일반적인 선행사(the place)가 생략되어 있다.

[21~22행] I know // that **if I were** ever in trouble, / he **would come** running.

◆ know의 목적어인 that절에 가정법 과거 구문이 쓰였다.

4 1. ② 2. ③ 3. ④

해석 (A) 우리 할아버지 농장에는 소를 돌보는 것을 도와주는 오스트레일리아 셰퍼드 목동 개들이 세 마리 있는데, 스노볼, 베어, 그리고 타이거이다. 어느 더운 여름날, 헤리퍼드 황소 한 마리를 제외하고 모든 소들이 들판으로 데려가 졌다. 그러나 그 황소는 가기를 거부했는데, 한낮의 극심한 열기가 황소를 성나게 했기 때문이다. 인내심이 극한 상황에 놓이자, 황소는 돌아서 곁에 서 있었던 나의 아버지를 쳐다보았다. (a) 그(아버지)를 발견하고 황소는 그를 향해 달렸다.

(B) 아버지는 간신히 황소의 공격을 피했지만, 황소는 다시 공격할 준비를 했다. 성난 황소에게 짖으며, 스노볼은 아버지 앞에 섰다. 그다음에 심장이 멎을 듯한 소리와 함께 스노볼은 황소에게 몸을 던졌고 그 헤리퍼드를 쫓아내기 시작했다. 스노볼의 행동은 아버지에게 가까이에 있는 트럭 밑으로 기어들어가 (b) 자신(아버지)을 숨기기에 충분한 시간을 주었다.

(D) (e) 그(아버지)가 밑에 누워있던 트럭으로 달려가서, 스노볼은 늑대처럼 용감하게 황소의 다부진 공격 하나하나를 물리쳤다. 곧 그의 친구들인 타이거와 베어가 합세했다. 한 팀을 이루어서 그들은 할아버지와 삼촌이 아버지께 올 때까지 황소가 트럭에 가지 못하게 했다.

(C) 그날 오후 늦게 아버지는 무사히 집으로 돌아오셨고, 가족 모두가 아버지가 생명에 지장이 갈 만한 상처를 입지 않았다는 것을 알고 몹시 안도했다. 반면에 스노볼은 엄마가 (c) 자신(스노볼)을 집안에 들여놓을 때까지도 걱정하는 채로 있었다. 조용한 발걸음으로 스노볼은 아버지를 보기 위해서 침실로 걸어 들어가 부모님의 침대 위에 자신의 머리를 올려놓았다. 아버지는 그를 쓰다듬어주며 스노볼에게 (d) 그(아버지)의 목숨을 구해준 데 대해 고마워했다. 만족하며, 그 셰퍼드는 행복한 표정으로 조용히 집을 떠났다.

해설 1. 주어진 글 (A)는 어느 날 아버지가 더위에 화가 난 황소의 공격을 받게 된 상황이다. 다음에 (B)가 이어져 아버지가 다시 공격받을 위험에 처했을 때 농장의 개 스노볼이 달려와서 아버지가 트럭 밑으로 몸을 숨길 시간을 벌어주는 내용이 오고, (D)에서 스노볼이 황소의 공격을 막아내고 다른 개 두 마리도 합세하는 것이 이어진다. 마지막으로 아버지가 집에 무사히 돌아와 스노볼에게 고마움을 표현하는 (C)가 와야 한다. 따라서 (B) – (D) – (C)가 글의 순서로 적절하다.

2. (c)만 '스노볼'을 가리키고 나머지는 모두 '필자의 아버지'를 가리킨다.

3. (C)에서 침실로 들어가는 스노볼의 모습을 On silent feet, ~라고 표현했으므로 스노볼은 흥분한 것이 아니라 조용히 아버지 방에 들어갔다. 따라서 ④는 글의 내용으로 적절하지 않다.

오답분석 2. (a) 분사구문에서는 접속사와 주어가 생략되므로 행위의 주체를 잘 파악해야 한다. 여기서 Finding의 주체는 황소이고, 황소가 발견한 대상인 him은 '필자의 아버지'를 가리킨다. (b) hide의 주체는 아버지이므로 hide의 목적어인 재귀대명사 himself도 '아버지'를 가리킨다.

어휘 enrage 성나게[격분하게] 만들다 / narrowly 간신히, 가까스로 / charge 공격하다; (요금을) 청구하다; 요금 / drive away 쫓아버리다 / crawl 기다 / relieved 안도한 /

life-threatening 생명을 위협하는 / pet 쓰다듬다; 애완동물 / underneath ~ 밑[아래]에 / turn away ~을 돌려보내다, 쫓아 보내다 / determined 단호한; 결심한

구문 [17행] Satisfied, // the shepherd left the house quietly, / with a happy look on his face.

• Satisfied는 수동 의미의 분사구문으로 앞에 Having been이 생략된 형태이다.

Unit 16 빈출순 어법 POINT
p. 134

혼동하기 쉬운 형용사와 부사

alike | 옷과 옷감 둘 다 비언어적 의사소통의 수단으로 사용된다.

어휘 textile 옷감, 직물 / nonverbal 비언어적인

Quiz

1 **hard** | 뉴스 기자로서, 나는 뉴스 업데이트를 받아야 하기 때문에, 무선 인터넷 없이 돌아다니기가 어렵다는 것을 알았다.

해설 「find+가목적어(it)+목적격보어+진목적어(to get ~ wireless Internet)」의 구조로, 보어로 쓰일 수 있는 형용사 hard가 적절하다. *cf.* hardly: 거의 ~않다(부사)

어휘 get around 돌아다니다 / wireless 무선(의)

2 **living** | 저희 청소 서비스는 여러분의 생활환경의 질을 향상시켜드릴 것을 보장합니다.

해설 명사(environment)를 수식하는 형용사 자리이므로 living이 알맞다. 보어로만 쓰이는 형용사 alive는 명사를 수식할 수 없음에 주의한다.

어휘 guarantee 보장(하다) / living 생활의; 살아 있는

▮ Practice ③

해석 사람들은 자신들과 같은 사람들에게 끌린다. 게다가, 새로운 사람들을 만날 때, 우

리는 즉시 우리의 행동을 그들의 행동에 연결시키기 시작한다. 거의 어느 선수보다도 빨랐던 무하마드 알리는 상대방의 방어에서 약점을 간파하고 그것에 펀치를 날리는 것을 시작하는 데 190밀리세컨드(190/1000초)가 걸렸다. 그러나 보통의 대학생이 자신의 움직임을 친구들의 움직임과 동시에 일어나도록 시작하는 데에는 단 21밀리세컨드(21/1000초)가 걸린다. 대화에 열중한 친구들은 서로의 호흡 패턴을 따르기 시작한다. 대화를 관찰하라는 말을 들은 사람들은 대화를 하고 있는 개인들의 신체적 행동을 모방하기 시작하고, 그들이 더 면밀히 몸짓 언어를 흉내 낼수록, 그들은 관찰하고 있는 관계를 더욱 정확하게 이해한다.

해설 (A) 뒤에 명사(themselves)가 이어지므로 '~ 같은'이라는 뜻의 전치사 like가 와야 한다.
(B) '거의'라는 뜻의 부사 nearly가 문맥상 적절하다. near는 '가까운; 가까이'이므로 다른 의미이다.
(C) 문맥상 동사 mimic을 수식하는 부사가 필요하므로 '면밀히'란 뜻의 부사 closely가 알맞다. they mimic the body language closely에서 closely가 「the+비교급」 뒤에 붙어 앞으로 나간 형태이다. close는 부사일 때 '가까이'라는 뜻이다.

오답분석 (A) alike는 형용사(비슷한) 또는 부사(비슷하게, 똑같이)로 쓰이는데, 형용사로 쓰일 경우에는 보어 역할만 할 수 있으므로 명사 앞에 쓰여 명사를 수식할 수 없다.

어휘 attract 마음을 끌다; 끌어들이다 / millisecond 밀리세컨드(1000분의 1초) / opponent 상대; 반대자 / synchronize 동시에 일어나다 / be absorbed in ~에 열중하다 / mimic 흉내를 내다

구문 [2~4행] It took *Muhammad Ali*, [who was nearly **as quick as any player ever**], 190 milliseconds / to detect a weakness in his opponent's defenses and *(to)* begin throwing a punch into it.
= the weakness ~ defenses

• 「it takes+사람+시간+to-v」은 '사람이 v하는 데 (얼마의) 시간이 걸리다'라는 뜻이다. to detect와 (to) begin이 and로 병렬구조를 이룬다.
• Muhammad Ali를 보충 설명하는 관계대명사 who가 이끄는 절이 삽입되어 있으며, 「as 원급 as ever」 구문이 쓰인 as quick as any player ever는 이때 최상급의 의미(어느 선수보다도 빠른)로 해석하는 것이 자연스럽다.

미니 모의고사 4

01 ③	02 ⑤	03 ⑤	04 ④	05 ②	06 ③	07 ⑤
08 1. ① 2. ④		09 1. ③ 2. ④ 3. ③				

p. 135

01 ③

해석 지넷은 편집자이다. 그녀는 최근에 새 팀에 합류했고 팀장인 베스로부터 많은 추가 업무를 받았다. 사람들은 ① 그녀(지넷)에게 베스가 함께 일하기에 특히 까다롭기 때문에 조심하라고 말했다. 지넷은 대단히 성실했고 모든 업무를 시간을 어기지 않고 제출해야 한다고 느꼈기 때문에 급속하게 스트레스가 쌓이게 되었다. ② 그녀(지넷)는 아프기 시작했고 숨 쉬는 것조차 어려웠다. 지넷은 베스의 도움이 필요했지만 ③ 그녀(베스)에게 다가간다는 생각조차 강하게 거부했다. 불현듯 지넷은 그것이 책임자의 도움을 요청하는 것은 약점을 인정하는 것과 같다는 믿음에서 나왔다는 것을 깨달았다. 그녀의 업무를 처리하기 위해 지넷은 그녀의 사고방식을 조정할 필요가 있었다. ④ 그녀(지넷)는 도움을 요청하는 것은 사실상 능력의 표시라는 것을 스스로 납득해야 했다. 일단 지넷이 베스와 이야기하는 것을 그토록 두렵게 만들었던 그 믿음을 처리하자, ⑤ 그녀(지넷)는 그녀가 필요했던 도움을 얻을 수 있었다.

해설 문맥상 지넷이 다가간다는 생각조차 거부한 대상은 베스이므로 ③만 '베스'이고 나머지는 모두 '지넷'을 가리킨다. 그렇게 한 이유(도움을 요청하는 것이 약점을 인정하는 것 같아서)가 다음 문장에 서술되고 있다.

오답분석 도움을 필요로 했고, 그 도움을 얻게 된 사람은 지넷이므로 ⑤는 '지넷'을 가리킨다.

어휘 editor 편집자; 편집장 / stressed out 스트레스가 쌓인 / extremely 대단히, 몹시; 극도로 / submit 제출하다(= hand in) / on time 시간을 어기지 않고, 정각에 /

---

have trouble (in) v-ing v하는 데 어려움을 겪다 / cope with ~을 처리하다, 대처하다 / adjust 조정하다; 적응하다 / convince 납득시키다, 확신시키다 / address (문제를) 처리하다, 다루다; 연설(하다); 주소

구문 [10~13행] Suddenly, / Jeanette realized // *(that)* it came from a belief *(about asking* her *manager's help)*: **that it would be like admitting weakness**.
= resisting the idea of even approaching her
= asking for her manager's help

• realized 다음에는 명사절을 이끄는 접속사 that이 생략되어 있다.
• 콜론(:) 이하는 a belief ~ her manager's help에 대한 부연 설명이다.

02 ⑤

해석 표범 물개는 보통 남극 지역에 사는데, 거기서 그것들은 겨울에 바다를 덮는 얼음 위에서 휴식을 취한다. 그것들은 문어뿐만 아니라 새우도 먹고 산다. 그것들은 또한 펭귄 같은 온혈 동물이 먹이의 상당한 부분을 차지하는 드문 물개 종류 중 하나이다. 번식기를 제외하고, 이 물개들은 대개 혼자 산다. 표범 물개는 나이와 발달 단계에 따라서 때때로 집단을 형성한다. 번식은 여름에, 물속에서 하는 것으로 보이며, 어미들은 남극 지역을 둘러싼 많은 작은 섬들의 해안가나 남미 및 남아프리카 해안가의 특정한 장소에서 새끼를 낳는다. 표범 물개는 새끼들이 약 4주가 되면 젖을 먹이는 것을 멈춘다.

해설 글의 마지막 문장 Leopard seals stop feeding milk to their babies when they are about four weeks of age.에서 새끼는 4개월이 아니라 4주 후에 젖을 뗀다는 것을 알 수 있으므로 ⑤는 일치하지 않는 내용이다.

어휘 Antarctic 남극 지역 / feed on ~을 먹고살다 / octopus 문어 / warm-blooded (동물이) 온혈의 / significant 상당한; 중요한 / apart from ~을 제외하고 / reproduce 번식하다; 복제하다 cf. reproduction 번식; 복제 / apparently 보아[듣자]하니 / give birth (아이·새끼를) 낳다, 출산하다

구문 [1~2행] Leopard seals usually live in *the Antarctic*, // **where** they rest on *the ice* [that covers the ocean in winter].

• where는 선행사 the Antarctic를 보충 설명하는 관계부사의 계속적 용법으로 쓰였다.

• that ~ in winter는 the ice를 선행사로 하는 주격 관계대명사절이다.

[14~15행] Leopard seals **stop feeding** milk to their babies // when they are about four weeks of age.

• 「stop v-ing」는 '~하는 것을 멈추다'라는 뜻이다. cf. stop to-v: ~하기 위해 멈추다

03 ⑤

해석   수족관 강연 시리즈
1982년 이래로 SEA 수족관에 의해 개최되는 수족관 강연 시리즈는 과학자, 환경 작가, 사진작가 등의 흥미진진한 강연과 영화를 볼 훌륭한 기회입니다. 각 발표는 독특하고 멋진 바다와 해양 생물의 면모를 살펴볼 것입니다.

장소와 날짜
• 모든 프로그램은 별도의 공지가 없으면 수족관의 사이언스 아이맥스 극장에서 오후 7시에 시작합니다.
• 프로그램은 약 한 시간 동안 진행됩니다.

입장권
• 등록은 사전에 하시길 요청합니다. 온라인이나 수족관에서 직접 등록하세요.
• 강연은 무료이고 일반인에게 개방됩니다.

참고: 대부분의 강연은 녹화되어 저희 웹사이트인 www.seaq.org에서 보실 수 있습니다.

해설 글 후반부의 소제목 Note에서 '대부분의 강연은 녹화되어 웹사이트에서 볼 수 있다(Most lectures are recorded and available for viewing on our website. ~.)'고 했으므로 ⑤가 일치하는 내용임을 알 수 있다.

오답분석 ① 첫 문장 The Aquarium ~ and others.를 보면 by를 사용하여 강연이 과학자, 환경 작가, 사진작가들에 의해 진행된다고 했다. ② 소제목 Where and When에서 All programs start at 7 p.m.에서 프로그램은 오후 6시가 아니라 7시에 열린다는 것을 알 수 있다. ③ 등록은 사전에 하길 요청한다(Registration is required ahead of time: ~.)고 했다. ④ 강연은 무료(Lectures are free ~.)라고 했다.

어휘 aquarium 수족관 / environmental 환경의 / note 언급하다; 주석; 메모 / registration 등록 cf. register 등록하다 / in person 직접

구문 [2~5행] *The Aquarium Lecture Series*, (held by the SEA Aquarium since 1982), is *a wonderful chance* (**to see** exciting lectures and films by scientists, environmental writers, photographers, and others).

• 과거분사구(held ~ since 1982)가 삽입되어 The Aquarium Lecture Series를 보충 설명한다.

• to부정사구(to see ~, and others)는 앞에 나온 명사구(a wonderful chance)를 꾸며주는 형용사적 용법으로 쓰였다.

04 ④

해석   시간에 따른 재활용 비율
위 도표는 1960년부터 2010년까지 재료의 종류별로 시간에 따른 재활용 비율을 보여 준다. ① 종이류는 전 기간 동안 항상 가장 많이 재활용되는 소재였다. ② 1960년 수치와 비교해서, 종이류 재활용은 2010년에 3배 이상이 되었다. ③ 유리류 재활용 비율을 보면, 1980년과 1990년 사이에 가장 극적인 향상을 보였다. ④ 유리류 재활용 비율은 어느 기간에도 금속류의 (재활용) 비율을 넘어서지 못했다. ⑤ 처음 20년 동안, 플라스틱류는 재활용되지 않았지만, 비록 비율은 10%를 계속 밑돌았어도 이후에 재활용되었다.

해설 이 도표는 시간에 따른 재료별 재활용 비율을 나타낸다. 도표를 보면 1960년에 유리류의 재활용 비율이 금속보다 살짝 높게 나타나고 있다. 따라서 ④는 일치하지 않는 내용이다.

오답분석 1960년에 종이류 재활용의 비율은 20%가 약간 못 되는데 2010년에는 60%를 웃돌고 있다. 따라서 종이류 재활용이 3배 이상 증가했다는 ②의 내용은 일치한다. ⑤의 시간을 나타내는 표현 the first two decades(처음 20년)에 유의한다. 1960년부터 1980년 전까지 보면 플라스틱은 재활용되고 있지 않았고, 이후 등장했으나 10%를 밑돌았으므로 ⑤는 일치한다.

어휘 material 재료, 원료 / surpass (범위를) 넘다; 능가하다 / decade 십 년

구문 [8~9행] *The rate* (of glass recycling) / never surpassed **that** of metals / during any period.

• that은 The rate의 중복을 피하기 위해 쓰인 대명사이다.

05 ②

해석 제인은 무용수이다. 그녀는 자신의 다음 공연을 위해 몇 주 동안 연습해오고 있지만 여전히 그녀가 할 수 없는 한 동작이 있다. 공연의 그 부분을 없애야만 할 거라고 생각하면서, 그녀는 의자에 앉아서 창밖을 응시한다. 그 동작이 없이는 독창적이고 신나는 작품이 그저 또 하나의 재미없고 지겨운 틀에 박힌 몸짓이 된다. 아마도 프로가 되겠다는 그녀의 꿈은 비현실적이라고 그녀는 생각한다. 생각에 잠겨 그녀는 잠이 든다. 그녀가 잠에서 깰 때, 그녀는 그 동작을 몇 번만 더 해보기로 결심한다. 놀랍게도, 그녀는 그것을 처음으로 완벽하게 해낸다. 방을 깡충깡충 뛰어다니며, 그녀는 오늘 밤늦게 그녀가 완벽한 공연을 했을 때 관중의 반응을 상상한다.

① 활기찬 → 절망적인
② 우울한 → 기쁜
③ 불안한 → 감사하는
④ 자신 있는 → 긴장되는
⑤ 창피한 → 안심한

해설 무용수인 제인이 몇 주간 연습했는데도 할 수 없는 동작 하나 때문에 우울해하다가, 마음을 먹고 다시 시도했을 때 그 동작을 완벽히 해낸 상황을 묘사한 글이다. Perhaps her dream ~ is unrealistic. To her surprise, she performs it perfectly ~. Skipping around the room ~. 등의 설명에서 간접적으로 드러난 심경을 추론하면 심경 변화로 알맞은 것은 ②이다.

어휘 performance 공연; 실행, 수행 / move 동작 / stare 응시(하다), 빤히 쳐다보다 / piece 작품; 조각, 단편 / routine 틀에 박힌 몸짓[연기]; 판에 박힌 일 / unrealistic 비현실적인 / to one's surprise 놀랍게도 / skip 깡충깡충 뛰다; (일을) 거르다 [선택지 어휘] tense 긴장되는 / embarrassed 창피한, 당황스러운 / relieved 안심한

구문 [3~5행] **Thinking / that she will have to remove that part of the performance**, / she sits down in a chair and stares out the window.

• Thinking ~ performance는 동시동작을 나타내는 분사구문으로, '~하면서'로 해석하면 자연스럽다.

06 ③

해석 건강이란 단지 질병에 대한 걱정이 없는 상태인 것 그 이상입니다. 건강한 사람은

긍정적이고 다른 사람들과 연결된 느낌을 느껴야 합니다. 안타깝게도, 방황하거나 외롭거나 압도되는 감정을 느끼는 것은 흔합니다. 이는 우리들 중 다수가 온라인상으로 고립되어 있을 때 특히 그러합니다. **이것이 '웰니스 패스'가 저희의 새로운 웹사이트 출시를 알려드리게 되어 자랑스러운 이유입니다.** 이 웹사이트에서 여러분은 정신 건강에 대한 정보와 삶의 개선에 대한 자료들을 찾으실 수 있습니다. 여러분은 다른 사람들이 여러분을 돕는 것처럼 그들을 도우면서, 다른 사람들과 공유할 수도 있습니다. 개인적인 조언을 제공해 줄 상담사들도 있습니다. 여러분이나 여러분이 사랑하는 누군가가 고통받고 있다면, 온라인으로 저희를 찾아주세요.

해설 글의 앞부분에서 건강에 대해 정의를 내리면서 온라인에서 고립되어 있을 때 느끼는 심리적 문제를 제기한 뒤, 이를 해결해 줄 새로운 웹사이트의 출시를 소개한다. 글 중반부의 That's why ~로 시작하는 문장에 글의 목적이 잘 드러나 있다. 따라서 이 글의 목적으로는 ③이 가장 적절하다.

오답분석 ②에서 언급한 정신 건강에 대한 상담 등은 웹사이트가 제공하는 기능 중 일부일 뿐이며, 무료 상담을 한다는 내용도 나타나지 않는다. 또한 이 글은 '웹사이트'를 소개하는 것이 목적으로 ④의 '건강에 도움이 되는 유익한 상식 소개'는 정답으로 보기 어렵다.

어휘 lost 방황한, 당황한; 길을 잃은 / overwhelmed 압도된 / isolate 고립시키다 / launch (상품을) 출시하다; 시작하다; 출시

구문 [5~7행] **That's why** / The Wellness Path is proud **to announce** the launch of our new website.

• 「That's why+S+V ~」 구문으로, '그것이 (주어)가 ~한 이유이다'라고 해석한다.
• to announce는 형용사 proud를 수식하는 감정의 원인(~해서)을 나타내는 부사적 용법으로 쓰였다.

[9~10행] You can also share with others, **helping** them **as they** help you.
                                                                                    = others

• helping은 부대상황을 나타내는 분사구문으로 '~하면서'라고 해석한다.
• 여기서 as는 '~처럼'이라는 양태의 의미를 나타내는 접속사로 쓰였다.

07 ⑤

해석 신용카드의 문제는 그것이 뇌에 내재된 위험한 약점을 이용한다는 것이다. 이 결점은 우리의 감정에서 나오는데, 이것(우리의 감정)은 미래의 결과(높은 이자율)는 무시하는 반면에 즉각적인 이득(신발 한 켤레와 같은)을 ① 과대평가하는 경향이 있다. 우리 감정은 즉각적인 ② 보상에 대한 생각에 흥분하지만, 그 결정에 따른 장기적인 재정적 결과는 정확히 처리할 수 없다. 감정적인 뇌는 이자율이나 채무 상환, 금융 수수료와 같은 것을 그야말로 ③ 이해하지 못한다. 그 결과 감정을 다루는 뇌 영역은 신용카드와 관련된 구매에 대해 ④ 반응하지 않는다. 우리의 욕망은 ⑤ 도움(→ 저항)에 거의 부딪히지 않기 때문에, 우리는 카드를 사용하고 원하는 것은 무엇이든 구매한다. 우리는 지불할 방법은 나중에 알아낼 것이다.

해설 ⑤ 우리가 카드를 사용하고 원하는 것은 무엇이든 산다는 내용이 이어지려면 우리의 구매 욕망은 '저항'에 부딪치지 않는다는 문맥이 되어야 자연스럽다. 따라서 assistance는 resistance로 바꾸어야 한다. 앞에 나오는 little(거의 ~하지 않는)이 부정의 의미인 것을 놓치고 assistance가 적절하다고 혼동하지 않도록 한다.

오답분석 ① 역접의 접속사 while이 단서이다. 우리의 감정이 미래의 결과는 무시하는 반면, 즉각적인 이득은 '과대평가한다(overestimate)'는 내용은 문맥상 자연스럽다. ② 앞에서 즉각적 이득을 얻는 것에 대한 내용이 등장했고, 우리의 감정이 재정적 결과는 처리하지 못한다는 내용이 접속사 but 뒤에 이어지므로, 이와 상반된 내용, 즉 우리의 감정이 즉각적인 '보상(reward)'에 흥분한다는 내용은 자연스럽다. ③ 바로 앞 문장에서 우리의 감정이 결정에 따른 장기적인 재정적 결과를 처리할 수 없다고 했으므로 감정적인 뇌는 이자율이나 채무 상환, 금융 수수료와 같은 것을 '이해하지(understand)' 못한다는 내용은 문맥상 적절하다. ④ 장기적인 재정적 결과를 이해하지 못하므로 그 결과 감정을 다루는 뇌는 신용카드와 관련된 구매에 대해 '반응하지(react)' 않는다는 내용의 연결은 자연스럽다.

어휘 credit card 신용카드 / failing 결점 / interest rate 이자율 / debt 채무, 빚 / payment 상환; 지불 / finance charge 금융 수수료 / meet with (반대 등에) 부딪치다; (대우 등을) 받다 / figure out ~을 알아내다

08 1. ①   2. ④

해석 웃음은 아마도 인간이 언어를 발달시키기 전에도 존재했을 것이다. 메릴랜드 대학의 로버트 프로빈은 사람들이 혼자 있을 때보다 다른 사람들과 있을 때 웃을 가능성이 30배 더 높다는 것을 발견했다. 사람들이 관계를 구축하고 있을 때 웃음은 흐른다. 놀랍게도 대화를 하는 동안 듣고 있는 사람들보다 말을 하고 있는 사람들이 웃을 가능성이 46% 더 높다. 그리고 그들은 꼭 농담에만 웃고 있는 것만은 아니다. 웃음을 유발하는 문장의 단지 15%만이 명확하게 웃기다. 대신 사람들이 정서적으로 동일한 긍정적인 환경에서 자신들이 비슷한 방식으로 반응하고 있다고 느낄 때, 웃음은 자연스럽게 대화에서 나오는 것처럼 보인다.
웃음은 또한 사람들이 다소 긴장되는 상황에 대한 해결책을 찾고 있을 때 발생한다. 그것은 사람들이 사회적 실수를 덮거나 관계를 강화하기 위해 사용하는 언어이다. 이것은 사람들이 함께 웃을 때는 좋을 수 있고, 혹은, 집단이 한 명의 희생양을 비웃을 때는 나쁠 수 있지만, 어떤 경우에도 웃음과 집단은 함께 간다. 스티븐 존슨이 '웃음은 유머에 대한 본능적인 신체 반응이 아니다. 그것은 사회적 유대의 본능적인 형태이다.'라고 썼듯이 말이다.

1. ① 웃음 뒤에 숨겨진 이유들
② 사람을 웃게 하는 방법
③ 웃음은 보편적인 언어이다
④ 유머: 당신의 관계에 유용함
⑤ 우리가 웃을 때 우리 정신에서 무슨 일이 일어나는가
2. ① 상처를 치유하는 것
② 긴장을 완화하는 것
③ 정신적 반응
④ 사람 사이의 신뢰
⑤ 사람 사이의 신뢰

해설 **1.** 웃음은 단순히 유머에 대한 본능적인 반응이 아니라 사람들 간의 유대를 구축하거나 강화하기 위한 일종의 사회적 수단이라는 내용의 글이다. 주제문은 조사의 결과에 해당하는 글 초반부의 When people are ~ , laughter flow.이다. 따라서 이 글의 제목으로는 ① '웃음 뒤에 숨겨진 이유들'이 알맞다.
2. 빈칸 문장을 통해 웃음이 '무엇'의 본능적인 형태인지 찾아야 함을 알 수 있다. 첫 번째 단락의 '사람들이 관계를 구축하고 있을 때, 웃음이 흐른다'는 내용과 빈칸 문장 앞의 '웃음과 공동체는 함께 간다'라는 등의 내용을 종합하면, 웃음이 사람들과의 관계를 형성하는 한 가지 형태임을 알 수 있다. 따라서 빈칸에 알맞은 표현은 ④ '사회적 유대'가 적절하다.

오답분석 **1.** 이 글은 웃음의 보편적인 의사소통 기능을 설명한 것이 아니라, 웃음의 사회적 관계 구축 기능을 설명하고 있으므로 ③은 제목으로 알맞지 않다. 글 전체에서 웃음을 언어로 비유한 것에 현혹되지 않도록 한다.
2. ①, ②는 상식적으로 그럴듯하나 글의 내용과 상관없는 오답이며, ③은 빈칸 문장의 physical response와 상반되는 표현을 넣어 만든 오답이다. ⑤는 interpersonal이라는 그럴듯한 형용사를 활용한 오답으로, 역시 글의 내용과 무관하다.

어휘 laughter 웃음 / circumstance 환경, 상황(= situation) / cover over ~을 완전히 덮다 / ridicule 비웃다, 조롱하다; 조롱 / in any case 어쨌든 / instinctive 본능적인 [선택지 어휘] bonding 유대 / interpersonal 사람과 사람 사이의, 대인 관계의

09 1. ③   2. ④   3. ③

해석 어느 날 우리 선생님인 심스 선생님은 7학년 현장 학습은 놀이공원이 될 것이라고 알려주셨다. 교실은 환호로 가득 찼지만, 나는 부모님께서 나를 (현장 학습에) 보낼 돈이 없다는 것을 알고 있었기 때문에 멀찍이 앉아서 들었다. 나는 굉장히 소외된 느낌이 들어서 화가 났다. 하지만 대니는 아니었다. (a) 그(대니)는 그저 모두에게 그는 가지 않을 거라고 말했다. 심스 선생님이 그에게 이유를 묻자, 그는 일어서서 말했다. "지금 당장은 너무 큰 돈이에요. 아빠가 허리를 다쳐서 한동안 일을 못 하고 계시거든요." (C) 자신의 자리로 돌아가 앉은 뒤에 (c) 그(대니)는 당당하게 고개를 세웠다. 소곤거림이 시작되었음에도, 그는 절대 자신의 상황을 부끄러워하지 않는 것처럼 보였다. 나는 아이들이 나도 가지 못할 것이란 걸 알게 됐을 때 그 소곤거림이 나에 대한 것이 될 수 있음을 알고 있었기 때문에, 내 자리에서 움츠러들 뿐이었다. "대니야, 너희 부모님이 처하신 상황을 이해하고 있다니 네가 참 자랑스럽구나. 네 또래의 학생들 모두가 그런 능력을 가지고 있는 건 아니란다."라고 심스 선생님은 대답하셨다.

(D) 그다음에, 뒤에서 소곤거리고 있는 학생들을 화난 표정으로 쳐다보시면서 (d) 그 (심스 선생님)는 우리 반 모두가 현장 학습을 함께 갈 수 있도록 모금 활동 행사를 준비하는 것을 제안하셨다. 대부분의 학생들이 동의했다. 우리는 각자 모금 활동 운동을 위해 적어도 한 가지의 아이디어를 낼 책임이 있었다. 그날 학교에서 집으로 걸어가는 동안, 나는 우리 반 아이들 세 명이 대니와 함께 이야기하고 있는 것을 보았다. 나는 그들이 (e) 그(대니)를 곤란하게 하고 있을까 걱정이 되었지만, 내가 좀 더 가까이 다가가자, 나는 그들이 그를 놀리고 있는 것이 아니라는 것을 깨달았다. 그들 모두 그저 모금 활동을 위한 가장 좋은 아이디어에 대해 토론하고 있었다.

(B) 모금 활동 행사는 성공적으로 끝나서, 대니와 나를 포함한 모든 학생들이 현장 학습을 갈 충분한 돈을 마련했다. 모든 사람이 대니를 인정한 건 아니지만, 그는 우리 중 많은 아이들의 존중을 얻었다. 나는 (b) 그(대니)가 또래가 주는 압력에 영향을 받지 않은 것에 대해 특히 감동 받았다. 그가 일어서서 가난하다는 것을 인정함으로써 대니는 내 인생을 바꾸었다. 그의 자신감은 그의 부모님이 가지거나 갖지 못한 것이 그의 정체성을 결정하지 않는다는 것을 우리 모두가 더 쉽게 이해하게 만들었다. 그 후로 나는 더는 나의 가족의 상황에 대해 거짓말을 해야 한다고 느끼지 않게 되었다.

해설 **1.** 교실 → 방과 후 → 모금 활동 행사 이후의 순으로 이야기가 진행되는 흐름을 파악해야 순서를 바르게 배열할 수 있다. 주어진 글 (A)는 심스 선생님이 놀이 공원으로의 현장 학습을 알리자, 필자와 대조적으로 대니는 집안 사정이 어려워 현장 학습을 가지 못한다고 당당하게 말하는 내용이다. (A)의 마지막에서 대니가 한 말로 반 아이들이 소곤거렸지만 대니는 고개를 당당히 들었으며, 그런 대니를 칭찬하는 심스 선생님의 대답이 나오는 (C)가 뒤이어 오는 것이 자연스럽다. 이후 (D)의 the students whispering in the back으로 이어지며, 심스 선생님이 모금 활동 행사를 제안하는 (D)가 온 다음에, 모금 활동 행사가 성공적으로 끝나서 모두가 현장 학습을 가게 되었고 대니로 인해 필자의 인생이 달라졌음을 서술하는 (B)가 마지막에 오는 것이 자연스럽다.

2. (d)만 '심스 선생님'을 가리키고 나머지는 모두 '대니'를 가리킨다. 이는 이전 문장의 명사인 (C) 마지막 부분의 Mr. Sims를 통해서도 확인할 수 있다.

3. (B)의 Although not ~ many of us.라는 문장을 통해 대니가 모든 학생들로부터 존중받은 것은 아님을 알 수 있다.

오답분석 **2.** (D)의 Staring angrily the students whispering in the back.이라는 표현 때문에 (d)가 대니를 가리킨다고 오해하지 않는다.

어휘 **field trip** 현장 학습, 소풍 / **be filled with** ~으로 가득 차다 / **sit back** 편히[가만히] 앉다 / **left out** 소외된 / **out of work** 실직한; (기계가) 고장 난 / **fund-raising** 모금 활동(의) / **impressed** 감동 받은, 인상 깊은 / **peer pressure** 동료 집단으로부터 받는 사회적 압력 / **self-confidence** 자신감 / **hold up one's head** 고개를 세우다 / **whispering** 소곤거림, 속삭임; 속삭이는 *cf.* whisper 소곤거림, 속삭임; 소곤거리다, 속삭이다 / **shrink** 움츠러들다, 줄어들다 / **capability** 능력 / **drive** (조직적인) 운동; 운전하다 / **give A a hard time** A를 곤란하게 만들다[힘들게 하다]

구문 **[19~22행]** His self-confidence made it easier / for all of us /
가목적어　　　　의미상 주어
to understand / that what his parents had or didn't have did not
S'
determine who he was.
V　　O'
진목적어

• it이 가목적어, to부정사구(to understand ~ who he was)가 진목적어인 문장으로, for all of us가 의미상의 주어이다.

[24~25행] Sitting back down in his seat, / he held his head up proudly.

• Sitting ~ seat은 시간을 나타내는 분사구문으로 After he sat ~의 의미이다.

절대평가 대비 수능 영어 실력 충전

POWER Up